HEYNE
HARDCORE

JOHN NIVEN

ALTE FREUNDE

ROMAN

Aus dem schottischen Englisch
von Stephan Glietsch

WILHELM HEYNE VERLAG
MÜNCHEN

Die Originalausgabe erschien unter dem Titel
NO GOOD DEED
bei William Heinemann, Penguin Random House, London

FSC www.fsc.org
MIX
Papier aus verantwortungsvollen Quellen
FSC® C014496

Verlagsgruppe Random House FSC® N001967

Redaktion: Thomas Brill
Umschlaggestaltung: Nele Schütz Design unter Verwendung von Illustrationen von shutterstock (ILYA AKINSHIN, Cameron Whitman) und Getty Images/grandriver
Gesetzt bei Schaber Datentechnik, Austria
Druck und Bindung: GGP Media GmbH, Pößneck
Printed in Germany

ISBN: 978-3-453-26944-6

Für Charlotte

»Keine gute Tat bleibt
ungesühnt.«

(altes Sprichwort)

»Nichts ist widerwärtiger
als das Glück anderer Leute.«

(F. Scott Fitzgerald)

teil eins

WINTER

1

Alan Grainger durchforstete seinen Wortschatz nach einem anderen Begriff für »Unverschämtheit«, als er von Covent Garden kommend die Charing Cross Road überquerte. In seiner Innentasche trug er ein kleines Moleskin-Notizbuch bei sich, in das er beim Verzehr seines Mittagssnacks bereits ein paar Zeilen – mehrheitlich Verunglimpfungen – notiert hatte.

Bezahlbarer Wohnraum, besseres Verkehrsmanagement, mehr Nachtclubs. Es gibt so einiges, was London gerade bitter nötig hat. Was die Stadt allerdings sicher nicht braucht, ist ein weiterer Pop-up-Store, der überteuerte Brioche-Burger verhökert.

Während er an diesem Satz feilte – seinem aussichtsreichsten Kandidaten für den Artikeleinstieg –, passierte er eine schmale Gasse, die nach Chinatown führte. Sofort erfüllte der Duft von gebratener Ente die kalte Novemberluft. Seine Pläne für den restlichen Nachmittag beschränkten sich darauf, eine ruhige Ecke im Soho House oder dem Groucho zu finden, dort eine große Tasse Kaffee zu trinken, um den zwei Bieren vom Mittagessen etwas entgegenzusetzen, und seine Restaurantkritik fertig zu schreiben. Gegen 16 Uhr, rechtzeitig vor Beginn der Rushhour, würde er dann den Zug nach Hause nehmen.

Er verlagerte das Gewicht von einem Fuß auf den anderen, um sich etwas Erleichterung von dem unangenehmen Völlegefühl zu verschaffen. Verstopfung. Eine Berufskrankheit.

Zumutung! Das war das Wort, nach dem er gesucht hatte.

Er blieb an der Kreuzung zur Gerrard Street stehen und zog mit vor Kälte starren Fingern das Notizbüchlein aus der Innentasche seines warmen Wintermantels.

»Aye. Alles klar, Kumpel?«

Die Stimme klang schottisch – wie sein eigener Dialekt.

Es war einer dieser sehr kalten, sehr klaren Wintertage. Der Himmel über London strahlte in einem harten, tiefen Blau, vor dem sich wie in einer Comiczeichnung die Silhouetten der Schornsteine und Fernsehantennen abzeichneten. *»Die erste Zumutung …«,* kritzelte er und strich das Wort »Unverschämtheit« durch.

»Aye, alles klar?«

Die Stimme war ganz nah, irgendwo zu seinen Füßen.

»… besteht darin, den Gast fünfunddreißig Minuten auf einen Tisch warten zu lassen …« Das neue Ding: keine Reservierungen. Mit Ende vierzig empfand Alan diesen Trend als einen der größten evolutionären Rückschritte der Menschheit.

»Alles klar, Alan?«

»… wurde noch übertroffen …«

Moment mal – woher kannte der Kerl seinen Namen?

Alan hob den Blick. Oder senkte ihn vielmehr. Ein Penner saß vor ihm auf dem Bürgersteig. Den Rücken hatte er gegen die Außenwand eines Kinos gelehnt, das eine Seite des schmalen Durchgangs bildete, der ins Gassengewirr von Soho führte. Er blickte Alan aufmerksam, beinahe amüsiert an. Und er aß irgendwas. Irgendein in Alufolie gewickeltes Ekelzeug, ein Falafel- oder Kebab-Sandwich oder so einen Fraß. Zögerlich näherte sich Alan dem Mann. Das Notizbüchlein verschwand wieder in seinem Wintermantel, und seine rechte Hand wanderte reflexhaft in die Hosentasche, um nach Kleingeld zu kramen.

Eigentlich war es gar nicht so verwunderlich. Alans Bild erschien regelmäßig in der Zeitung. Passfotogroß fand es sich neben seiner wöchentlichen Kolumne und noch größer neben den vereinzelten Interviews oder Artikeln. Hin und wieder war er auch im Radio oder Fernsehen zu Gast. Vielleicht las dieser Kerl, wenn er nachts in einer Unterführung kauerte oder auf einer Parkbank lag, gerne mal eine Restaurantkritik, bevor er sich ins Dosenbierkoma verabschiedete. Aus kurzer Distanz fiel Alan auf, dass sein Gegenüber ungefähr in seinem Alter war. Da hörten die Gemeinsamkeiten aber auch schon auf. Der Penner trug schmuddelige Jeans, abgenutzte Billigturnschuhe und war offenbar in eine Art Parka gewickelt. Das Haar des Mannes war lang und fettig, aber frei von grauen Strähnen, wie sie sein eigenes Haar durchzogen, stellte Alan nicht ohne Neid fest. Er setzte ein schiefes Lächeln auf, so eine Art gönnerhafte »Toitoitoi!«-Miene, bevor er vier handwarme Münzen aus der Hosentasche fischte.

»Wie isses dir ergangen?« Der aufgeräumte, lockere Ton des Penners schien zu suggerieren, dass sie beide eigentlich Freunde waren, die sich letzte Woche noch gesehen hatten. Ja, er war eindeutig Schotte. Gut möglich, dass ihn jetzt ein Gespräch über die Vorzüge ihrer gemeinsamen Heimat erwartete. Wie sehr sie diese vermissten. Dabei waren beide vermutlich aus gutem Grund nach London gegangen.

»Danke, gut …«, sagte Alan. Er suchte nach etwas, wo er die Münzen hineinwerfen konnte, nach einer Mütze oder Kappe oder dem modernen Äquivalent zur Bettelschale: dem ramponierten Pappbecher von Subway, Burger King oder KFC. Es schien ihm unangemessen, sich nach dem Wohlergehen seines Gesprächspartners zu erkundigen, der schließlich bettelnd auf der Straße saß. Nur dass Alan beim besten Willen kein Geldbehältnis entdecken konnte. Ohne zu wissen, wohin mit den Münzen, hing seine ausgestreckte Hand untätig in der Luft. In der eisigen Luft. Ihre Blicke begegneten sich.

»Ich dachte, du würdest mich erkennen.«

Nicht Alan sagte das, sondern der Penner.

»Woher …«, setzte Alan an, ohne den Satz zu Ende zu bringen. Denn jetzt, da Alan sich mit seiner Hand voller Münzen halb über den Fremden beugte, sahen sie einander direkt ins Gesicht. Er sprach den Satz nicht zu Ende, weil er dem Gesicht des Penners nah genug war, um dieses Funkeln in den Augen, die Lachfältchen in dessen Mundwinkeln und die leicht schiefen Schneidezähne zu sehen, die seit ihrer letzten Begegnung zu braunen Stumpen verfault waren. Seit sie …

»Craig?«, fragte Alan, wobei sich der Name wie ein einziges großes Fragezeichen anhörte.

»Lang ist's her, Kumpel.«

Ein Wirbelwind widersprüchlicher Gefühle stürmte auf Alan ein. Schock, selbstverständlich. Mitleid. Die Sorte tief empfundenes, reflexartiges Mitleid, wie es einen beim Anblick der Not einer anderen Kreatur überkommt. Und zuletzt und am offenkundigsten natürlich Freude. Freude darüber, wie bildhaft uns das Universum doch gelegentlich den eigenen Erfolg vor Augen führt und uns demonstriert, wie weit wir es gebracht haben. Wie gut wir unsere Chance zu nutzen wussten, wohingegen andere …

Denn dort, auf dem kalten Bürgersteig von Londons Innenstadt, saß einer seiner ältesten Freunde. Jemand, der ihm, als sie beide noch Teenager gewesen waren, so nahegestanden hatte wie nur irgend möglich. Ein Freund, dem er seit fast fünfundzwanzig Jahren nicht mehr von Angesicht zu Angesicht gegenübergestanden hatte.

Weshalb er die Frage nun doch stellen musste. Ganz gleich, wie unangemessen sie sein mochte. »Wie … geht's dir?«

»Tja«, seufzte Craig Carmichael und deutete mit seiner behandschuhten Linken auf sich, den Platz auf dem Bürgersteig sowie das dünne Stück Pappe, das ihm als Bleibe diente. »Du siehst es ja selber.«

»Heilige Scheiße, Craig. Gottverdammte Scheiße.«

»Was treibst du gerade?«, fragte Craig und biss in seinen in Alufolie verpackten Snack. Dabei schlug er einen Plauderton an, als wären sie zwei Geschäftsreisende im Nadelstreifenanzug, die sich im Flughafenterminal in die Arme gelaufen sind. Zwei alte Schulfreunde, die sich zufällig an einem Drehkreuz des internationalen Reiseverkehrs begegneten. Und Alan? Alan hatte Probleme, sich auf den Beinen zu halten. Was sollte er tun? Sich neben Craig setzen, frei nach dem Motto »He, ich bin auch nicht anders als du«? Oder stehen bleiben?

»Ich …«, stammelte Alan. »Ich arbeite nur ein bisschen.«

»Du schreibst?«

»Ich … ja, genau.«

Schweigen. Der Wind strich durch die Gasse, als würde er nicht mehr aus ihr herausfinden. Was gab es noch zu sagen?

»Hör mal«, murmelte Alan mit Blick auf seine Uhr. »Hast du vielleicht Lust, was zu trinken?«

Später, sehr viel später, sollte Alan allen Grund haben, sich zu fragen, wie völlig anders die Dinge sich wohl entwickelt hätten, wenn ihm dieser Satz nicht über die Lippen gekommen wäre. Die entscheidenden Weichen des Lebens: winzige Augenblicke, denen wir keine große Tragweite beimessen. Doch nichts bleibt folgenlos.

* * *

Da viele Läden wegen Craigs Aussehen von vornherein ausschieden (wobei Alan annahm, dass sein alter Freund im Groucho als schräger britischer Künstler durchgegangen wäre), landeten sie letztlich im Coach & Horses auf der Greek Street. Sie quetschten sich an einen der kleinen Tische am Ende der Bar, gleich neben den Toiletten – Craig mit einem Pint und Alan mit einem halben.

»Prost«, sagte Alan.

»Aye, prost«, erwiderte Craig und stieß mit ihm an.

Prost? Ernsthaft? Im Hinblick darauf, wie sehr Craig zweifellos vom Schicksal gebeutelt war, empfand Alan es beinahe als zynisch, mit ihm anzustoßen. Offenbar trug sein alter Freund mehrere Schichten Kleidung übereinander. Die Sohlen seiner Turnschuhe waren halb abgerissen. Seine wenigen Habseligkeiten, bestehend aus Schlafsack, Rucksack und einer Tragetasche, lagen unter dem Stuhl neben ihm.

Es hatte Craig einige Zeit gekostet, alles zusammenzurollen, während Alan ihm mit einem wohlwollenden Lächeln zusah, unsicher, was die gesellschaftliche Etikette in dieser Situation gebot. Sollte er seine Hilfe anbieten? Oder eher nicht? Er entschied sich dagegen. Dennoch wirkte Craig nicht so schmutzig, dass man ihm den Eintritt in den Pub verwehrt hätte. Er trug einen dichten Bart, und seine Haare schienen in fünf verschiedene Richtungen gleichzeitig vom Kopf abzustehen, aber im Großen und Ganzen erweckte er den Eindruck, als hätte er sich in letzter Zeit mal gewaschen. Ungelogen: Wäre er zwanzig Jahre jünger gewesen, er hätte sich glatt einen Platz in einem dieser alten »Hipster oder Penner«-Blogs auf Tumblr verdient gehabt. Und irrerweise war Craig immer noch gertenschlank. Irrer-, aber nicht unerklärlicherweise. Alan vermutete, dass die kalorienreduzierte Ernährung zu den wenigen Vorteilen des Vagabundenlebens gehörte. Als sie die Gläser absetzten, war schließlich der Zeitpunkt gekommen, Craig zu fragen. Es führte kein Weg mehr daran vorbei.

»Himmel, Craig, was ist dir passiert?«

Craig lachte. Als hätte er mindestens die letzten zehn Minuten auf diese Frage gewartet. »Ach Scheiße, ist 'ne lange Geschichte. Wann haben wir uns zuletzt gesehen?«

»O Gott ...« Alan tat, als müsste er nachdenken.

In Wahrheit wusste er genau, wann sie einander zum letzten Mal gesehen hatten. Der Moment erschien glasklar vor seinen Augen: Craig, noch schweißnass, trägt ein frisches T-Shirt, das er sich vom Merchandise-Stand geholt hat. Ein Wasserglas voll Weißwein an den Lippen, winkt er zum Abschied, als Alan und die Jungs um zwei

Uhr morgens den rappelvollen Backstage-Bereich verlassen. »Wir sehen uns!«, ruft er ihnen nach. Craigs Band The Rakes waren gerade aus Amerika zurückgekehrt und hatten im QM, dem Veranstaltungssaal der Queen Margaret Union an der Universität von Glasgow, an diesem Abend das erste Konzert ihrer UK-Tour gespielt. Im Frühjahr 1993, kurz bevor Alan nach London gezogen war. Er hatte das Konzert mit Charlie und Donald besucht, seinen Mitbewohnern in der WG an der Byres Road in Huntley Gardens. Charlie, Donald, Craig und Alan waren zusammen zur Uni gegangen. Als seine Band richtig durchstartete, hatte Craig sein Studium im zweiten Jahr hingeschmissen. Und nun spielte er, einer der ihren, tatsächlich als Headliner im QM, wo sie gemeinsam so viele Konzerte gesehen, vom Oberrang aus die Bands angefeuert und im Moshpit gefeiert hatten. O ja, Alan konnte sich noch sehr genau an den Moment erinnern. Warum tat er dann so, als müsste er nachdenken? *Weil du ihn nicht wissen lassen willst, dass du oft an ihn gedacht hast.*

»Vielleicht in Glasgow? Damals, als du im QM gespielt hast?«

»Aye. Könnte sein«, sagte Craig und strich sich durch den Bart.

»Ich hab immer wieder mal versucht, dich aufzustöbern. Du weißt schon, das Übliche eben, auf Facebook und so«, erklärte Alan.

»Mit so was hab ich nich viel am Hut«, erwiderte Craig.

Ach wirklich?, dachte Alan mit Blick auf Craigs zerlumpte Habseligkeiten unter dem Stuhl. »Natürlich hab ich hier und da was gelesen oder gehört, in der Presse und sonst wo … ist aber auch schon eine ganze Weile her.«

Alan erinnerte sich daran, wie er sich aus Musikzeitungen wie *Q* oder dem *NME*, die er zu jener Zeit las, Schnipsel für Schnipsel die Informationen zusammengepuzzelt hatte. *»Heroin ... Entzug ... Los Angeles ... von der Plattenfirma fallen gelassen ...«* Damals, als Alan noch für ein paar Pennys beim Stadtmagazin *Time Out* geschuftet hatte, waren das tröstliche Geschichten gewesen. Bis dahin hatte er Craigs großen Durchbruch eine ganze Zeit lang als unmittelbar bevorstehend und unausweichlich betrachtet.

Craig trank einen großen Schluck Bier. »›Daybreak‹ war ein Hit in den Staaten, weißte noch? Kein Superhit, aber ein echter Hit. Deshalb sind wir 1994 in die USA gegangen. Die ganze Band. Sind ständig auf Tour gewesen. Und die Rechnung ging auf: Wir haben tierisch Platten verkauft, am Ende fast 'ne Million Stück. Auf einmal flatterten dicke Tantiemen-Schecks ins Haus. Keine über fünf oder zehn Riesen, sondern über zweihundert-, dreihunderttausend Dollar. Und das vor zwanzig Jahren. Du weißt ja, wie Davy und Tam drauf waren, da kannste dir sicher vorstellen, dass wir alle ein bisschen am Rad gedreht haben. Sind nach L. A. gezogen. Und dann ist passiert, was in der Branche wohl normal ist: Gerade leben wir noch wie die Könige, und als dann endlich das neue Album erscheint, heißt es plötzlich: ›Wer seid ihr denn?‹ Wir haben nur 90 000 Exemplare verkauft. Von heute auf morgen statt 900 000 nur noch 90 000 Platten. Das musste erst mal schaffen, von einem Album zum nächsten ganze 90 Prozent deiner Fans zu verlieren. Aber wir hatten uns längst dran gewöhnt, in Saus und Braus zu leben. Haben wir also einen Gang zurückgeschaltet? Von wegen, den Teufel haben wir getan. Wir haben uns 'nen fetten Vorschuss vom Label geholt, auf einen weiteren Hit gehofft, unsere Steuern nicht bezahlt, du weißt schon, es war dasselbe Scheißspiel, das jeder Idiot vor uns und jeder Idiot nach uns gespielt hat. So etwa um '99 rum bin ich dann endgültig am Arsch, völlig pleite, jobbe in der Küche von 'nem mexikanischen Restaurant in Echo Park, versuche eine neue Band zusammenzutrommeln, pudere mir immer noch regelmäßig die Nase und sage auch zu Heroin nicht Nein. So lief das ein paar Jahre, dann ... na ja, es gab ein paar Frauengeschichten, war auch alles nicht so toll. Schließlich bin ich zurück nach Schottland – 2005 oder 2006? So um den Dreh muss das gewesen sein. Als meine Mutter starb«, sagte Craig, worauf Alan das obligatorische »Mein Beileid« einwarf, doch Craig winkte nur ab. »Hab damals ein bisschen Geld geerbt, hat mich ein paar Jahre über Wasser gehalten. Aber auch das war schneller weg als erwartet – und zu dieser Zeit hatte ich schon ein ausgewachsenes Alkoholproblem. Ich bin nach London gegangen, um den Teufelskreis zu durchbrechen, in dem ich zu Hause in Ardgirvan festgesteckt hab. Scheiß Heroin. Bin da einfach an die falschen Leute geraten. Ranta Campbell und seine Jungs, weißte noch? Hier bin ich dann bei einem Mädel in Tottenham abgestiegen, das ich noch von früher kannte. Die hat mich nach ein paar Monaten vor die Tür gesetzt. Ich erinnere mich noch an die erste Nacht auf der Straße. Viele vergessen diesen Moment nie. Ich hatte etwa dreißig Pfund in der Tasche. Das Geld hätte so gerade für 'ne Übernachtung im Hostel oder 'ne einfache Busfahrt zurück nach Glasgow gereicht – aber was sollte ich da? Weiß der Geier. Es war September, nicht allzu kalt, also bin ich in den Park gegangen und hab mich in meinem Schlafsack unter ’nen Busch gelegt. War natürlich stockbesoffen. Dann erinnere ich mich erst wieder daran, wie ich um sieben Uhr morgens aufgewacht bin. Ich hatte die Nacht überstanden. War gar nicht *so* schlimm. So ist das halt: Du stellst fest, dass es schon irgendwie geht. Hab mich dann neben einen Geldautomaten gesetzt, und gegen Mittag hatte ich vier Pfund zusammengeschnorrt. Genug fürn Sandwich und ’n paar Dosen Bier. Das ist jetzt etwa fünf Jahre her.« Craig leerte sein Glas.

Alan schüttelte den Kopf und schaute auf die Uhr hinter der Bar. Craig hatte gerade mal drei Minuten gebraucht, um die letzten vierundzwanzig Jahre seines Lebens zusammenzufassen.

»Drauf geschissen«, sagte Craig. »Mal gewinnt man, mal verliert man. Es war nicht alles schlecht. Ich hab auch echt tolle Zeiten erlebt.«

»Tut mir leid«, sagte Alan.

Als ihm die Worte über die Lippen kamen, wurde ihm bewusst, dass er sie wirklich ernst meinte. In jüngeren Jahren hatte er Craig gelegentlich die Pest an den Hals gewünscht. Er hatte ihn um sein Aussehen, sein Talent, sein musikalisches Können, seinen Schlag bei den Frauen, sein Selbstvertrauen und seine Beliebtheit beneidet. Der junge Alan Grainger hatte sich eigentlich nichts sehnlicher gewünscht, als Craig Carmichael zu sein. Aber heute, wo sie beide auf die fünfzig zugingen und einen Gutteil ihres Lebens gelebt hatten, war er mehr als glücklich damit, Alan Grainger zu sein.

»Weißt du, ich hab dich ein paar Mal gesehen«, sagte Craig.

»Wo?«

»In der Dean Street, wenn du ins Groucho gegangen oder rausgekommen bist. Lohnt sich manchmal, dort zu sitzen. Kann passieren, dass dir irgend so ein stinkend reicher Arsch 'nen Zwanzig-Pfund-Schein oder so was in die Hand drückt.« Alan hatte vor dem Groucho schon mehrfach Penner gesehen, und gelegentlich hatte er ihnen auch etwas Kleingeld zugesteckt. *Obwohl, wirklich gesehen hast du sie nicht, stimmt's? Du bist ihren Blicken ausgewichen.*

»Warum hast du mich nicht einfach angesprochen?«, fragte Alan.

»Ja, *klar doch*«, sagte Craig. »Du warst ja nicht allein. Was hätte ich denn sagen sollen? ›Wie läuft's denn, Alan? Kennste mich noch? Craig Carmichael aus Ardgirvan? Wir sind zusammen auf die Ravenscroft Academy gegangen? Haste vielleicht was Kleingeld für mich?‹«

»Und warum hast du mich heute angesprochen?«

Craig zuckte mit den Schultern. »Du warst allein. Du bist neben mir stehen geblieben und hast in deinem blöden Notizbüchlein rumgekritzelt.«

Alan grinste. Aber irgendetwas an der lapidaren Art, in der Craig ihm das »blöde Notizbüchlein« vor den Latz geknallt hatte, und die Tatsache, dass seine blauen Augen – so furchig und verwittert die Haut um sie herum auch sein mochte – ihn immer noch durchbohren konnten wie ein Laserstrahl, bereitete Alan Unbehagen. Es gab ihm das Gefühl, wieder sechzehn zu sein, als hätten die vergangenen Jahre nicht ihre Schuldigkeit getan und für ausgleichende Gerechtigkeit gesorgt.

»Egal«, sagte Craig. »Die nächste Runde geht auf mich. Was willst du trinken?«

»Craig, im Ernst, lass mich doch bitte ...«

»Nee. Die Runde geht auf mich. Das passt schon.«

»Ich weiß, aber ...«

»Lass gut sein, Alan.«

»Aye, tut mir leid. Wenn du unbedingt willst, könntest du mir ein halbes ... ach, scheiß drauf. Bestell mir ein Pint.«

Während er beobachtete, wie Craig sich zur Bar durchkämpfte, wobei er den einen oder anderen schrägen Blick erntete, aber ohne Probleme bedient wurde (das Coach & Horses hatte zweifellos schon sehr viel Schlimmeres erlebt), dachte Alan bei sich: *»Aye?«*

Wann hatte er seinen Dialekt zuletzt so raushängen lassen? Wenn er heute Abend nach Hause kam, würde Katie sich zu Recht fragen, was mit ihm passiert war.

2

»Oh bitte, Mum.«

»Ach verdammt, Melissa.«

Sie waren in der Küche. Katie Grainger blickte vom Abtropfsieb mit dem Grünkohl auf, den sie wässerte, und musterte noch einmal ihre sechzehnjährige Tochter, mit der sie gerade eine Auseinandersetzung führte, wie sie für Mütter mit halbwüchsigen Töchtern zum Alltag gehört: Streitpunkt war eine bevorstehende Kostümparty beziehungsweise die Frage, wie viel nackte Haut Melissa dort zeigen durfte. In Katies Augen sah sie aus wie eine Mischung aus unterernährter Sexarbeiterin und Courtney Love nach einem dreitägigen Besäufnis. Sie hatte sich für eine Art Hexenkostüm entschieden – allerdings eine sehr tief, fast bis zum Bauchnabel ausgeschnittene Variante, deren Saum knapp unterhalb des Schlüpfers endete, von dem Katie inständig hoffte, dass Melissa ihn trug. Zwischen ihren schwarzen Strümpfen und dem Saum des Rocks war deutlich ein Streifen Haut zu sehen.

»Ich würde nur gerne wissen«, fragte Katie und schüttete die smaragdgrünen Blätter in einen Kochtopf, »wann die gute alte Kostümparty zum Prostituiertenkongress verkommen ist? Früher haben sich die Kids als Comicfiguren oder so verkleidet …«

»Wäre es dir lieber, wenn ich als Elsa aus *Die Eiskönigin* gehen würde?«

»Ich nehme an, es müsste eine sexy Elsa sein, hab ich recht? Vermutlich würde sie zur Baskenmütze Strapse tragen.«

»Ach komm schon, Mum. Jasmine Holland geht als ...«

»Und wenn schon.« Es kostete Katie geradezu übermenschliche Anstrengung, die Antwort, die ihr auf der Zunge lag und die neben dem Namen Jasmine Holland auch die Worte »Brücke« und »springen« enthielt, für sich zu behalten. »Weißt du was, Melissa? Wir können uns das komplett sparen. Wenn dein Vater nach Hause kommt und dich in dieser Aufmachung sieht, dann geht er an die Decke.«

»Ich kann's kaum erwarten, endlich auf der Uni zu sein«, schnaufte Melissa und stürmte aus der Küche. Ihre Bleistiftabsätze stanzten kleine Dellen in Katies geliebtes Eichenparkett.

»An deiner Stelle würde ich meine Nase dann öfter mal in die Bücher stecken, statt meine Zeit auf Facebook zu vertrödeln«, rief Katie ihr nach. *Wie wäre das als Thema der morgigen Kolumne: die Übersexualisierung von Teenagern am Beispiel einer Kostümparty?,* dachte sie. *Keine schlechte Idee.* Sie ging zum Laptop und machte sich eine Notiz in einem Dokument namens *Kolumnenideen*, das sie immer offen hatte.

Hinter der Kücheninsel inmitten ihres großen, offenen Ess- und Wohnbereichs glitzerten ein schwarzer Aga-Ofen und diverse gebürstete Edelstahlflächen: auf Hüft- und Kopfhöhe die beiden Backöfen, der sechsflammige Herd von Viking Range und die Flügeltüren des Kühlschranks.

Die Kücheninsel war mit zwei Spülbecken und einer fast achthundert Pfund teuren Profi-Küchenarmatur von Grohe ausgestattet. Daneben stand der runde Esstisch, und dahinter befand sich der Wintergarten mit dem Wohnbereich: großzügige Sofas, umgeben von Glas und viel Grün. Die großen Fenstertüren öffneten sich zum terrassenförmig angelegten Garten. Wie bei vielen anderen georgianischen und viktorianischen Anwesen in diesem Teil von Buckinghamshire waren am rückwärtigen Teil des Gebäudes umfangreiche An- und Umbauten vorgenommen worden – die Entfernung von der Küchenwand hinter ihr bis zu den Glastüren betrug gut und gerne fünfzehn Meter.

Katie sah auf die Uhr. Fast fünf Uhr nachmittags. War der Umstand, dass sie ihn später fürs Hühnchen brauchen würde, eine hinreichende Ausrede, um die Glastür des Weinkühlschranks zu öffnen und schon mal eine Flasche Sauvignon oder Burgunder zu entkorken? Nein, vorerst würde sie sich mit einer Tasse Tee vertrösten. Sie stellte den Wasserkocher an. In ihrem Rücken ertönten die Worte »Hände hoch, du Schurke!«, und sie drehte sich um. Sophie streckte ihr ihre Woody-Puppe entgegen. Das letzte Stück der Aufziehschnur verschwand gerade im Hinterteil des Sheriffs.

»Du! Mach, dass du herkommst!«, winkte Katie ihre Jüngste mit ernster Miene heran. Wohlwissend, dass ihre Mutter nur im Scherz einen so strengen Ton anschlug, trabte die Siebenjährige kichernd herbei. Katie hob ihre Tochter hoch und setzte sie auf den Küchentresen. »Sie wurden für schuldig befunden …«, sagte sie, wartete einen Augenblick und fuhr dann fort, *»… viel zu niedlich zu sein!«*

Katie drückte ihre Daumen sanft in Sophies Oberschenkel. Die Kleine quiekte vergnügt auf und zappelte mit den Beinen, sodass ihre Fersen gegen die Tür des Küchenschranks trommelten. »Aufhören! Aufhören! Bitte verschont mich, liebe Mutter!« Katie hatte ihr beigebracht, so übertrieben förmlich um Gnade zu flehen. Sophie, die das Spiel liebte, hörte gar nicht mehr auf zu kichern, bis ihre Mutter sie schließlich freigab und sie ebenfalls lachend in den Arm nahm. Immer wenn sie sich mit ihrer Jüngsten beschäftigte, nachdem sie sich vorher mit der Älteren auseinandergesetzt hatte, verspürte Katie den Wunsch, ihre Töchter einfach in Aspik einlegen zu können. Melissa war als kleines Kind so fröhlich und umgänglich gewesen. Bald würde Sophie so alt sein wie Melissa heute. Dann wäre Katie *siebenundfünfzig*, und dann ... sie mochte gar nicht daran denken.

»Mummy? Was ist mit Mel los?«

»Gar nichts. Deiner Schwester geht's gut.«

»Aber sie hat die Tür zugeknallt.«

»Das war ein bisschen ungezogen.«

Sophie nickte. »Das war nicht sehr nett, oder?«

»Nein, war es nicht. Hast du denn deine Hausaufgaben schon gemacht?« Sophie schüttelte den Kopf. »Dann beeil dich mal besser. Die Simpsons fangen bald an.«

»Neinn!«, zitierte Sophie Homer Simpson, rutschte vom Tresen und sauste davon. Auf der Türschwelle blieb sie stehen. »Wann kommt Daddy nach Hause?«

»Bald, Schatz. Hopp, mach deine Hausaufgaben.«

Alan war heute Morgen nach London gefahren, wie immer, wenn er eine Restaurantkritik zu schreiben hatte. Katie verfasste ihre Kolumnen zu Hause und musste nur zwei- oder dreimal im Monat in London arbeiten. Im Gegensatz zu Alan, der im Schnitt sieben- bis achtmal in die Hauptstadt pendeln musste.

Vor sieben Jahren hatten sie dieses Haus gekauft und waren nach Marham gezogen, kurz bevor Tom aufs Gymnasium gewechselt war. Ihr Ältester, damals noch ein zahnlückiger Zwölfjähriger, hatte sich inzwischen in ein strammes, hochgewachsenes Kraftpaket verwandelt. Ein Kühlschränke leerendes Wunder an Appetit und Unordentlichkeit. Katie fragte sich, wo ihr Sohn wohl in diesem Augenblick steckte. In der Bibliothek oder im Lesesaal, hoffte sie. (*O ja, ganz bestimmt,* spottete eine Stimme in ihrem Kopf.)

Nach scheinbar ewig währenden Semesterferien war er erst vor ein paar Wochen nach Glasgow an die Uni zurückgekehrt. Doch um Tom machte sie sich keine Sorgen. Er war immer schon ein unproblematischer, ziemlich vernünftiger Junge gewesen. Melissa dagegen … tja, das stand auf einem ganz anderen Blatt. *Wenn du Kinder hast, läuft dein Herz auf ewig außerhalb deines Körpers herum.* Wer hatte das gesagt? Joan Didion? Sie würde es später nachschlagen. *Also, Joan Didion, das wäre doch eine Idee. Jährt sich vielleicht ihr Todestag? Oder ihr Geburtstag? Eine ihrer wegweisenden Veröffentlichungen? Ihr Termin beim Friseur oder zur Intimrasur?* Egal, was Katie als Aufhänger wählte: Hauptsache, es gab 750 Wörter her.

Sieben Jahre hier draußen. Ausschlaggebendes Argument war wohl die Schulsituation gewesen … und mehr Platz … und natürlich der Umstand, dass der Zug bis Marylebone nur dreißig Minuten brauchte. Eigentlich musste Katie nicht groß überredet werden. Die Kids waren neun und zwölf gewesen. Sie stand damals kurz vor ihrem vierzigsten Geburtstag und hatte das Gefühl, in London alles erreicht zu haben. Alan war nicht ganz so leicht zu überzeugen gewesen. Letztlich hatten ihre damaligen Nachbarn Jane und Bob die Entscheidung für sie gefällt, als sie ihnen erzählt hatten, wie ihr zwölfjähriger Sohn aus der örtlichen Gesamtschule nach Hause gekommen war, mit einem schmatzenden Geräusch die Lippen geschürzt und »Isch bin voll krasser Hühnerficker« gesagt hatte.

Wie so manche Londoner ihrer Generation waren Alan und Katie glückliche Nutznießer einer gewaltigen, aberwitzigen Lachnummer gewesen: des Immobilienbooms.

Ihre erste Zweizimmerwohnung in West Hampstead hatte sie 1995, als sie noch in ihren Zwanzigern gewesen waren, knapp 120 000 Pfund gekostet. Für die Anzahlung von 12 000 Pfund hatten sie ihr Erspartes zusammengekratzt und sich den Rest von den Eltern geliehen.

Im Jahr 2001, als Melissa geboren wurde, verkauften sie die Wohnung für 200 000 Pfund. Sie zogen nach Queen's Park, wo sie für 280 000 Pfund eine große Dreizimmer-Maisonette-Wohnung mit eigenem Garten erworben hatten. Queen's Park war damals noch nicht der Rede wert gewesen.

Das sah schon ganz anders aus, als sie die Immobilie fünf Jahre später für eine halbe Million verkauften und den Gewinn in eine heruntergekommene viktorianische Doppelhaushälfte an der Bezirksgrenze zu Brondesbury Park steckten. Eine Investition, die sie insgesamt 750 000 Pfund kostete. Sie sanierten das Haus und verpassten ihm ein gutbürgerliches Upgrade: Zum edlen Seegrasteppichboden gesellten sich ein paar echte Kamine, eine neue Küche sowie neue Badezimmer, und auch bei der Wahl der Wandfarbe zeigten sie sich nicht knauserig. Immerhin waren sie damals gerade zu einem schönen Batzen Geld gekommen, da Alans erstes Kochbuch in der Weihnachtsbestsellerliste weit nach oben geklettert war. *Kochen mit der Pausentaste – Rezepte wie im Film* war eine von Szenen aus Filmklassikern inspirierte Rezeptsammlung: Dustin Hoffmans French Toast aus *Kramer gegen Kramer*, die Pastasoße aus *Goodfellas*, Paul Newmans Omelette-Rezept aus *Die Farbe des Geldes* und so weiter.

2010 verkauften sie das Brondesbury-Haus dann für 1,2 Millionen Pfund.

Im Grunde hatte ihnen Katies Vater 1995 sechs Riesen geliehen, und – simsalabim – fünfzehn Jahre später waren sie Immobilienmillionäre.

Dank ihres Talents? Ihres meisterhaften Plans? Ihres Geniestreichs? Nichts dergleichen. Ihre Leistung hatte schlicht darin bestanden, Ende der Sechziger geboren worden zu sein und in den Neunzigern einen halbwegs vernünftig bezahlten Job in London gehabt zu haben. So kam es, dass sie jetzt, mit nicht einmal fünfzig Jahren und frei von Hypotheken, nur eine halbe Stunde von London entfernt in einem gut fünfhundert Quadratmeter großen, freistehenden georgianischen Haus mit sechs Zimmern auf einem fast einen Hektar großen Anwesen lebten. Ihr Schlafzimmer hatte ein eigenes Bad, außerdem gab es im Haus drei weitere Badezimmer sowie einen großen begehbaren Kleiderschrank. Die Kinder hatten alle eigene Zimmer und Alan ein Arbeitszimmer. Katie hatte freiwillig auf eins verzichtet, denn sie zog es vor, am Küchentisch zu arbeiten. Umgeben von Töpfen, Pfannen, den Gerüchen, Geräuschen und der Geschäftigkeit des Kochens sowie dem Kommen und Gehen der Kinder und Handwerker, das niemals endete, da es im Haus immer etwas zu tun gab.

Katie versuchte sich einen durchschnittlichen 26-Jährigen vorzustellen, der heutzutage auf Basis eines Jahreseinkommens von 40 000 Pfund eine nette Zweizimmerwohnung in West Hampstead kaufen wollte. *Mmmm,* überlegte sie, *750 Wörter über die Schwierigkeiten junger Leute, den Fuß in die Tür des Londoner Immobilienmarktes zu bekommen.* Nein, das Thema konnte sie unmöglich *schon wieder* bemühen. Ihr Chefredakteur würde ihr den Kopf abschneiden. Sie schaltete den Backofen an und setzte sich an den Küchentisch vor ihren Laptop. Die Uhr zeigte nun Punkt fünf. Die Glastür des Weinkühlschranks starrte sie unheilvoll an.

Ihr Handy klingelte. Alan.

3

Alles ist irgendwie anders, dachte Craig, als er sich umschaute. Andererseits konnte er es nicht mit Gewissheit sagen, da er die paar Male, die er bislang im Groucho gewesen war, ziemlich neben sich gestanden hatte – damals, Anfang der Neunziger, als die Plattenfirmen seine Band noch heftig umwarben. »Mein Freund ist Musiker«, sagte Alan, als er ihn an der Rezeption ins Besucherbuch des Privatclubs eintrug, während Craig verlegen danebenstand und sein Bündel umklammerte. Bevor Alan kurz verschwand, um zu telefonieren, setzte er Craig mit einer Flasche Weißwein in einem Eiskübel in eine Ecke und drückte ihm die Snackkarte in die Hand. Snacks? Heilige Scheiße, acht Pfund für ein Schottisches Ei im Miniformat? Wobei es sicher nichts schaden konnte, etwas in den Magen zu kriegen. Schließlich hatten sie im Coach & Horses jeder vier Pints getrunken und schon eine erste Flasche Weißwein geöffnet, dabei war es gerade einmal fünf Uhr. Craig hielt sich dieser Tage eigentlich an die selbst auferlegte Regel, nicht durcheinander zu trinken. Normalerweise machte er gegen Mittag sein erstes Bier auf und trank sechs bis acht Dosen Super Lager oder Special Brew, bevor er gegen Mitternacht schlafen ging. Er hatte sich immer gefragt, warum Obdachlose das Zeug soffen. Jetzt, da er selbst einer war, kannte er die Antwort: Für wenig mehr als sieben Pfund bekam man bei Tesco vier Halbliterdosen, also zwei Liter eines Gesöffs, das mit fast neun Prozent so stark war wie mancher Wein. Da fiel die Entscheidung nicht sonderlich schwer.

Er überlegte, wo sie gesessen hatten, als er zum letzten Mal hier gewesen war. Dort drüben, bei dem Klavier? Damals war neben ihrem Manager, einem A&R-Typen und ein paar Mädels von der Plattenfirma auch reichlich Koks auf der Toilette im Untergeschoss im Spiel gewesen. Tatsächlich meinte er, sich daran erinnern zu können, dass er *mit* einem der Plattenfirmen-Girls *und* dem Kokain auf der Toilette gelandet war. Sie hatte eine Latzhose getragen (der Fairness halber sei an dieser Stelle noch einmal erwähnt: es war das Jahr 1992), hastig die Schnallen geöffnet, sich in der engen Kabine umgedreht und ihr Gesicht gegen den Deckel des Spülkastens gedrückt, von dem sie gerade das Koks geschnieft hatten. Er war fünfundzwanzig Jahre alt und fest davon überzeugt gewesen, sein Leben würde immer so weitergehen.

Er schreckte aus seinem Tagtraum, als er sah, wie sich Alan mit leichter Schlagseite zwischen den Tischen hindurch auf ihn zuschlängelte. Scheiße, hatte der Kerl eine Wampe. Craig war um die Hüfte noch genauso schlank wie mit siebzehn.

Mit einem keuchenden Stöhnen ließ sich Alan in den Sessel neben Craig sinken.

»Meine Fresse, hörst du das eigentlich?«, sagte Craig.

»Was?«

»Dein Geschnaufe beim Hinsetzen. Das ist voll rentnermäßig.«

»Was du nicht sagst. Prost.«

Craig griff nach seinem Weinglas und stieß mit Alan an. Er hatte seit Ewigkeiten keinen Wein mehr getrunken. Das Zeug war nicht schlecht. »Alles in Ordnung?«

»Was?«

»Dein Anruf?«

»O ja, bestens. Ich habe Katie nur gesagt, dass ich etwas später nach Hause komme.

»Und? Wo ist zu Hause?«

»Marham. In Buckinghamshire?«

Im Pub hatten sie hauptsächlich über Craig gesprochen. Alan hatte es als unangebracht empfunden, über sich selbst zu reden. Über seine Karriere, sein Geld, sein Haus, seine wunderschöne Frau aus bester Familie oder seine gut und teuer erzogenen Kinder. Über das perfekte Blatt, das ihm das Schicksal zugespielt hatte: lauter Könige und Asse. Während Craig auf eine endlose Folge von Zweien, Dreien und Jokern zurückblickte. Doch es sah ganz so aus, als käme er einfach nicht drum herum. »Wir sind vor sieben Jahren aus London weggezogen. Wir waren damals beide vierzig. Das Leben hatte es gut mit uns gemeint, aber irgendwann erreicht man halt den Punkt, an dem man einen Gang zurückschalten will – du weißt schon.« *Idiot,* dachte Alan bei sich selbst. *Du weißt schon?* Na klar, als ob Craig das wüsste. Craig, der die Nacht in einer Gasse am Piccadilly Circus verbracht und sein gesamtes Hab und Gut als Kopfkissen benutzt hatte. Dessen Leben auf den täglichen Kampf reduziert war, zehn Pfund zusammenzuschnorren. Zehn Pfund. Eine Fahrt im Taxi. Eine Packung Zigaretten. Ein Trinkgeld für den Portier. Ein paar Zeitschriften. Ein einziger Gin Tonic an der Bar hier im Club.

Doch falls Craig durch Alans Bemerkung gekränkt war, so ließ er es sich zumindest nicht anmerken. Er nickte bloß, nippte an seinem Wein und fragte: »Wie lange bist du schon mit Katie zusammen?«

»Gott, Katie und ich«, erwiderte Alan und füllte sein Glas wieder auf. Das von Craig war immer noch ziemlich voll. »Etwas mehr als zwanzig Jahre? Wir haben uns '94 kennengelernt. Kurz nachdem ich hierhergezogen bin.«

»Kinder?«

»Drei. Tom ist neunzehn, Melissa ist sechzehn, und Sophie ist gerade sieben geworden.« Sophie, ihr kleiner Nachzügler. Die Nacht in Antigua. Zu viel einheimisches Bier. Zu viel Rum. »Und du, Craig, keine Kinder?«

»Oh doch.«

»Echt? Du warst verheiratet?« Kaum waren ihm die Worte über die Lippen gekommen, wurde Alan klar, wie sehr sie nach 1952 klangen.

»Scheiße, nein. Es gibt zwei, von denen ich weiß. Eins in L. A. und eins oben in Glasgow.«

»Und hast du sie jemals …«

Craig schüttelte den Kopf. »Als wäre ich denen irgendwie von Nutzen, ein Vollversager wie ich. Nee, da halt ich mich besser raus.«

»Tut mir leid. Echt.«

»Vergiss es.«

»Vielleicht ist es ja noch nicht zu spät. Du könntest versuchen, dich mit ihnen in Verbindung zu setzen. Heutzutage ist es kein Problem mehr, Leute aufzuspüren …«

»Jetzt komm schon, Alan. Red keinen Scheiß.«

Craig griff nach seinem Wein, und Alan wechselte das Thema. »Und was ist mit der Musik? Du bist doch früher nirgendwo hingegangen, ohne deine Gitarre dabeizuhaben. Spielst du noch gelegentlich?« Alan erinnerte sich, wie Craig im Aufenthaltsraum der Schule einmal eine von Anfang bis Ende perfekte Interpretation von »Sunday Bloody Sunday« auf der Akustikgitarre gespielt hatte – umringt von Mädchen, die ihm gebannt dabei zusahen.

»Nee. Seit 'ner Ewigkeit nicht mehr.«

»Ist es zu schmerzhaft zu spielen? Ich meine, reißt es alte Wunden auf?«

»Ach was. Ich hab bloß nie 'ne Gitarre zur Hand. Wie steht's mit dir?«

»Ich schnappe mir hin und wieder die Klampfe von Tom. Ich war ja nie ... na ja, du weißt schon ... ich bin nie so gut gewesen wie du.«

»So schlecht warst du auch wieder nicht ...«

Sie wussten beide, dass das eine Lüge war. Damals, Anfang der Achtziger, in der Sozialbausiedlung in Ardgirvan, hatte Alan in dem Reihenhaus mit der Waschbetonfassade in Craigs winzigem Zimmer gesessen und zugesehen, wie dessen Finger das Griffbrett des Les-Paul-Nachbaus von Hondo rauf und runter flitzten und ihm anstandslos jeden Wunsch von The Clash, The Jam oder den Buzzcocks (später dann The Smiths, Orange Juice oder Lloyd Cole) erfüllten. Den kleinen Übungsverstärker auf volle Lautstärke gedreht, hatte Alan versucht, es ihm gleichzutun. Doch im Vergleich mit Craigs wirbelnden Fingern, die im fliegenden Wechsel Soli, Bendings, Hammer-Ons und Vibrato spielten, wirkten seine wie Gummischläuche, Blutwürste oder schlaffe Penisse. Die erste simple Akkordfolge meisterte Alan, indem er zwei Wochen lang nichts anderes tat, als dieselbe Platte immer wieder zu hören und die Akkorde sklavisch zu wiederholen. Craig dagegen konnte Songs, die er gerade zum ersten Mal gehört hatte, auf der Stelle Ton für Ton nachspielen. Trotzdem hatte er Alan irgendwann in seine Band aufgenommen – wenn auch nur für kurze Zeit. Als Bassist. Alan hatte schon damals vermutet, dass er nur an Bord war, weil seine Eltern als einzige genug Geld hatten, um ihm einen vernünftigen Verstärker zu kaufen.

»Aye«, erwiderte Alan, »wer von uns redet jetzt Scheiß?« Beide lachten. Alan genoss es, wieder in seinen Heimatdialekt zu verfallen. »Du hast mich aus der Band geschmissen, sobald sich mit Jim Rankin die Chance dazu ergab!«

»Meine Fresse, der kleine Jim«, sagte Craig. »Guter Bassist, aber völlig durchgeknallt.«

»Er hat mir vor ein paar Jahren eine Freundschaftsanfrage auf Facebook geschickt.«

»Weißt du noch, wie er damals in eine Safttüte geschissen hat, weil er sie gegen das Fenster vom Direktor werfen wollte? Und dabei hat er sich dann selber eingesaut ...«

Beide konnten sich vor Lachen nicht mehr halten, und Alan prustete seinen Wein über den ganzen Tisch. »Verdammt, ja! Bei der Weihnachtsdisco. Er ist herumgestolpert und hat gequiekt wie 'ne angestochene Sau, total vollgeschmiert ...«

»... mit seiner eigenen Scheiße! O Mann. Was ist wohl aus dem geworden?«

»Ich glaube«, sagte Alan, »er hat geschrieben, dass er Geschäftsführer von diesem großen Grillrestaurant an der Umgehungsstraße nach Kilmarnock ist.«

Für einen kurzen Augenblick herrschte Stille. Dann trafen sich ihre Blicke, und sie brachen erneut in Gelächter aus. Craig klatschte sich wie verrückt mit der Handfläche auf den Oberschenkel, wie er es immer getan hatte. Mit einem Mal fielen die Jahre von ihnen ab, und sie waren wieder sechzehn, brachten sich im Unterricht gegenseitig zum Lachen, schwänzten die Schule, um Platten zu hören oder Telefonstreiche zu machen. »O Mann. Unfassbar ...«, kicherte Alan, griff nach der Weinflasche und stellte zu seiner Überraschung fest, dass sie leer war. Er winkte die Kellnerin herbei – die kleine, in die er ein wenig vernarrt war. Clara? Ja, genau.

»Amüsiert ihr euch, Alan?«, fragte sie, als sie an den Tisch trat.

»Und wie, Clara. Sind wir zu laut?«

»Natürlich nicht.«

»Das ist mein alter Freund Craig. Wir haben uns eine Ewigkeit nicht gesehen.«

»Hi«, sagte sie und strahlte Craig an. »Kann ich euch noch was bringen, Jungs?«

»Dasselbe noch mal, bitte«, erwiderte Alan.

Sie nahm die leere Flasche aus dem Eiskübel und wackelte Richtung Bar davon.

»Darf man hier irgendwo rauchen?«, fragte Craig.

»Klar. Komm, wir gehen hoch auf den Knasthof.«

Der Raucherbereich des Groucho erinnerte tatsächlich an einen kleinen Gefängnishof. Ihre randvollen Weingläser in den Händen, wankten Craig und Alain nach draußen, wo sie verblüfft feststellten, dass es inzwischen stockdunkel war. Ein paar wenige Raucher standen qualmend und schwätzend in Grüppchen herum. Craig zog eine Zehnerpackung irgendeiner Billigmarke hervor – Raffles, Piccadilly, Mayfair oder so ein Zeug – und bot Alan eine der beiden darin verbliebenen Zigaretten an.

»Um Himmels willen, nein. Ich hab seit Jahren nicht mehr geraucht«, sagte Alan.

Craig zuckte mit den Schultern, zündete sich seine Kippe an und fragte: »Triffst du manchmal noch die Jungs von damals?«

»Nö«, erwiderte Alan. »Außer vielleicht Charlie und Donald.«

»Ach, echt?«

»Ja, wir machen ein- oder zweimal im Jahr einen Golf-Ausflug. Gordon Miller und Alec McLean sind manchmal auch dabei.«

»Scheiße. Die ganzen Typen, mit denen du zur Uni gegangen bist?«

»Ja, irgendwie schon. Du solltest ...« Alan wollte eigentlich sagen: »Du solltest mal mitkommen.« Immerhin war Craig, soweit er sich erinnerte, mal ein ganz guter Golfer gewesen. Dann rief er sich ihre Situation ins Bewusstsein. Den Umstand, dass Craig in seinem Bündel da unten wohl kaum ein paar Golfschläger stecken hatte oder ein paar hundert Pfund für Greenfees, Hotels oder die opulenten Mahlzeiten und teuren Malt Whiskys übrig hatte, die sie bei ihren Golftouren abends verkosteten. Stattdessen sagte er: »Du solltest Gordon heute mal sehen. Der bringt gut hundertdreißig Kilo auf die Waage.«

»Heilige Scheiße.«

»Ich sag's dir.«

»So ein fettes Schwein.«

»Und Charlie ist völlig kahl.«

»Echt jetzt?«

»Donald wirkt keinen Tag älter. Ich schwöre dir, der muss irgendwo auf seinem Speicher ein Porträt stehen haben, auf dem er aussieht wie Methusalem.« Er leerte sein Glas, und Craig lachte. »Weißt du was … darf ich? Ich kauf dir auch neue …«, sagte Alan und griff nach Craigs letzter Zigarette.

»Klar …«

Er nahm einen tiefen Zug. *O ja.* Das war gut. Sofort überkam ihn ein leichter Schwindel, und er wippte schwankend auf den Fußballen. *Oh, Zigarette – wie konnte ich nur auf dich verzichten? Was könntest du mir schon groß schaden?* Es war die pure Glückseligkeit. Alan hatte sein Leben mit Kindern und Familie vergeudet. Damit, Kolumnen und Bücher zu schreiben oder irgendwelchen Mist in Fernsehshows zu quatschen, während er seiner wahren Bestimmung hätte nachgehen können: mit Craig Carmichael in Privatclubs rumzuhängen und zu rauchen. Der Sekundenbruchteil, den Alan an diesen Gedanken verschwendete, reichte aus, ihn erkennen zu lassen, wie betrunken er war. Er bemerkte außerdem, dass ihn jemand grüßte. »Oh, hallo!«

»Alan! Hab ich mir doch gedacht, dass du es bist. Wie geht's dir, Schatz?« Sie drückte ihm zwei feuchte, alkoholisierte Küsse auf die Wangen.

»Bestens, bestens. Und selbst?« Er hatte keine Ahnung, wer die Frau war. Sie war Anfang dreißig und sehr attraktiv. Zweifellos im Fernseh- oder Verlagsgeschäft. Sollte er den ältesten Trick der Welt anwenden? Warum nicht? »Das ist mein Freund Craig …«

Craig streckte ihr die Hand entgegen. »Amanda Reed«, sagte die Frau mit neugierigem Blick und erwiderte seine Geste.

Richtig: Amanda. Sie war Stoffentwicklerin bei irgendeiner Produktionsfirma, die vor ein paar Jahren versucht hatte, einen Pilotfilm mit ihm zu entwickeln. Eine Kochshow – was sonst –, die auf seinem Bestseller *Kochen mit der Pausentaste* basierte. Leider war nichts dabei herausgekommen. Auf wie viele Wangen hatte er hier schon Küsse gehaucht? Wie viele Schnapsideen hatte er ausgeheckt und sich zu Meetings verabredet, die sich später als Luftnummern erwiesen? »Craig ist Autor«, stellte er seinen Begleiter vor – ohne zu wissen, warum.

»Wirklich?«, erwiderte Amanda.

»Aye«, sagte Craig wie aufs Stichwort. Craig und Alan gaben ein komisches Paar ab. Der eine klein, der andere hochgewachsen. Der eine hatte seinen eleganten Mantel aus reiner Schurwolle lässig um die Schultern gelegt, der andere trug einen schmuddeligen Parka, speckige Jeans, einen struppigen Bart und ausgelatschte Turnschuhe. Ja, wenn man es sich recht überlegte, sah Craig wirklich aus wie ein Autor.

»Und? Vielleicht eine brauchbare Show-Idee fürs Fernsehen parat? Wir sind immer auf der Suche.« Amanda schob den Riemen ihrer Handtasche zurecht.

»Sogar eine ziemlich gute«, antwortete Craig. »Eine Scripted-Reality-Show über Bohrinsel-Arbeiter in der Nordsee.«

Alan legte unwillkürlich die Stirn in Falten.

»Wie *interessant*. Hier …«, sagte Amanda und reichte ihm ihre Visitenkarte. »Ruf mich an, und wir verabreden ein Meeting. Ich muss los – ich hab noch so ein nerviges Geschäftsessen.« Sie schmatzte Alan einen weiteren Kuss auf die Wange. »Alan, lass uns bald mal treffen. Craig – war nett, dich kennenzulernen.« Sie verschwand wieder im Club.

Alan starrte Craig an, der die Visitenkarte in den Händen drehte. Die Fingernägel seines alten Freundes waren pechschwarz. »Eine beschissene Scripted-Reality-Show?«, fragte er.

»Hab ich in einer Ausgabe vom *Guardian* gelesen, die ich neulich im Park gefunden hab«, sagte Craig, und abermals brachen beide in schallendes Gelächter aus.

»O Mann, das ... das ist einfach zu gut. Noch 'nen Absacker?«

Sie tranken einen letzten Whisky an der Bar und anschließend noch einen allerletzten. Alan kaufte zwei Packungen Marlboro Lights für sich und Craig. Als er auf seine Uhr sah, war es bereits zwanzig nach sieben. Fuck. Wo waren die letzten zwei Stunden hin? Er hatte Katie gesagt, er wäre zum Essen um acht zurück. Wenn er auf der Stelle ging und sofort ein Taxi auftrieb, konnte er den Schnellzug um Viertel vor acht noch erreichen und eine halbe Stunde später zu Hause sein.

»Scheiße«, schnaubte Alan. »Ich muss 'nen Abgang machen.«

»Kein Ding«, sagte Craig.

Auf dem Bürgersteig war es kalt, ihr Atem bildete kleine silbrige Wolken.

»Also«, murmelte Alan, »war echt toll, dich wiederzusehen.«

»Aye, danke für die vielen Drinks und alles.«

»Nicht der Rede wert.« In der Ferne, an der Kreuzung zur Shaftesbury Avenue, sah Alan das orangefarbene Licht eines sich langsam nähernden Taxis. Craig hievte sein Bündel auf die Schultern. Was sollte er sagen? Was sagte man normalerweise? *Gib mir deine Nummer? Lass uns mal was essen gehen?* Aber wie? Wenn jemand so ... wenn jemand kein ... »He, Craig«, sagte Alan und griff in die Tasche. Er zog ein paar Geldscheine hervor, vielleicht fünfzig, sechzig Pfund. »Nimm das, bitte.«

»Nein, Alan.«

»Bitte.«

»Das fühlt sich nicht richtig an.«

»Ach komm. Um der alten Zeiten willen. Such dir ein Hostel oder ein Bed & Breakfast. Was Warmes für die Nacht.« Plötzlich fühlte sich Alan unaufrichtig und schlecht. Wie mies war das denn: seinen alten Freund für ein paar Stunden von der Straße zu holen, ihn herumzuzeigen und dann wieder zurück auf die Straße zu schicken. Das Taxi näherte sich rasch und war noch immer nicht besetzt. Alans Hand schnellt reflexhaft in die Höhe.

»Jetzt nimm schon. Bitte. Das ist alles, was ich an Bargeld hab.«

»Bist du dir sicher?«

Alan drückte Craig die Scheine in die Hand.

»Danke. Vielen Dank, Alan. Pass auf dich auf. Vielleicht sieht man sich ja mal wieder.«

Verschwinde. Sieh zu, dass du Land gewinnst.

»Ja, unbedingt. Warte mal kurz«, sagte Alan und wandte sich an den Taxifahrer: »Zum Bahnhof Marylebone, bitte.« Die Türen des Wagens wurden mit einem lauten »Klack« entriegelt. »Mach's gut, Craig.« Sie schüttelten sich die

Hand, und bevor Alan wusste, wie ihm geschah, zog ihn Craig in seine Arme. Er roch ein wenig streng.

Verschwinde.

»Bis dann mal«, sagte Craig. Er drehte sich in den kalten Wind und trottete Richtung Shaftesbury Avenue davon. Alan stieg ins Taxi.

»Bahnhof Marylebone, richtig?«, fragte der Taxifahrer.

»Ja, danke.« Alan blickte durchs Heckfenster und sah Craig bereits in der Menge verschwinden.

Verschwinde.

»Ach, Scheiße. Tut mir leid, aber könnten Sie bitte noch eine Minute warten? Halten Sie einfach hier vorn.«

»Kein Problem.«

Alan stieg aus.

4

»Sophie. Es ist acht Uhr abends, und du hast morgen Schule. Wenn ich heute noch einmal mitkriege, dass du nicht im Bett bist, hat das Konsequenzen.« Katie stand auf dem Treppenabsatz und lauschte in Richtung der Kinderzimmer. Nichts. Sie ging wieder nach unten. *Konsequenzen. Ja, von wegen. Schön wär's.* Was gab es denn heute noch für Konsequenzen? Eltern waren doch längst sämtlicher Waffen beraubt. Als Elternteil war man ähnlich machtlos wie ein englischer Polizist. »Stopp, sofort! Oder ich sehe mich gezwungen, noch mal ›Stopp‹ zu sagen!« Während sie durch den langen Flur zurück in die Küche ging, dem verführerischen Geruch von in Weißwein, Gartenkräutern und frischem Gemüse schmorendem Brathähnchen entgegen, las sie die SMS auf ihrem Handydisplay. »Tut mir leid, Schatz. Komme etwas spät. xxc«

Dieses »spät« und das falsche kleine »c« am Ende: Normalerweise achtete Alan sogar in seinen Textnachrichten penibel auf die korrekte Schreibweise. Das und der Umstand, dass er gleich drei Küsse mitschickte, schlossen jeden Zweifel aus: Er war eindeutig betrunken. Schon als er sie um fünf Uhr angerufen hatte, ahnte sie, dass es darauf hinauslaufen würde. Nicht, dass Katie damit ein

Problem hatte – Alan war betrunken gut zu ertragen. Ein wenig albern und rührselig vielleicht. Auf dem Weg in die Küche warf sie einen Blick in das kleine Fernsehzimmer. Melissa lag auf dem Sofa, die Glotze lief, doch ihre Tochter starrte nur auf ihr Smartphone, während sie emsig scrollte und tippte. »Alles in Ordnung? Dein Dad ist bald zu Hause, aber du kannst auch jetzt schon essen, wenn du magst.«

»Alles gut, Mum.«

Was machte sie da ständig mit dem Handy? Katies Freundin Vanessa hatte kürzlich entdeckt, dass sich ihr sechzehnjähriger Sohn Jamie auf Tinder herumtrieb. Angeblich fällt der Apfel ja nicht weit vom Stamm.

Sie sah nach dem Hühnchen, regelte die Temperatur des Ofens herunter, füllte ihr Weinglas und klappte den Laptop auf. 400 von 750 Wörtern hatte sie bereits geschafft und sich dabei hauptsächlich mit der Frage befasst, wie Halloween zu solch einem Sex-Fest geworden war … beziehungsweise mit der Sexualisierung von Kindern in unserer Gesellschaft. Idealerweise würde sie ein paar Bezüge zu Promis in knappen Halloween-Kostümen einbauen, um dem Fotoredakteur etwas an die Hand zu geben. Sie googelte die Worte »Miley Cyrus Halloween Kostüm« und wurde prompt mit einem vielversprechenden Link belohnt: »Miley Cyrus – Popowackeln im Bärenkostüm«, verkündete die Überschrift. Katie vergeudete die nächsten zehn Minuten damit, Fotos von Promis in sexy Kostümen zu googeln, die man zu Halloween anziehen konnte. Sie verlor sich dermaßen in diesem Woodward-und-Bernstein'schen Wurmloch (Kim Kardashian machte als Poison Ivy eine Spitzenfigur, das musste man ihr lassen), dass sie erst wieder daraus auftauchte, als sie hörte, wie die Haustür aufgesperrt wurde.

»Hi!«, sagte Alan, als er die Küche betrat, und schloss seltsamerweise die Tür hinter sich, bevor er zu ihr an den Tisch kam. »Tut mir leid wegen der Verspätung, mir ist da leider was ... ähm, Unerwartetes dazwischengekommen ...«

»Erzähl«, sagte Katie lächelnd und klappte den Rechner zu, als er sich vorbeugte, um sie auf die Stirn zu küssen. »Igitt! Hast du etwa *geraucht*?«

»Ja, ein bisschen. Jetzt hör zu, ich muss schnell machen. Er ist im Wohnzimmer.« Alans Stimme war jetzt nur noch ein leises Flüstern. Gott sei Dank hatten sie im Zug einen Kaffee getrunken und waren ein wenig ausgenüchtert.

»Wer ist im Wohnzimmer?«

»Erinnerst du dich an meinen Freund Craig? Der, der damals in dieser Band gespielt hat? The Rakes? Ist Jahre her ...«

»In einer Band?«

»Aber ja doch. Ich hab so oft von ihm gesprochen.«

»Kann sein. Was ist mit ihm?«

Er erzählte ihr eine stark gekürzte Version der Geschehnisse. Es dauerte ein paar Minuten.

»Ach du Scheiße«, sagte Katie.

»Na ja. Als ich gesehen habe, wie er wegging, um auf dem gottverdammten Bürgersteig zu schlafen, da konnte ich einfach nicht anders.«

»Er ist doch nicht ... er ist nicht verrückt, oder?«

»Nein! Das ist es ja. Es war wie beim Klassentreffen. Abgesehen davon, dass er ...«

»Und …«, Katie senkte die Stimme sogar noch mehr, als sie weitersprach, »… ist er sehr schmuddelig?«

»Ziemlich. Aber eher so die Drei-Tage-wach- oder die Ich-bin-bei-den-Libertines-Variante als die Ich-hab-mich-vollgemacht-Kategorie.«

»Um Gottes willen. Und wie lange wird er …?«

»Ein paar Tage?«

»Ein paar …«

»Ich konnte mich doch nicht einfach verpissen und ihn wieder auf der Straße schlafen lassen. Nicht vergessen: *Der Winter naht.* Ich dachte, ich rede mal mit Pandora, die kennt sich mit solchen Sachen aus und …«

»Was für Sachen?«

»Du weißt schon – Obdachlosigkeit. Wohltätige Arbeit und so. Sie hat letztes Jahr eine große Reportage darüber gemacht. Hat selbst belegte Brote verteilt und all so was. Vielleicht kennt sie jemanden, der dabei helfen kann, ihm wieder ein Dach über dem Kopf zu verschaffen. Bitte, wir können ihn doch nicht einfach seinem Schicksal überlassen. Komm mit und sag ihm guten Tag. Ehrlich, er ist sehr nett. Wo ist Melissa?«

»Im Fernsehzimmer.«

»Okay, dann lassen wir sie noch ein paar Minuten in Ruhe.«

»Gottverdammt, Alan«, fluchte Katie und stand auf.

Im Flur überprüfte sie kurz ihre Frisur im Spiegel (warum eigentlich, ihr Gast schlief auf der Straße), bevor Alan die Tür zum Wohnzimmer öffnete. Es war der größte Raum des Hauses – etwa sechs mal neun Meter, mit hohen Stuckdecken – und damit wohl das, was Alans Mutter als »Empfangszimmer« bezeichnet hätte. Craig stand am Kamin. Er verschränkte die Hände auf dem Rücken.

»Craig, das ist Katie …«

»Hallo«, murmelte Craig nervös.

»Hallo, Craig. Schön, dich kennenzulernen.«

Sie gaben sich die Hand. »Das alles tut mir wirklich leid. Ich hab Alan schon gesagt, dass ich das Ganze für eine Schnapsidee halte. Ich hab mich übrigens nicht hingesetzt«, sagte Craig, wobei er auf die beiden grünen Ledersessel und die beiden identischen beigen Sofas deutete, die sich vor dem Kamin gegenüberstanden.

»Red bitte kein dummes Zeug. Setz dich ruhig«, erwiderte Katie und dachte gleichzeitig: *Bitte setz dich nicht!*

»Nee, lieber nicht. Ich … ich bin ein bisschen, du weißt schon …«

Katie bemerkte, dass Craig den Blickkontakt mied, wenn er mit ihr redete. Seine Augen flitzten von links nach rechts. Voller Scham fixierten sie wechselnde Punkte auf Boden und Wänden. Er erinnerte Katie an irgendetwas. Etwas, was sie neulich mit Sophie im Internet gesehen hatte. Ja, genau: eine Video-Top-Ten von ertappten Hunden, einer beschämter als der andere.

»Du und Alan, ihr seid also zusammen zur Schule gegangen?«, fragte Katie und bemühte sich, nicht wie die Queen im Krisenzentrum zu klingen.

»Aye, sind wir. Schon schräg, oder? Das ist übrigens ein sehr schönes Haus.«

»Oh, danke. Bist du hungrig?«

»Ich bin am Verhungern. Es ist nur so …« Craig schielte zu Alan rüber.

»Ich hab Craig im Zug gesagt, er könnte erst duschen und sich vielleicht ein paar von meinen Klamotten leihen.«

»Selbstverständlich«, sagte Katie. Sie musterte Craig, seine schlanke Figur und die schmale Taille. »Nichts für ungut, Schatz. Aber ich denke, für Craig müssen wir wohl eher in Toms Kleiderschrank suchen.« Alle lachten.

»Warum führst du Craig nicht einfach nach oben und legst ihm schon mal ein paar Handtücher raus? Bei der Gelegenheit kannst du ja einen Blick in Toms Schrank werfen und schauen, was deinem Freund vielleicht passt. Ich mach inzwischen das Abendessen fertig. Um das Gästezimmer kümmern wir uns dann später.«

»Super«, sagte Alan. »Komm mit …«

Als er sich an Katie vorbeischob, hielt Craig kurz inne und blickte ihr zum ersten Mal in die Augen. »Danke schön«, sagte er. »Tut mir echt leid, euch solche Unannehmlichkeiten zu machen.« Seine Augen waren sehr klar und von einem ungewöhnlich dunklen Blau. Stechend.

»Red keinen Unsinn«, erwiderte Katie. Craig folgte Alan aus dem Zimmer und die Treppe hinauf. O ja. Er roch. Keine Frage. Sie hasste sich dafür, weil sie sich dabei wie ihre eigene Mutter fühlte – dennoch ging sie zu den beiden Sofas und untersuchte die Kissen. Er hatte sich tatsächlich nicht hingesetzt. Oder vielleicht doch? Versuchsweise schnüffelte sie hier und dort.

»Was zum Geier machst du da?«

Katie wirbelte herum. Melissa stand auf der Türschwelle.

»Ich hab nur … was willst du, Melissa?«

»Was ist hier los? Ich habe Stimmen gehört.«

»Dein Vater hat einen Freund zum Abendessen eingeladen.«

»Wen?«

»Einen Schulfreund.«

»Was tun die beiden denn da oben?«

Deutlich vernehmbar erwachte im ersten Stock der Duschkopf im großen Bad geräuschvoll zum Leben. »Ich schätze, er bleibt über Nacht. Ich ... hast du eigentlich Hunger, Melissa? Es ist fast neun. Möchtest du was essen?«

»Ich warte, bis die Besichtigungstour zu Ende ist.«

»Auch gut. Und steh bitte nicht so krumm da. Hör mal, der Freund von deinem Vater ...«

Sie erzählte es ihr. Melissas Mund formte ein winziges »o«. »Wie krass ist das denn? Ist er ein Obdachloser? So ein richtiger *Penner*?«

»Ja, und das ist nicht witzig. So ein Schicksal kann jeden ereilen. Auch dich und mich, Melissa.« *Und zack, 100 Mutti-Punkte,* dachte Katie.

»Was, wenn er uns *ausraubt*?«

»Um Himmels willen, Melissa. Er wird uns nicht ausrauben«, erwiderte Katie und überlegte beschämt, ob es nicht vielleicht besser wäre, vorsichtshalber über Nacht ihre Geldbörsen, Laptops und iPhones zu verstecken.

Das Abendessen – Pot-au-feu mit jungen Kartoffeln und grünem Salat – nahmen sie am Küchentisch zu sich. Craig hatte sich die Haut rosig geschrubbt. *Eindrucksvoll,* dachte Katie. Sein Haar war zwar wirr und ungekämmt, aber für einen fast Fünfzigjährigen immer noch sehr voll und dunkel. Und eindeutig nicht gefärbt. Wo hätte er es auch färben sollen? Im großen Brunnen am Trafalgar Square? Man stelle sich die empörte Schlagzeile auf der Titelseite der *Daily Mail* vor, wenn bekannt würde, dass Obdachlose es sich leisten können, ihre Haare zu färben.

Craig trug eins der grauen T-Shirts und eine Jeans ihres Sohnes. *Beeindruckend schlanke Taille für einen Mann in seinem Alter.* »Sehr lecker, das Hühnchen«, sagte er.

»Greif zu. Es ist auch noch reichlich Brot da.«

Alan war einmal mehr ziemlich beeindruckt von seiner Frau. Als Tochter aus bestem Hause ging Katie völlig entspannt damit um, wenn überraschend Gäste zum Essen auftauchten. Sie konnte innerhalb kürzester Zeit aus einer Kartoffel und ein paar Resten ein Festmahl für acht Personen zaubern. Alan versuchte sich auszumalen, wie seine Mutter wohl reagiert hätte, wenn um halb neun abends plötzlich ein Fremder zum Essen erschienen wäre, und stieß dabei rasch an die Grenzen seiner Vorstellungskraft. Hauptsächlich, weil seine Mutter das Abendessen immer schon drei Stunden vorher fertig gekocht hatte. Nicht, dass das Wörtchen »kochen« dabei wörtlich zu nehmen war.

»Wie ist Dad denn in der Schule so drauf gewesen?«, wollte Melissa wissen. Sie war fasziniert von den Zähnen ihres Gastes. Sie sahen schlimm aus. Kleine gelbe Stummel. Und dieser Akzent! Ihr Vater war auch Schotte, aber das hörte man ihm kaum an. Diesem Kerl schon. Melissa schätzte, dass sie von fünf Wörtern vielleicht eins verstand.

»Eine Nervensäge«, sagte Alan.

»Schlau. Hatte in den Prüfungen immer gute Noten.«

Alan tippte sich mit einem Stück Brot an die Stirn, was seiner Tochter wohl so viel sagen sollte wie: Siehst du, dein Dad ist nicht so dumm, wie du glaubst.

»O ja. *Schottische* Prüfungen«, spottete Katie.

»Aye, schottische Prüfungen, du kleiner Snob«, erwiderte Alan.

»Dad? Warum sprichst du so komisch?«, fragte Melissa.

»Was meinst du mit ›komisch‹?«

»Na so Sachen wie ›Aye‹. Du machst voll einen auf Schottisch, seit Craig hier ist.«

»Sie hat recht«, prustete Katie lachend.

»Ihr könnt mich mal kreuzweise«, erwiderte Alan, und alle lachten.

»Vielleicht bin ich ein schlechter Einfluss«, sagte Craig.

5

Alan wachte auf und blickte schlaftrunken auf den Wecker neben seinem Bett. 7:12 Uhr. Er führte eine Schadenskontrolle durch. Glieder? Keine Schmerzen. Kopf? Kein Hämmern oder Dröhnen. Mund? Etwas trocken, aber nicht übermäßig. Magen? Alles bestens. Fabelhafte Bilanz. Er überschlug, wie viel er getrunken hatte. Zwei halbe und ein ganzes, nein, zwei Pints im Pub. Zwei Flaschen Wein, die sie sich im Groucho geteilt hatten, und noch ein Glas zum Abendessen. Oh, und ein paar Whisky. Aber er hatte früh genug den Riegel vorgeschoben. Eigentlich schon um acht Uhr mit dem Kaffee auf der Zugfahrt. Danach hatte er zum Essen nur noch ein einziges Gläschen Wein genippt, bevor sie kurz darauf ins Bett gegangen waren. Nicht schlecht: kurz vor der Schwelle zum garantierten Kater noch mal die Kurve gekriegt.

Er bemerkte Katie, die im dunklen Zimmer ihre Sachen zusammensuchte, um sich anzuziehen. Heute war einer ihrer London-Tage. »Morgen«, brummelte Alan unter der Bettdecke.

»Guten Morgen. Da ist Tee für dich.«

Er sah die dampfende gelbe *Balamory*-Tasse auf dem Nachttisch. Eine Tasse, die er bekanntermaßen hasste. *Balamory* war eine Kinderfernsehsendung, die Sophie –

wie vor ihr Melissa und davor Tom – vor ein paar Jahren abgöttisch geliebt hatte. Die Zielgruppe der Show waren Vorschulkinder, und sie schilderte den Alltag der Einwohner eines imaginären schottischen Inselstädtchens. Alle gesellschaftlichen Gruppen waren vertreten: schwarz, weiß, dick, dünn, schwul (der Inselpolizist war dermaßen tuntig, dass Alan sich gefragt hatte, ob er möglicherweise Teil eines ausgeklügelten Plans der BBC war, Kinder hinter dem Rücken des Parlaments für Homosexualität zu begeistern), behindert … und alle verstanden sich bestens. Die Handlung drehte sich stets darum, dass irgendeiner der Bewohner bei irgendeinem Mist Hilfe von den anderen bekam. Vor ein paar Jahren hatten sie im Urlaub einen Familienausflug zu der Insel gemacht, auf der die Sendung gedreht wurde. Alan war mit ein paar Einheimischen an der Hotelbar ins Gespräch gekommen, wo er zu seinem Entzücken bei der einen oder anderen Runde Single Malt erfuhr, welche Darsteller hoffnungslose Alkoholiker waren, welche sich wie Arschlöcher verhielten und welche es dem Kohlenmann für fünfzig Pence hinter der Bushaltestelle besorgten. Von da an trieb ihm die Show natürlich Tränen der Wut in die Augen. Die morgendlichen Wiederholungen überlebte er anfangs nur, indem er sich all die wundervollen, entsetzlichen Dinge ausmalte, die er den Protagonisten antun würde, wenn er im Besitz eines schalldichten Kellers und einer Auswahl chirurgischer Instrumente wäre. Sollte man ihn dabei auf frischer Tat ertappen, dann müsste er zu seiner Verteidigung nichts weiter tun, als dem Gericht das Video einer durchschnittlichen Folge der Serie und der darin präsentierten »schauspielerischen Leistungen« zu zeigen. Kein

Richter der Welt würde ihn verurteilen. Eher würde man ihm einen Verdienstorden verleihen. Doch mit der Zeit passierte etwas Seltsames. Alan stellte fest, dass er *Balamory* anschaltete, noch bevor Sophie ihn dazu drängte. Ihm ging das Herz über, wenn das Boot im Vorspann über das glitzernde Wasser glitt, jenem Ort entgegen, wo kein Mensch aufgrund seiner äußeren Erscheinung oder sexuellen Vorlieben verurteilt oder gehasst wurde. Er erfreute sich an den optischen Attributen des Insellebens: dem sonnigen Hafen, der geschäftigen Hauptstraße und den Zinnen des Schlosses von Archie dem Erfinder (einem ortsansässigen Grundbesitzer, offenkundig Engländer, der außerdem sehr wahrscheinlich schwul war und was mit dem Dorfbüttel hatte). Als Sophie, die den Drehbuchautoren der Sendung mit knapp vier Jahren entwachsen war und sich gewalttätigen Zeichentrickfilmen zugewandt hatte, schließlich lauthals zu protestieren begann, wenn er morgens die Show anschaltete, konnte Alan es nicht mehr länger leugnen: Wie Winston Smith sich in Orwells *1984* schließlich unter Tränen zu seiner Liebe zum großen Bruder bekennt, gestand Alan sich schweren Herzens ein, dass er in *Balamory* vernarrt war.

Katie hatte ihm die Tasse im Souvenirshop der Insel gekauft. Sie zeigte einen fröhlich grinsenden Police Constable Plum – zweifellos kurz nach oder vor einem Rosettentango. Weshalb hasste Alan also diese *Balamory*-Tasse? Er tat es einfach. Leidenschaftslose Beziehungen zu unbelebten Objekten stehen bei uns Menschen einfach nicht hoch im Kurs – ist doch so, oder? Während dieser Teller oder Kartoffelschäler und jene Schüssel oder Reibe zu unseren persönlichen Lieblingen gehören, werden die anderen ins Schubladen-Sibirien verbannt. Nirgendwo wird das so deutlich wie bei den Tassen. Es hat vielleicht einfach nur mit ihrer Form zu tun, damit, wie sie in der Hand liegen, wie viel Tee oder Kaffee hineinpasst und welche Farbe das Innere der Tasse dem Getränk verleiht. Jedes Mal, wenn sich ihr Besitzer oder ihre Besitzerin dem Küchenschrank nähern, bangen die Tassen um ihren Platz in der Hierarchie. Und es gibt sogar welche, die – so ähnlich wie dieser Mitschüler mit der Glasbausteinbrille – niemals erfahren, wie es sich anfühlt, erwählt zu werden. Das ist nichts, was wir bewusst tun. Wir wissen nur, dass wir die eine Tasse mögen und die andere nicht. Genauso wenig war Alan sein Ausflug in die komplexe Theorie des Tassenwesens bewusst, den er gerade unternahm. Er warf bloß einen Blick auf den Pott und sagte: »Ich hasse diese ätzende *Balamory*-Tasse.«

»Alle anderen – und ich meine *wirklich alle* – sind in der Spülmaschine«, antwortete Katie. Alan setzte sich auf und schlürfte die dünne Brühe. Katie machte schrecklichen Tee. Draußen war es immer noch dunkel. »Ich bin so gegen vier zurück. Also, was hast du für heute geplant?«

»Geplant?«, fragte Alan.

»Mit unserem Gast.«

»Oh, na ja, ich ...« Er hatte natürlich keine Ahnung. Irgendetwas in seinem Kopf wollte ihn davon überzeugen, dass alles ganz einfach sein würde. Dass sie zusammen frühstückten und noch ein paar gemeinsame Jugenderinnerungen austauschten, bevor er Craig dessen Klamotten zurückgab, die jetzt trocken und sauber waren. Vielleicht konnte er sogar noch ein paar Pullover aus seiner

Mum-Schublade dazupacken: Diese Schublade beherbergte die riesige Sammlung an wollenen Kuriositäten, die über die Jahre als Geschenke in seinen Besitz gekommen und allesamt überzeugende Beweise dafür waren, wie seltsam falsch sich die einfachen Worte »einen einfarbigen schwarzen oder dunkelblauen Pulli mit Rund- oder V-Kragen« interpretieren ließen. Er würde Craig noch etwas Geld in die Hand drücken (die leidige Frage war bloß: wie viel? Ein paar Hunderter schienen ihm angemessen. Ein kleinerer Betrag war vermutlich unanständig, und alles darüber konnte Craig ermutigen, so etwas zu sagen wie: »Weißt du, mit ein- oder zweitausend Pfund …«) und ihn anschließend hinauskomplimentieren.

Es war auch gut möglich, dass Craig einfach aufwachen, ihm für den netten Abend danken und dann seines Weges ziehen würde. Doch in Wahrheit hatte Alan nicht die leiseste Idee, was er tun sollte – das konnte er Katie allerdings unmöglich sagen. »Ich lasse ihn noch etwas schlafen, und dann schauen wir weiter. Vielleicht hat er ja Lust, ein paar neue Sachen kaufen zu gehen. Vernünftige Schuhe zum Beispiel.«

»Und du wirst mit Pandora sprechen?«

»Ja, ich bin morgen wieder in London.«

»Versteh mich bitte nicht falsch. Er macht einen sehr netten Eindruck, und wir haben mehr als genug Platz und …«

»LEGO FRIENDS!«, forderte eine kreischende Stimme, und zwei spitze Knie zielten auf seine Brust. Alan hatte gerade noch Zeit, seine Tasse auf dem Nachttisch abzusetzen, bevor sich Sophie auf ihn stürzte. Sie wachte immer gegen sieben Uhr auf. Nie später. Sogar in den Ferien, an

Feiertagen und am Wochenende – es machte auch keinen Unterschied, ob man sie bis nachts um zwei bei Laune hielt oder sie schon um sieben Uhr abends ins Bett schickte. Sie war trotzdem spätestens um Punkt sieben Uhr auf den Beinen – hellwach und höllisch aufgekratzt. Alan spielte manchmal mit dem Gedanken, ein Experiment durchzuführen, bei dem er seine Tochter bis 6:59 Uhr wachhielt, um zu sehen, ob sie für eine Minute einschlafen, dann den Neustart einleiten und um Punkt sieben wieder die Augen aufschlagen würde. Im Moment war er allerdings dankbar für die Ablenkung.

»Wir finden schon eine Lösung«, sagte er zu Katie, während er sich mit Sophie um die Fernbedienung balgte. »Wir entscheiden das einfach spontan.«

»Mmmh, ich hatte befürchtet, dass du das sagst …«

»PLÖTZLICH PRINZESSIN!«

»Ich ruf dich an, nachdem ich – kommt nicht in die Tüte, Soph! – mit ihm gesprochen habe.«

»Ich sag ja nicht, dass du ihn einfach vor die Tür setzen sollst …«

»Wir schauen jetzt die Nachrichten, Sophie. Das weiß ich doch, Katie …«

»HENRY DER SCHRECKLICHE!«

Alan zappte durch die Kanäle. Ärgerlicherweise stieß er dabei auf eines der Kinderprogramme. Schnell weg da, bevor Sophie etwas richtig Interessantes ins Auge fiel.

»Soph, bitte, Mummy und Daddy …«

»Also gut.« Katie verschwand im Ankleidezimmer.

»AVENGERS – GEMEINSAM UNBESIEGBAR!«

»Sophie, muss das wirklich jeden Morgen sein?«

»Was?«

»Jeden Morgen kommst du hier rein und willst auf unserem Fernseher Kinderprogramm schauen. Und jeden Morgen erkläre ich dir dann, dass wir während der Woche erst die Nachrichten gucken.«

»NEIN! KINDERFERNSEHEN!«

Es gab eine Lösung für das Problem. Sophies iPad, das sie zum siebten Geburtstag geschenkt bekommen hatte, lag in seiner Nachttischschublade. Doch sie waren übereingekommen, ihren Zugang zu diesem Luxusgeschenk stets genau im Auge zu haben, die Apps nach ihrem pädagogischen Wert auszuwählen und ihr das Tablet niemals zu geben, um sich auf diese Weise fünf Minuten Ruhe zu erkaufen. Endlich fand Alan den gesuchten Sender. Die junge Frau, die bei BBC1 die Börsennachrichten moderierte, wirkte ungewöhnlich ernst. Er stellte den Fernseher etwas lauter: »... die für dieses Quartal Rekordgewinne angekündigt haben.« Es ging um eine Supermarktkette. Irgend so ein Arsch beim BBC-Frühstücksfernsehen war regelrecht besessen von den Profiten der Supermarktketten. Alan hatte den Eindruck, dass es alle zwei Tage einen langen Beitrag zu diesem Thema gab.

»DAS IST LANGWEILIG!«

»Langsam gehst du mir echt auf den Keks, Sophie. Zieh Leine und mach dich für die Schule fertig!«

»LANGWEILIG!«

»Also gut, hier ...«

Er gab ihr das iPad.

»Jippieh!«

6

Um zehn Uhr herrschte völlige Ruhe im Haus – die Mädchen waren in der Schule, Katie in London, Craig schlief noch, und die einzigen Geräusche kamen aus den hinteren Räumen, wo ihre Putzfrau Petra herumwuselte. Also setzte sich Alan in seinem Arbeitszimmer an seine Gastrokritik über das Grease & Fire, das Burger-Restaurant, in dem er tags zuvor gegessen hatte.

Nach zwanzig Jahren in diesem Job kam er zunehmend zu der Überzeugung, dass es zu wenig Raum für die eine Sache gab, die Menschen von solchen Artikeln vermutlich (zu Recht) erwarteten: Argumente. Heutzutage gab es eigentlich nur noch zwei Sorten von Kritiken: die Fünf-Sterne-Jubelarie und den Ein- oder Zwei-Sterne-Verriss. Letzterer war mehr oder weniger an der Tagesordnung. Verständlicherweise, schließlich war ja auch fast alles schlecht. Ein Großteil der Architektur, der Bücher, der Filme, der Musik, des Essens und folgerichtig der Restaurants war schlecht. Sogar die meisten Rezensionen waren schlecht. Wer für diese Theorie eine Bestätigung brauchte, musste nur einen Blick darauf riskieren, was die Amateure so fabrizierten: Die Kommentare, die unter so ziemlich jeder Kritik zu finden waren, offenbarten das unsichtbare Monster, das unter der Wasseroberfläche lebte, wo es stotternd, geifernd und zeternd über das gerade Gelesene herfiel. Armutszeugnisse, die sich gewöhnlich folgendermaßen zusammenfassen ließen: »DAS IST NICHT EXAKT DAS, WAS ICH GESCHRIEBEN HÄTTE. WARUM HÖRT MIR KEINER ZU?«

Außerdem – und das war etwas, das er seinen Kollegen, vor allem aber seinen Chefs dringend verständlich machen musste –, wer gab in Restaurants schon ernsthaft einen feuchten Hundefurz auf das Essen? Zumindest in den Restaurants, in denen er gewöhnlich speiste. Denn wenn man sich erst einmal irgendwo im Stadtzentrum Londons befand, wo der Preis für eine Mahlzeit auf über fünfzig Pfund pro Person anstieg, war es unwahrscheinlich, dass man am Tisch eine gurgelnde Fehlgeburt serviert bekam. Wer sich in ansprechender Umgebung aufhielt, in Gesellschaft von Menschen, denen man zugetan war, wo die Getränkezufuhr nie abriss und zwischen den Gängen keine Dreiviertelstunde verstrich – wen interessierten da schon die kulinarischen Feinheiten?

Wer dagegen in Läden aß, wo ein Rostbraten fünf Pfund kostete und auf der Speisekarte Fotos der Gerichte gezeigt wurden, in irgendeinem Kettenrestaurant namens »TEXAS BOB'S VERRÜCKTE ORIGINAL WESTERN-CANTINA«, der durfte sich nicht wundern, wenn sich die Zubereitung der Gerichte darin erschöpfte, dass irgendein polnischer Teenager einen Plastikbeutel in die Mikrowelle warf.

Höchstens zwei- oder dreimal im Jahr fragte sich Alan nach dem Genuss einer Mahlzeit: »Wie zum Henker haben die das gemacht?« An den meisten Abenden war er dagegen völlig zufrieden damit, eine dick gebutterte Ofenkartoffel auf dem Teller zu haben. Leider ließ sich von »Scheißegal, nehmen wir doch einfach alle die Ofenkartoffel« keine Familie ernähren. Es waren kontroverse Kritiken mit einer Länge von 750 bis 1500 Wörtern, die seine Rechnungen bezahlten.

Deshalb saß er nun an seinem Schreibtisch – *Roget's Thesaurus* und das *Chambers-Synonymwörterbuch* lagen aufgeschlagen neben ihm – und suchte nach einer anderen, interessanteren Möglichkeit, »dickflüssig« zu sagen. Unbehaglich krümmte er sich in seinem Stuhl. Er konnte sich einfach nicht konzentrieren, war völlig blockiert – nicht im Kopf, sondern im Darm. Wann hatte er das letzte Mal so richtig ... vor zwei oder sogar drei Tagen?

Alans Arbeitszimmer erfüllte sämtliche Kriterien eines idealen Schreibzimmers. Drei der vier Wände waren mit maßgefertigten Regalen verkleidet, beladen mit schweren gebundenen Büchern. Es gab ein Sofa und seinen »Lesesessel«, einen niedrigen, bequemen Lehnstuhl mit passender Fußbank. Ein Beistelltisch für den Kaffee oder den Whisky stand vor dem Kamin, in dem an diesem kalten Morgen bereits ein Holzscheit brannte. Und dann war da natürlich sein Schreibtisch: ein viktorianischer Partner-Schreibtisch in dunkel gebeizter Eiche mit grüner Ledereinlage, darauf eine ebenfalls grüne Bankerlampe und sein MacBook Pro. Rechts davon, im rechten Winkel zu dem großen Schreibtisch, stand ein Glastisch, der Platz für den Drucker und die Bücher bot, die Alan bei der Arbeit benötigte. Hinter seinem Arbeitsplatz öffneten sich große französische Fenster zum Vorgarten. Vielleicht war ausgerechnet der Umstand, dass dieser Raum so sehr dem Ideal eines Schreibzimmers entsprach, der Grund dafür, dass Alans Gedanken sich hier auch schon mal auf unbequemes Terrain wagten. Sein Blick schweifte in die rechte obere Ecke des Bücherregals an der gegenüberliegenden Wand – den Bereich seiner Bibliothek, den er für seine eigenen Werke reserviert hatte. Dort stand neben einigen Taschenbuchausgaben von *Reiner Tisch – Ungeschminkte Tipps zum Essengehen*, der ersten Sammlung seiner Gastrokolumnen, auch ein einzelnes Exemplar von *Die Eagle-Banquette-Morde*, seinem einzigen Roman.

Nach dem Erfolg von *Kochen mit der Pausentaste* hatte sein Literaturagent ihm ohne größere Probleme einen Roman-Deal an Land gezogen. Die Arbeit an dem Buch gab Alan das Gefühl, endlich das zu sein, was er sich immer gewünscht hatte: ein richtiger Schriftsteller. Er verlor sich völlig in der Entwicklung seiner Handlung (ein großartiger junger Koch namens Stephan – hitzköpfig, extravagant, im Grunde an den Fernsehkoch Marco Pierre White angelehnt – wird fälschlicherweise eines Mordes verdächtigt, der in seinem angesagten neuen Gourmet-Pub geschieht. Um seinen Namen reinzuwaschen, muss er das Verbrechen auf eigene Faust aufklären. Sie verkauften die Geschichte als Agatha-Christie-Krimi in der Welt der Promi-Köche) und schwitzte über seinen Dialogen, die er mit exakt dem richtigen Maß an Sterneküchen-Jargon aufpeppte: genug, um sie realistisch wirken zu lassen, aber nicht so viel, dass der Lesefluss litt, weil man ständig etwas nachschlagen musste. Mit der Zeit fühlte er sich seinen Protagonisten wirklich nahe und glaubte fest an sie.

Es gab nur ein Problem.

Er war damit allein.

Das Buch wurde von der Kritik vernichtet. Aufgrund der Passage, in der Stephan im Kurzwarenladen mit der ermittelnden Kommissarin namens Rachel bumst, wurde Alan sogar als Anwärter auf den Preis für die schlechteste Sex-Szene gehandelt. Er konnte sich noch genau an den Abend erinnern, an dem er die Szene geschrieben hatte. Daran, wie er sich völlig diesem Gefühl hingab, das er damals für den Fleisch gewordenen Musenkuss gehalten und inzwischen längst als alkoholbedingten Anfall gepaart mit einem falschen Kunstverständnis entlarvt hatte. Gerade einmal 1500 Exemplare wurden von dem Buch verkauft, bevor es auf Nimmerwiedersehen in der Versenkung verschwand.

Wenn Alan seinen Unmut darüber artikulierte, dass er zu lange auf seine Cocktails hatte warten müssen, oder sich fragte, was so schwierig daran war, ein Thunfischsteak zu braten, dann schienen ihm seine Leser das zu glauben. Sie nahmen ihm seinen Ton ab. Wenn er sich dagegen an Belletristik versuchte, daran, überzeugende Charaktere zu erschaffen, um sie und ihre Welt mit Leben zu füllen, dann lautete die Antwort: »Nein, danke. Kein Bedarf.« Also war er stillschweigend wieder zu seinen Kritiken, Kochbüchern und den gelegentlichen Kurzauftritten in Radio und Fernsehen zurückgekehrt und hatte die Rolle des »Romanautors« entmutigt als eines jener Dinge abgelegt, an denen er sich zwar versucht, aber nie ein befriedigendes Ergebnis erzielt hatte. Wie Französisch. Oder Skifahren. Oder Analverkehr.

Wie eine Spinne, die eine Bewegung am äußersten Rand ihres Netzes registriert, hörte er zwei Stockwerke über sich das Rumpeln und Quietschen, das entsteht, wenn

Wasser durch alte Rohre gepresst wird. Craig war endlich auf den Beinen, wobei man ihm zugutehalten musste, dass er vermutlich vor einer Ewigkeit ein sauberes, schneeweißes Laken und ein kuschelig warmes Zimmer genießen durfte. Alan nahm sich die Zeit, seinen letzten, vor beißendem Spott triefenden Absatz zu beenden, bevor er in die Küche ging, den Wasserkocher anstellte, etwas Speck aus dem Kühlschrank holte und emsig mit Tassen, Kaffee und Cafetiere hantierte.

Er drückte gerade den Stempel der Kaffeepresse herunter, als hinter ihm ein »Wie geht's?« ertönte. Auf der Türschwelle stand Craig in den alten Klamotten von Tom und kratzte sich verlegen am Kopf.

»Perfektes Timing«, sagte Alan.

* * *

»Weißt du noch, wie Big Murdo mal Cider gebraut hat? Das Zeug war bloß Wasser, in das er einen Apfel getunkt hatte. Mad Marky hat bestimmt vier Liter davon gesoffen und dann auf Rabs Party die ganze Couch vollgekotzt.«

»Aye! Rabs Party. Heilige Scheiße«, sagte Alan. »Das war die, wo sein großer Bruder mit der Luftpistole auf den Plattenspieler geschossen hat, weil wir zum dritten Mal hintereinander ›Tom Hark‹ von den Piranhas aufgelegt hatten, und wo Wee Sammy dabei erwischt wurde, wie er im Scheiß …«

Unisono brüllten beide: »… IM SCHEISSHAUS DIE FETTE SENGA GEFINGERT HAT!« Sie kreischten vor Lachen, und Alan schlug mit der Faust auf den Tisch. Ihre Anekdoten hatten sie in die neunte Klasse zurückversetzt. Sie waren sechzehn Jahre alt, und alle hatten ein »Big«, »Mad« oder »Wee« vor dem Namen. Beide waren sie ins breiteste Schottisch verfallen. Wenn Katie in diesem Augenblick zur Tür hineingekommen wäre, hätte sie von dem, was ihr Mann erzählte, kein einziges Wort verstehen können.

Auf den mit Ei verschmierten Tellern vor ihnen lagen nur noch Speckschwarten und Toastbrotrinden. »Was glaubst du«, fragte Alan und ging mit der leeren Cafetiere zur Spüle, »ist aus Mad Marky geworden?«

»Weiß der Geier«, antwortete Craig. »Vielleicht ist er im Knast.«

»Oder ob …« Erschrocken bemerkte Alan, dass er gerade »obdachlos« sagen wollte, und schaffte es in letzter Sekunde, sich zu verbessern. »Oder ob Murdo wohl noch in der Gegend ist? Dieser durchgeknallte Perverse.«

»Der ist jetzt bestimmt 'ne echte Stütze der Gesellschaft«, sagte Craig.

»Warte mal«, erwiderte Alan. »Warum raten, wenn wir einfach nachsehen können?« Er stellte den Wasserkocher an und nahm das Familien-iPad von der Magnethalterung am Kühlschrank. Nach wenigen Sekunden war er auf Facebook, wo er »David Murdoch, Ardgirvan« eingab. Und da war es: das Gesicht, das auch nach über dreißig Jahren noch vertraut erschien. »Ist nicht wahr …«, prustete Alan, »guck dir das an!« Er legte das iPad vor Craig auf den Tisch. Keine Frage, das war Big Murdo. Und »Big« traf es längst nicht mehr annähernd. »Gigantisch« kam der Sache deutlich näher.

»Ach du Scheiße … wie sieht denn der aus?«, war alles, was Craig herausbekam. Ausgerechnet in einen Neoprenanzug gequetscht, posierte Murdo wie eine riesenhafte Robbe an irgendeinem Strand und präsentierte der Kamera breit grinsend den erhobenen Daumen. Sie brachen beide in schallendes Gelächter aus. »Verheiratet mit Leanne, lebt in Ardgirvan. Gibt's doch nicht, der lebt immer noch in Ardgirvan«, sagte Alan kopfschüttelnd, bevor er weiter vorlas. »Arbeitet bei Gabelstapler Henderson. Scheiße – ist das nicht der Laden, wo er nach der Schule angefangen hat? Der Arsch schuftet da seit 32 Jahren?«

»Total krank«, kicherte Craig und nahm das iPad, als Alan wieder zur Spüle ging, um frischen Kaffee zu machen. »Unfassbar, man kann alles sehen, was er so gemacht hat …«

»Du bist mit den sozialen Medien nicht sonderlich vertraut, oder?«

»Hatte in den letzten Jahren nicht so viel Verwendung dafür.«

»Da lässt sich bestimmt auch einiges über deine Band finden.«

»Echt jetzt?«

»Das wette ich. Hier, tipp's einfach ein.«

»Wie mach ich …« Craig fummelte nervös mit dem Gerät herum.

»Gib her.« Alan trat an den Tisch und tippte die Wörter »The Rakes Band« ins Suchfeld. Schon war der Bildschirm voll. Von einem Foto blickte ihnen düster ein 23-jähriger Craig entgegen, in den Händen hielt er eine schwarze Rickenbacker-Gitarre.

»Fuck«, schnaufte Craig.

»Guck mal, ihr habt 'ne Wikipedia-Seite«, sagte Alan und klickte sie an. »The Rakes waren eine Indie-Rock-Band aus Glasgow, Schottland«, las er vor. »Die Band wurde 1989 gegründet von Grahame Walker, Craig Carmichael, David ... blah blah blah. Mit ihrer Single ›Daybreak‹ gelang ihnen 1993 ein kleiner Hit in den USA ...« Craig las weiter, als Alan sich setzte und den Kaffee eingoss.

»Gott, da steht teilweise völliger Mist«, fluchte Craig.

»Aye, so ist das halt im Internet.«

»Scheiße, diese Fotos ...«

»Ich hätte da 'ne Idee«, sagte Alan. »Kriegst du nicht immer noch Tantiemen für diesen Song?«

»Schön wär's. Nee, wir haben so 'nen blöden Verlagsvertrag abgeschlossen. Durch den haben wir zwar 'ne Menge Knete im Voraus gekriegt, aber sämtliche Rechte abgetreten. Glaub ich zumindest. Was weiß denn ich.«

»Das solltest du mal checken«, erwiderte Alan nachdenklich.

»Aye, vielleicht. Schau dir Grahame an. Verdammt, der ist total ...«

Mitten im Satz verstummte Craig plötzlich.

»Was?«

»Ach, nichts. Nur ...«

Alan starrte auf das iPad, betrachtete das Foto von vier Jungs mit zerzaustem oder zurückgegeltem Haar, in schwarzen Lederjacken und gestreiften Shirts, glänzende Gitarren vor ihren Bäuchen, den Blick voller Hoffnung und Trotz. In ihren Augen funkelte die Gewissheit, dass sie ganze Königreiche erobern würden und die Welt ihnen keinen ihrer Wünsche verweigern konnte. Es waren die Augen von Menschen, denen bislang nur Gutes widerfahren war und die von der Zukunft nur Gutes erwarteten. Dann löste Alan den Blick und sah eines dieser vier Gesichter direkt vor sich, die Haut nun ledrig und zerfurcht, die Augen matt und trüb. Alan schlürfte seinen Kaffee und sah Craig dabei zu, wie der sich durch fünfundzwanzig Jahre alte Fotos von sich und seiner Band klickte. Dabei wurde ihm bewusst, wie glücklich er sich selbst schätzen konnte, dass ihm die Erfahrung erspart geblieben war, in jungen Jahren diesen irren Rausch des Erfolgs erlebt zu haben, nur um dann herauszufinden, dass dieser nichts als ein Trugbild war. Ein Phantom, das weitergezogen war, um auf einem anderen Gipfel zu tanzen, während es dich allein und deiner Zukunft beraubt zurückgelassen hatte. Fünfundzwanzig Jahre alt und den einsamen Höhepunkt deines Lebens schon hinter dir.

»Na komm schon«, sagte Alan und drückte den Home Button, worauf der Bildschirm schwarz wurde. »Zieh dich an, dann machen wir einen Stadtbummel. Ich zeig dir die hiesigen Sehenswürdigkeiten.«

»Sehenswürdigkeiten?«

»Na ja, ich hab den Begriff ein wenig gedehnt.«

7

»Ziemlich schräg«, sagte Vanessa, leerte die Flasche Gavi in ihr Glas und bedeutete dem Kellner, ihr eine neue zu bringen, indem sie mit einem irren Grinsen und in die Höhe gerecktem Daumen die leere Flasche schwenkte. »Echt voll schräg ...«

Katie hatte sich mit Vanessa, Camilla und Emily zum Lunch getroffen. Die Mäntel zum Schutz gegen die Kälte bis zum Hals zugeknöpft, standen sie im Innenhof des Soho House in der Dean Street, weil dort das Rauchen erlaubt war. Jede von ihnen hatte eine andere Einstellung zum Rauchen. Katie gehörte zur »Zwei Drinks und ich steck mir ein paar an«-Fraktion. Vanessa rauchte ohne schlechtes Gewissen Kette – so um die vierzig Stück am Tag. Wenn sie gerade mal keine richtige Zigarette rauchte, nuckelte sie an einer E-Zigarette von der Größe einer Klarinette herum. Camilla schien ebenfalls ständig zu rauchen, obwohl noch nie jemand gesehen hatte, dass sie sich Zigaretten kaufte. Emily gehörte zu denen, die sich gelegentlich einen einzelnen Zug von den Zigaretten der anderen gönnten, und war ziemlich fest davon überzeugt, dass sie, wenn sie niemals eine glimmende Marlboro Light ihr Eigen nannte, auch keinen Krebs kriegen würde. Wenn alle vier wie die Dampfschiffe qualmten, so wie sie es in diesem Moment nach der dritten Flasche Wein taten, dann kostete das Vanessa im Schnitt eine Packung Kippen beziehungsweise fünfzehn Pfund die Stunde – da sich im Soho House zu den saftigen Preisen auch noch Vanessas großzügige Trinkgelder gesellten. Das war mehr Geld, als sie ihrer Putzfrau bezahlte, weshalb sie ein klein wenig beunruhigt war.

»Das ist wirklich total schräg«, sagte Vanessa erneut.

»So kann man das auch ausdrücken«, erwiderte Camilla.

»Ihr findet das verrückt?«, fragte Katie.

»Hallo?«, sagte Camilla.

»Ich find es ja irgendwie süß«, sagte Emily.

»Erzähl keinen Quatsch, Emily«, würgte Vanessa sie ab. »Okay, fassen wir noch mal zusammen. Alan trifft diesen Typen in Soho. Er lebt buchstäblich auf der Straße.«

»Jep.«

»Sie gehen im Coach & Horses was trinken.«

»Jep.«

»Warum sind sie in einen *Pub* gegangen?«, fragte Camilla und schaffte es beinahe, dass »Pub« dabei wie »Auschwitz« oder »Anus« klang.

»Unser Pennerchen roch wohl zu streng für den Club«, vermutete Vanessa.

»Jep.«

»Und wieso sind sie dann später doch ins Groucho gegangen?«, wollte Emily wissen.

»Weil sie da schon besoffen genug waren?«, vermutete Vanessa.

»Und wieder jep.«

»Anschließend schlagen sie bei euch auf, gut abgefüllt, ihr esst zu Abend, das Pennerchen ist …«

»Hör auf, ihn Pennerchen zu nennen, Vanessa«, entgegnete Katie. »Sein Name ist Craig, und so ein Schicksal sucht man sich nicht aus, auch wenn …«

»Ist ja gut. Also Craig erweist sich als durchaus umgänglich, und am nächsten Morgen deutet Alan an, dass er noch ein Weilchen bleiben wird.«

»›Ein paar Tage‹ waren seine Worte.«

»Ja, echt ziemlich schräg«, wiederholte Vanessa.

»Ist Pennerch… ich meine Craig … ist er scharf?«, erkundigte sich Camilla.

»Na ja …«

»Wie hieß noch mal seine Band?«, fragte Emily.

»Oh, The … Soundsos.«

»Geht's etwas genauer, Grandma?«

»Es fing mit einem ›R‹ an. The Rifles, The Ramps …«

»The Rapists?«, schlug Camilla vor.

»The Rakes! Das war's.«

»Und wie gut ist Alan damals mit ihm befreundet gewesen? Oh, vielen Dank, mein Schatz!« Vanessas letzter Satz galt dem Kellner, der ihnen eine neue Flasche Wein brachte.

»Sie sind zusammen zur Schule gegangen. Und zur Uni – eine Zeit lang.«

»Hier, bitte!«, rief Emily.

Camilla nahm ihr das Smartphone ab und schob die Brille auf die Nasenspitze, um das Bild auf dem Display genauer zu inspizieren. »Den würd ich nicht von der Bettkante stoßen. Definitiv nicht«, sagte sie und reichte das Handy weiter – es war dasselbe Foto, das sich Alan und Craig beim Frühstück angesehen hatten.

»Vergiss nicht, dass das – wie viel? – dreißig Jahre her ist«, sagte Vanessa.

»Und dass Camilla sich auch an Dominic West in seiner Rolle als Fred West rangemacht hätte«, gab Katie zu bedenken.

»Ohne zu zögern«, räumte Camilla ein.

»Ich bin ja nur ungern die langweilige Gouvernante«, warnte Vanessa. »Aber du darfst dabei Melissa nicht vergessen.«

»Ich weiß …«, sagte Katie.

»Wen?«, fragte Emily.

»Ihre sechzehnjährige Tochter«, antwortete Vanessa.

»Hä?«

Vanessa erklärte es ihr, wie man es einem Kleinkind erklären würde: »Pennerchen. Mann. Steckt. Penis. In. Heißes. Teenie. Töchterchen.«

»Igitt. Das ist ja widerlich!«, quiekte Emily.

»Mach dich bitte nicht lächerlich, V.«, erwiderte Katie.

Aber natürlich war ihr der Gedanke selbst schon gekommen. Dabei galt ihre Sorge nicht nur Melissa, sondern auch Sophie. Das stellt die Fantasie mit einem an, wenn man Mutter ist: Genüsslich inszeniert sie schrecklich grausame Folterarien der eigenen Kinder. Dein Kind kommt eine Stunde zu spät von der Schule nach Hause oder ist am Strand drei Minuten lang nicht auffindbar, und schon hat deine Vorstellungskraft einen ziemlich überzeugenden Keller mit Fesseln und Knebeln erdacht. Hat einen bis ins Detail perfekt ausgearbeiteten Pädophilen kreiert. Und verschiedene Alternativen für den Ausgang dieses Albtraums erarbeitet: ein Arthaus-Film-Ende (die Beerdigung), ein Fernsehfilm-Ende (jahrelange Therapie für das seelisch gebrochene Kind) und ein Hollywood-Ende (die dramatische Rettung durch ein SWAT-Team in letzter Minute). Als versierter Medienprofi hatte Katies Hirn längst Überschriften und Zwischentitel produziert. Und Schlagzeilen:

»7-JÄHRIGES MÄDCHEN VON FREUND DER FAMILIE VERGEWALTIGT«

»Das Mädchen (Name aus rechtlichen Gründen geändert) …«

»Laut einer Quelle hatten Freunde der Familie Bedenken wegen der ungewöhnlichen Lebensumstände geäußert …«

Dann taucht das Kind plötzlich wieder auf, mit einer entsetzlich verworrenen und völlig harmlosen Rechtfertigung für die Verspätung, und dir wird klar, dass dein Sohn oder deine Tochter höchstwahrscheinlich genauso wenig von einem Monster verschleppt werden, wie sie von einem Hai gefressen, mit dem Flugzeug abstürzen oder vom Blitz getroffen werden. Doch dann liest du in der Zeitung: *»… er hatte die Fünfjährige mehrfach vergewaltigt … bevor er sich des Leichnams entledigte … das Mädchen (15) war über Jahre hinweg … sexueller Gewalt ausgesetzt … vierundzwanzigmal zugestochen … in eine Plane eingewickelt auf dem Dachboden entdeckt …«* Das alles war grausame Wirklichkeit. Wer würde zwei Dutzend Mal auf ein Kind einstechen? Wer würde eine Fünfjährige vergewaltigen? Wer würde den Körper eines Teenagers zerstückeln und auf dem Dachboden verstecken? Wo waren Vernunft und gesunder Menschenverstand, wenn all diese Dinge passierten?

»Ich muss zugeben«, sagte Camilla mit Blick auf das Foto, »als ich sechzehn war, hätte ich einen Beckenbruch in Kauf genommen, um für so einen Schnucki die Beine breitzumachen.«

»Herr im Himmel«, stöhnte Emily.

»Immerhin«, frohlockte Vanessa, »dürfte das eine ganz gute Kolumne hergeben.«

»Ich könnte mir vorstellen, dass Alan es nicht so toll finden würde.«

Katie und Alan pflegten eine Art brüchigen Burgfrieden, was das Maß anging, in dem sie ihr Privatleben für ihre Kolumnen ausschlachten konnte. Vanessa ließ derartige Einschränkungen für ihre Artikel nicht gelten. Nicht zuletzt aus diesem Grund hatte ihre Sonntagskolumne eine riesige Leserschaft, die wiederum Vanessas königliches Salär rechtfertigte – ein Umstand, der ihr in diesem Kreis großen Respekt einbrachte.

»Vielleicht«, sagte Vanessa, »könnte ich ja stattdessen …«

»Nein, Vanessa. Wenn ich nicht darüber schreiben darf, wirst du mir verdammt noch mal nicht dazwischengrätschen …«

»Na schön!, erwiderte Vanessa und öffnete eine neue Packung Zigaretten.

8

Während sich Katie mit ihren Freundinnen zum Lunch getroffen hatte, waren Alan und Craig nicht untätig gewesen. Im Zentrum von Marham – einem Marktflecken mit 15 000 Einwohnern, der schon im englischen Reichsgrundbuch erwähnt wurde – waren sie beim Zeitungskiosk am Bahnhof (von dem aus Katie und Alan regelmäßig zur Arbeit nach London pendelten) gewesen, hatten dann einen Kaffee bei Costa getrunken und waren anschließend zu Waterstones gegangen, wo Alan wie üblich diskret überprüfte, ob wenigstens ein paar seiner Titel im Regal zu finden waren. Mit Erfolg: Er erspähte eine Ausgabe von *Reiner Tisch* und zwei von *Pausentaste.* Zu guter Letzt waren sie noch beim Metzger gewesen, wo Alan ein paar Würste, eine Ente und ein großes Stück Rinderbrust gekauft hatte, das er fürs Abendessen mit etwas Wurzelgemüse pochieren wollte (Craig stellte mit Erstaunen fest, dass es möglich war, für diese Dinge beinahe fünfzig Pfund auszugeben), bevor sie sich um halb vier zum Schultor begaben, um dort Sophie abzuholen.

Während sie warteten, stellte Alan Craig den anderen Eltern vor, die ihre Aufwartung machten, um Hallo zu sagen oder seine Tochter zu einem der zahlreichen Spielenachmittage einzuladen, die einen Großteil von Sophies

Zeit in Anspruch nahmen (was ob der vielen Fahrerei auch auf Katie und ihn selbst zutraf). Wann waren diese Spielenachmittage eigentlich in Mode gekommen? Alan hatte als Kind nie an einem beschissenen Spielenachmittag teilgenommen. Er war einfach losgezogen und hatte gespielt.

Craig, das musste Alan zugeben, schlug sich wacker. Dank einer ordentlichen Mütze Schlaf, einem Bad und frischer Kleidung – er trug einen alten Barbour-Mantel von Alan – sah er aus wie jemand, der jedes Recht dazu hatte, an einem sonnigen Winternachmittag vor den Toren einer irre teuren privaten Mädchenschule in Buckinghamshire rumzuhängen. Und »Craig vorstellen«, das sollten wir vielleicht klarstellen, bedeutete weiter nichts, als dass Alan wiederholt »Das ist mein Freund Craig« sagte. Dabei hatte er selbst natürlich keine Ahnung, wie die anderen Eltern hießen. Ständig – beim Abendessen, in der Küche, im Auto – sagte Katie so etwas wie »bei Megan und George«, worauf Alan fragte: »Wer zum Teufel sind Megan und George?« Worauf Katie seufzte und antwortete: »Die Eltern von Emily? Sophies Freundin Emily?« Was Alan wiederum mit »Ach ja« kommentierte, während er insgeheim so etwas dachte wie: *»Emily? Keinen Schimmer, wer das ist, und es interessiert mich auch nicht.«*

»DADDY!« Er drehte sich um und sah Sophie mit wehendem Schuluniformmantel auf sie zurennen. (Im Winter trugen alle Mädchen diese umhangähnlichen Mäntel.) »Daddy, können wir …« Wie üblich setzte sie sofort zu einer ihrer höllischen Bettelattacken an: »Sushi essen / zum Bowling / auf den Minigolfplatz / zu meinem Freund

Soundso / etc. gehen?« Aber noch bevor sie richtig loslegen konnte, nahm Alan sie auf den Arm und sagte: »Schau mal, Sophie, das ist mein Freund Craig.«

Sophie musterte Craig. »DER MANTEL GEHÖRT MEINEM DADDY!«, kreischte sie. Craig lachte.

»Da hast du völlig recht«, sagte Alan. »Craig leiht ihn sich nur mal aus. Er hat nämlich seinen Mantel vergessen. Sag Hallo.«

»Hallo«, sagte sie, und dann zu Alan: »Du bist ein Pupsarsch!«

»Sophie ...«

Aber sie hörte ihren Vater gar nicht, so laut quiekte sie über ihren eigenen Witz.

»Na los, gehen wir.«

»Wohin denn?«

»Nach Hause.«

»Oooch – zu Hause ist es aber langweilig, Daddy!«

»Du bist jetzt mal einen Moment still, Sophie. Wir müssen noch das Essen kochen.«

»Kommst du auch zum Essen?« Die Frage war an Craig gerichtet.

»Aye, ich glaub schon.«

»Du bist Schotte, stimmt's?«

»Bin ich, ja.«

»Mein Daddy ist auch Schotte.«

»Ich weiß. Ich kannte deinen Daddy schon, als er so alt war wie du.«

»Sieben?« Die Kleine wirkte skeptisch.

»Jep.«

»War er nett?«, wollte sie wissen.

»Er war ein Pupsarsch.«

»AHHAHAHAHAHAHAHAHAHAHA!«, kreischte Sophie. »Du warst ein Pupsarsch!«

»Stimmt«, seufzte Alan. »Ich war ein Pupsarsch. Jetzt steig in das verdammte Auto und beruhig dich mal wieder.«

* * *

Sie schoben die Rinderbrust in den Ofen.

Sophie machte ihre Hausaufgaben.

Melissa kam nach Hause und verschwand nach einem kurzen »Hi, Dad. Hi, Craig. Hi, Arschgesicht« in ihrem Zimmer.

Gegen sechs öffneten sie eine Flasche Wein.

Katie kam nach Hause.

Um halb elf lagen beide Mädchen in ihren Betten. Alan, Katie und Craig saßen im Wohnzimmer und schauten die Nachrichten. Craig trank den Rest seines Weins vom Abendessen, Alan schwenkte ein schweres Whiskyglas mit Talisker, und Katie schlürfte eine Tasse grünen Tee. Bei ihrer Rückkehr aus London hatte sie ein klein wenig mitgenommen gewirkt und zum Essen kaum etwas getrunken.

»Also«, sagte Craig und gähnte. »Ich leg mich dann mal ab.«

»Gute Nacht, Craig«, erwiderte Katie.

»Keinen Schlummertrunk?«, fragte Alan und schwenkte seinen Whisky.

»Nee, danke. Wäre einer von euch so nett, mich morgen früh zu wecken? Nur weil … ich hab halt keinen Wecker.«

»Na klar«, antwortete Alan. »Wann denn?«

»Sobald du auf den Beinen bist. Ich würd gern früh los.«

»Los? Wohin denn?«

Craig schob sich in Richtung Türrahmen. »Wisst ihr, es war echt total nett, sich mal wiederzusehen und überhaupt, aber ich sollte mich vielleicht langsam wieder auf den Weg machen.«

Auf den Weg wohin?, dachte Alan.

»Morgen ist Freitag. Bleib doch wenigstens noch das Wochenende«, sagte er und blickte Katie dabei fragend an.

»Ja, natürlich. Bleib übers Wochenende«, stimmte sie ihm zu.

»Das ist echt großzügig, Leute. Aber ich glaube, ich mach mich besser auf die Socken. Wir sehen uns morgen.«

Die beiden warteten, bis Craigs Schritte in den oberen Regionen des Hauses verklungen waren, bevor sie zu sprechen begannen.

»Ich rede morgen früh noch mal mit ihm«, sagte Alan. »Was soll das heißen, ›auf den Weg‹? Wo will er denn hin?«

»Alan, Schatz, hast du dir das auch gut überlegt?«

»Wie meinst du das?«

»Ich meine ... wo soll das hinführen?«

»Na ja, ich ...«

»Er kann nicht für immer hierbleiben, das ist dir ja wohl klar.«

»Natürlich ist mir das klar. Ich dachte nur ... vielleicht, bis er ein wenig auf eigenen Füßen steht.«

»Und wie soll das so plötzlich passieren?«

»Ach, ich weiß es doch nicht.«

»Indem du ihm etwas Geld gibst, nehme ich an.«

»Nein, ich ...«

»Und ich hätte kein Problem damit. Ehrlich. Ein Schulfreund, der auf der Straße gelandet ist? Ich verstehe das.

Aber so viel Geld, wie er braucht, um sein Leben auf die Reihe zu kriegen, kannst du ihm nicht geben. Falls er das überhaupt will. Ich meine, du kannst ihn schließlich nicht den Rest seines Lebens durchfüttern.«

»Er braucht doch nur …«

»Ich weiß, was du denkst, Alan. Du hast immer noch dieses protestantische Leistungsethos, das sie dir in der Schule eingeimpft haben. Ich kann deine Gedanken förmlich lesen: *Wir holen ihn nur runter von der Straße, er sucht sich irgendeinen Job und kommt wieder auf die Beine.* Aber nicht jeder tickt so. Ich weiß, dass du glaubst, du hättest deinen alten Kumpel zurück, und er macht ja auch wirklich einen netten Eindruck. Aber wenn man da gelandet ist, wo Craig gelandet ist … dann trägt man ziemlich sicher einen schweren Schaden davon.«

»Und er kann nicht einfach nur Pech gehabt haben?«

»Das eine schließt das andere ja nicht aus.«

Alan seufzte und drehte das Glas zwischen seinen Handflächen. Er starrte zur Decke, viereinhalb Meter über ihnen, musterte den glatten weißen Stuck, die kunstvollen Verzierungen sowie den schweren Leuchter aus Messing und Glas, den Katies Eltern in den Sechzigern aus Frankreich mitgebracht und ihnen zur Einweihung des Hauses geschenkt hatten. »Weißt du, wenn wir ins Quatschen geraten, dann scheint er noch derselbe zu sein, der er vor dreißig Jahren war.«

»Ist er aber nicht.«

Das Feuer knisterte, als der letzte Holzscheit zusammenfiel, und beide wandten sich wieder dem Fernseher zu. Wie aufs Stichwort sagte die Wettermoderatorin, die gerade den Nachrichtensprecher abgelöst hatte: »… die

Temperaturen gehen übers Wochenende wieder in den Keller, in London und im Südosten bis auf minus zwei Grad und sogar bis auf minus sechs Grad in Teilen des schottischen Hochlandes …«

Alans Blick traf den von Katie, die sich bereits ausmalte, bei *diesem* Wetter auf dem Bürgersteig zu schlafen.

»Pass auf«, sagte sie. »Ich werde morgen früh mit ihm reden. Vielleicht denkt er ja, dass wir ihn loswerden wollen. Dass er übers Wochenende hierbleibt, geht in Ordnung, aber bitte denk doch mal weiter. Er kann nicht ewig hier wohnen.« Sie erhob sich und drückte ihm einen Kuss auf die Stirn. »Weißt du, es liegt nicht an dir, sein Leben in Ordnung zu bringen.«

»Ich weiß.«

»Du musst morgen in die Stadt, stimmt's?«

»Ja. Redaktionssitzung.«

»Dann bleib nicht zu lange auf.«

Er trank den Rest seines Whiskys und starrte in die Glut. Natürlich dachte Alan, der gar nicht anders konnte, als Dinge in Ordnung zu bringen, längst darüber nach, auch Craigs Leben in Ordnung zu bringen.

* * *

Zwei Stockwerke über ihnen streckte sich Craig genüsslich aus und genoss es noch immer, nach so langer Zeit wieder in einem weichen Bett zu liegen. Er lauschte dem Knarren und Seufzen des alten Gebäudes. Er konnte zwar keine Stimmen hören – das Haus war viel zu groß, als dass er Gespräche aus dem Erdgeschoss hier oben noch mitbekam –, doch er wusste, dass die beiden sich unten über ihn unterhielten. Und dass dabei sicher Phrasen wie »der Ärmste« und »Das ist so traurig« fielen. O ja, er konnte damit leben. Er würde damit leben. Ein wenig Mitleid könnte ihm hier durchaus in die Karten spielen. Die Frau schien ganz nett zu sein. Die Kinder auch. Die Kleine war ein echter Wildfang, da gab's keinen Zweifel. Er schlug sein Tagebuch auf und begann zu schreiben. Ein paar Ideen.

9

Neben dem Schreiben seiner Kolumne, der Kochbücher und der Restaurantkritiken bekleidete Alan auch noch die Position des Redakteurs einer vierteljährlich erscheinenden Gourmet-Beilage des *Standard on Sunday*. Der Job erforderte ein paar Tage im Monat seine Gegenwart im Londoner Büro der Zeitung, um sich Vorschläge und Ideen für Beiträge anzuhören, über die Auswahl der Fotografen zu entscheiden, das Layout abzunehmen und Ähnliches. Doch er wurde vor allem dafür bezahlt, dass er seine persönlichen Kontakte nutzte, um prominente Gesichter ins Blatt zu holen. Für diesen kleinen und nicht sonderlich zeitaufwendigen Nebenjob erhielt Alan das Mehrfache eines durchschnittlichen Jahresgehalts. Eigentlich unfassbar, aber eine Tatsache.

Das Ganze war schon seltsam. Immer wenn die Beilage erschien, stieg die verkaufte Auflage der Zeitung. Eine Auflage, die zugegebenermaßen nicht vergleichbar mit der von vor zwanzig Jahren war, als Alan begonnen hatte, für das Blatt zu schreiben. *Gratis*, so hatte sich herausgestellt, war für viele Menschen ein ziemlich überzeugender Anreiz, wenn sie sich dafür entschieden, dass Zeitungen zu jenen unverzichtbaren Dingen gehörten, auf die sich sonst gut verzichten ließ – vielen Dank auch. Menschen lasen einfach gerne übers Essen, so wie sie auch gerne Kochbücher lasen und sich Kochshows im Fernsehen anschauten. Und doch zeigte jede quantifizierbare Studie, die sich auftreiben ließ, dass die Leute immer weniger kochten. Die Anzahl derjenigen, die sich regelmäßig frisches Essen selbst zubereiteten, war verschwindend gering. Wenn im Fernsehen jemand einen Fischauflauf kredenzte – appetitlich gefilmte Stückchen weiß schimmernden Kabeljaus, übergossen mit cremiger Soße und mit Petersilie bestreut –, dann klebten die britischen Zuschauer in Scharen am Bildschirm. Aber selbst einen Fischauflauf kochen? Das war etwas, woran nur ein winziger Teil der britischen Mittelklasse Gefallen fand. Im Schweiße des eigenen Angesichts Gemüse schnippeln, Kartoffeln schälen, kochen und stampfen? *Bleibt mir bloß weg.* Die meisten zogen es sogar vor, wenn ihr Fischauflauf in einem Plastikbeutel steckte, abgefüllt aus einem Bottich in einer Fabrik irgendwo in Lancashire, von einem Kerl mit Blaumann und Haarnetz. Die Anzahl der Menschen, die sich statt einer stinkenden, wabbeligen Pizza regelmäßig eine Kiste mit frischem Gemüse nach Hause liefern ließen, entsprach laut einer Umfrage, die Alan einmal in der Marketing-Abteilung gesehen hatte, ungefähr 0,01 Prozent der Gesamtbevölkerung.

Das Meeting, das augenblicklich in dem verglasten Konferenzraum mit Blick auf die Themse im Gange war, fand anlässlich der Frühjahrsausgabe statt. Anwesend waren dabei neben Alan die stellvertretende Chefredakteurin Pandora, ihre gemeinsame persönliche Assistentin Arabella und drei freie Redakteure namens (glaubte er zumindest) Rory, Calum und Poppy. Die Diskussion zog sich, und Alan kratzte sich die Stirn.

»Aber warum ausgerechnet ein Fahrrad, Calum?«, wollte Pandora wissen.

„Weil alles andere bis zum Erbrechen totgenudelt wurde, oder etwa nicht? Autos, Motorräder ...«

»Frankreich? Scheint mir ein bisschen ... na ja«, nörgelte Poppy.

»Ihm gefällt es da.« Calum zuckte mit den Schultern.

»Was ist mit ... Indien?«, fragte Pandora.

»Da macht er nicht mit.«

»Oh, oh, oh, Holland! Das ist 'ne echte Fahrradnation.«

»Welches Essen kommt denn bitte aus *Holland*?«

»Speck?« Das war Arabella.

Alan hegte den Verdacht, dass Rory eingeschlafen war.

Am Morgen hatte Katie Craig einen Tee nach oben gebracht, kurz bevor Alan zum Bahnhof gegangen war. Sie war ein Weilchen dort oben geblieben, und als sie zurück in die Küche gekommen war, hatte sie gesagt: »Er bleibt gerne noch übers Wochenende. Ich hab's dir doch gesagt. Er dachte, ich wäre sauer.«

»Und das bist du nicht?«, hatte Alan gefragt.

»Nein. Ganz sicher nicht. Versprochen«, hatte seine zauberhafte Frau erwidert und ihm einen Kuss auf die Nase gegeben.

»Frankreich wäre wunderschön, was die Fotos angeht.«

»Pandora, haben wir diese Geschichte überhaupt schon budgetiert?«, erkundigte sich Alan schließlich.

»Wir könnten gratis im Eurostar reisen – erster Klasse –, wenn wir das in der Story unterbringen. Ich bin mir sicher, dass wir mit den Hotels einen Deal machen können, solange wir ...«

»Ja, sicher. Aber die Honorare, der Fotograf, die Spesen ...«

»Insgesamt vermutlich so was um die zehntausend Pfund mit allem Drum und Dran.«

»Gut, das reicht«, sagte Alan. »Tut mir leid, Calum, aber wir werfen keine zehntausend Pfund aus dem Fenster, damit Alex James in den Ardennen rumradeln und dabei Käse essen kann.«

Geknickt steckte Calum die Schelte weg.

»Was haben wir sonst noch?«, fragte Alan.

Und los ging's.

Hochseeangeln in Irland mit einem irischen Promi. Arabella schlug Graham Norton vor.

Al Murray macht irgendwas mit Pies.

Die Zubereitung eines perfekten Steaks mit Gérard Depardieu. Ein Vorschlag, der – den Eindruck hatte zumindest Alan – bei jeder Sitzung von irgendwem gemacht wurde.

Eine Weinprobe mit Ashley Cole.

In Whitstable mit einem Meeresfrüchte hassenden Promi Austern essen.

Ein Abenteuerwochenende in Schottland, bei dem drei Promi-Foodies ihr Essen selbst fangen, schießen und pflücken müssen.

Was isst Richard Branson während einer langen Ballonfahrt?

Mein Einkaufskorb: ein Blick auf den Wocheneinkauf von Richard Osman.

Mein Lieblingsrestaurant: Colm Tóibín stand nicht zur Verfügung, aber Jonathan Coe hatte sein Interesse bekundet.

Alan starrte durch die Glaswand zur Nachrichtenredaktion der Zeitung hinüber, wo ernsthafte Männer seines

Alters gerade zweifellos die heißesten, brandaktuellsten Storys diskutierten. Dann blickte er sich im Konferenzraum um und schätzte, dass allein die schulische Ausbildung der fünf Mittzwanziger und -dreißiger an diesem Tisch – die Gebühren für die Westminster School, für St. Paul's, Wycombe Abbey und Gott weiß was für Lehranstalten – insgesamt mehr als eine Million Pfund gekostet hatte. Bezog man Prep School und Studium in die Rechnung mit ein, dann kam man wohl locker auf die dreifache Summe. O ja, es hatte mehrere Millionen Pfund und reichlich Vetternwirtschaft gebraucht, um diese Gurkentruppe zusammenzukriegen, deren geballte diskursive Kompetenz sich augenblicklich voll und ganz auf ein Thema konzentrierte: »Hugh Fearnley-Whittingstall testet die Musikfestivals mit dem besten kulinarischen Angebot«.

»Oh, das Latitude Festival wäre *fantastisch*«, schwärmte Poppy.

»Also gut«, sagte Alan mit Blick auf seine Uhr. »Wir machen jetzt erst mal Mittagspause. Poppy – Hugh hat nicht den leisesten Schimmer von Musik. Du könntest genauso gut Anthony Bourdain in ein veganes Restaurant schicken. Arabella – Hochseeangeln mit Graham Norton? Bist du eigentlich auf Crack? Und eine grundsätzliche Anmerkung: Wer hier drin noch einmal Depardieus perfektes Steak erwähnt, wird von mir eigenhändig *gehäutet*. Ach, und Pandora – knöpfen wir uns doch mal dieses Abenteuerwochenende in Schottland vor. Check bitte, welche Promis dafür zur Verfügung stünden, sich ihr Essen selber zu jagen und zu sammeln.«

Alan wollte gerade den Raum verlassen, da rutschte Rory an die Stuhlkante, um seinen ersten und einzigen

Beitrag zum Meeting zu leisten. Er hob einen Finger in die Luft und sagte bedächtig die Worte: »Clarkson kocht im Death Valley ein englisches Frühstück auf der Motorhaube eines Aston Martin.«

Alan nickte. »Wir sehen uns nach der Mittagspause.«

Auf dem Korridor holte er Pandora ein. »Hey, P.«

»Ich finde, Rory war heute in Höchstform.«

Alan lachte.

Alan und Pandora. Pandora und Alan.

Vor ein paar Jahren hatte es zwischen ihnen beinahe mal gefunkt. Sie waren zusammen auf dem Literaturfestival in Cheltenham gewesen, wo Alan die Werbetrommel für die Taschenbuchausgabe von *Reiner Tisch* rühren und Pandora für die Zeitung über die Veranstaltung berichten sollte. Sie waren beide sehr betrunken gewesen, und Pandora, sieben Jahre jünger als Alan, hatte plötzlich ein Briefchen Koks hervorgezaubert und gesagt: »Sollen wir unartig sein?« Bei ihrem dritten Abstecher ins Hotelzimmer, den sie in dieser Nacht unternommen hatten – sie beide am Schreibtisch, die obligatorische CD-Hülle, der zusammengerollte Zwanziger, der kleine Berg Pulver und ihr aufgeregtes Geplapper darüber, *was für ein Arsch X und wie verdammt gut dieser Stoff eigentlich war und dass man heutzutage das bessere Koks außerhalb von London bekam und dieses endlose Geschwafel von Y bei diesem Q&A, absolut unfassbar, und überhaupt, hast du seinen Gesichtsausdruck gesehen?* –, war es dann passiert: Die »Was haben wir doch gerade für eine tolle Zeit miteinander«-Umarmung hatte einen klitzekleinen Tick zu lange gedauert. Plötzlich war Alans Blick zu ihrem Dekolleté hinuntergewandert. Er hatte gespürt, wie die Lust pochend durch seine Adern strömte, und ihre Lippen waren sich immer näher gekommen, bevor sie beide einen Rückzieher gemacht hatten. Von diesem Moment an sollte der Satz »Ich liebe meine Frau und meine Kinder« für den Rest der Nacht in einer Endlosschleife durch Alans Kopf hallen.

Pandora und er hatten weder ihr kleines Koksabenteuer wiederholt, noch hatten sie je wieder darüber gesprochen. Und *natürlich* liebte er Katie und die Kinder. So exotisch das in seinen Kreisen auch sein mochte: Alan war treu. Was teilweise damit zu tun hatte, dass er seine Frau einzuschätzen wusste. Manche Frauen tolerierten solche Abenteuer oder ertrugen sie zumindest. Katie, so viel war ihm klar, würde das nicht tun.

Für Alan kam noch erschwerend hinzu, dass dem Kokain – je weiter er das vierzigste Lebensjahr überschritt – zunehmend die Rolle zukam, die in der Pförtnerszene von Macbeth dem Alkohol zugesprochen wird: Es befeuerte, und es verhinderte. Es befeuerte die Lust, aber verhinderte den Akt. Es war ein wolllüstiger Hochstapler: Erst baute es ihn auf, dann machte es ihn fertig; erst brachte es ihn auf Spur, dann warf es ihn aus der Bahn; erst bestärkte es ihn, dann entmutigte es ihn. Etwas einfacher ausgedrückt: Das Kokain peitschte seine Libido auf das Niveau eines notgeilen zwanzigjährigen Rockstars, während es seinen Penis in den eines Kleinkindes nach einem eiskalten Bad verwandelte. Ganz abgesehen davon, dass er seine Ehe nicht aufs Spiel setzen wollte, hatte ihn eine innere Stimme davor gewarnt, sich vor der heißen Redakteurin aus dem Büro als Schlappschwanz zu zeigen. Und dann war da noch das Problem, mit der Schuld und dem schlechten Gewissen leben zu müssen.

In ihrem Bekanntenkreis gab es natürlich Menschen, die damit mühelos klarkamen. Zum Beispiel Vanessa, die chronisch fremdging und zahlreiche Affären unterhielt.

Allerdings war das bei ihr zweifellos auf genetische Veranlagung zurückzuführen. In Adelskreisen galt eine Scheidung seit jeher als unbedingt zu vermeidender Skandal, und davon abgesehen hatte man als Produkt von Orten wie Eton oder Westminster und als Abkömmling eines uralten Geschlechts zutiefst amoralischer Scheißkerle grundsätzlich keine Schwierigkeiten mit dem Konzept der Untreue. Vanessa entstammte einer langen Reihe von Vorfahren, denen es alles andere als fremd gewesen war, mitten in der Nacht – die Schuhe in der einen, den Schwanz in der anderen Hand – durch die kalten Hallen fremder Anwesen zu schleichen. Menschen, bei denen es quasi zur Familientradition gehörte, ein ganzes Rudel unehelicher Kinder durchzufüttern. Anscheinend war Untreue auf dem besten Weg, das alleinige Privileg der obersten und unteren Klassen zu werden. War man reicher, als die meisten Menschen es sich vorstellen können, konnte man sich fast alles erlauben. Ähnlich war es, wenn das eigene Zuhause ein sozialer Brennpunkt war, wo es jeder mit jedem trieb und eine Schwangerschaft lediglich bedeutete, ein weiteres Formular ausfüllen und sich einmal mehr in die Schlange vor einem tristen Büro in irgendeiner Sozialbehörde einreihen zu müssen. Einem Ort, wo ein Skandal zu nichts weiter als einer besoffenen Prügelei in irgendeiner schäbigen Kaschemme führte, bei der die grell bemalten Frenchnails ausgefahren wurden und es Drohungen wie »Ich mach dich kalt, du Schlampe!« hagelte. Auch dort waren die Freiheiten größer. Nur die phlegmatische Mittelklasse blieb lieber brav untervögelt. Als deren Angehöriger konnte man sich eine Scheidung schlicht nicht leisten. Alans Freund Connor war vor ein paar Jahren auf frischer Tat ertappt worden. Er hatte drei Kinder, alle besuchten Privatschulen. Seine Frau hatte ihn auf die Straße geworfen. Er war in einer Einzimmerwohnung gelandet. Einer beschissenen *Einzimmerwohnung*.

Gestrandet in der sexlosen Wüste einer zwanzigjährigen Ehe, bliebe ihr einfach keine andere Wahl, lautete Vanessas Argument. Was hatte Martin Amis doch gleich geschrieben? »Nach einer Weile wird die Ehe zur Geschwisterbeziehung, gekennzeichnet durch vereinzelte und eher bedauerliche Episoden von Inzest.«

Alans Beinahe-Affäre mit Pandora lag drei Jahre zurück. Er war damals Mitte vierzig gewesen. Und damit in einem Alter, in dem man, wie ihm einmal ein Freund erklärt hatte, »spitzer als ein Hund mit zwei Pimmeln« war. So notgeil, wie man es vorher zuletzt mit siebzehn gewesen war. Vielleicht hatte es damit zu tun, dass die Hormone ein letztes Mal alles gaben und mit einem Feuerwerk den endgültigen Abschied von all dem begingen, was einen gut dreißig Jahre lang angetrieben hatte. Mit Ende vierzig, sagte der Freund, würde dann alles ein wenig ruhiger werden. Wer dieser Freund war? Wer sonst als Connor, der in seiner Einzimmerwohnung hockte, wo er sich an billigen Scotch und seine ersterbende Libido klammerte, die ihn dereinst alles gekostet hatte, was er besaß.

»O Mann, dieser Rory«, sagte Alan. »Wem hat der wohl den Schwanz gelutscht, um hier landen zu können?«

»Der Bruder seines Vaters sitzt im Vorstand.«

»Sag mal, erinnerst du dich noch an die Obdachlosen-Sache im letzten Jahr? Hast du vielleicht noch Kontakt zu jemandem bei der Wohlfahrt? Ich hab da einen Freund, der ein wenig in der Klemme steckt.«

»Er ist obdachlos?«

»Mehr oder weniger.«

»Du meine Güte. Ich mail dir die Telefonnummer. Worauf hast du Hunger?«

»Schick einfach den Prakti zu Pret A Manger, er soll mir ein Sandwich mit Rucola und Flusskrebsen mitbringen.« Er drückte Pandora einen Fünfer in die Hand. »Ich bin in Grahams Büro. Danke.«

Er gähnte und streckte sich, als er den Flur hinunterging. Warum war man bloß ständig müde, wenn man älter wurde? Diese Erschöpfung, der man mit Schlaf offenbar nicht beikam? Und dann war da noch der Schlaf an sich. Oder vielmehr eben nicht. Statt zu schlafen, starrte Alan um sechs Uhr früh an einem kalten Wintermorgen in den stockdunklen Garten – die Zehen dank des irrsinnigen Luxus der Fußbodenheizung kuschelig warm –, während hinter ihm der Wasserkocher zischte und brodelte. Nabokov war überzeugt, dass sich die Welt in zwei Lager einteilen lässt: die Schläfer und die Schlaflosen. Diejenigen, die »erlöschen wie das Licht«, kaum dass ihre »Köpfe auf die Kissen sinken« (ein Bild, das ganz bewusst unterstellt, dass es sich dabei um einfältige Deppen handelt), und jene Menschen, die sich, gequält von gnadenlosen Schlafstörungen, hin und her wälzen, bis sie irgendwann gegen Morgengrauen das volle Bewusstsein erlangen (ausnahmslos Genies, natürlich). Alans Jugend war ihm zumindest noch so präsent, dass er sich an eine Zeit erinnerte, in der sein Schlaf großartig, ja, sogar gigantisch gewesen war. Würde man den Schlaf mit Nazi-Deutschland vergleichen, dann entspräche der Schlaf in den Teenagerjahren der Phase von 1933 bis ins Frühjahr 1941, einer Zeit unglaublicher, scheinbar niemals endender Triumphe. Einer Zeit, in der jeder von uns ein geborener Hitler, Großmeister, Don, Obi-Wan der Bewusstlosigkeit ist. Einer Zeit, in der man im Grunde genommen zwölf bis vierzehn Stunden lang ins Koma fällt, in eine Art Hyperraum-Cryo-Schlaf, die Art Schlaf, die nun sein Sohn Tom genoss und die nur von so etwas wie einem Elefanten mit einer Glocke am Rüssel gestört werden konnte, der durchs Schlafzimmer trampelt.

Alan klopfte an eine offen stehende Bürotür. »Hallo, mein Freund«, begrüßte ihn Graham. »Komm rein. Wie geht's, wie steht's?«

»Abgesehen von diesem Konferenzraum voller Eliteuni-Trottel, die ich am liebsten umbringen würde, geht's mir bestens, Graham. Wie sind wir nur an diese Leute geraten?«

»Mami und Papi arbeiten hier.«

Alan mochte Graham, einen waschechten Belfaster, der am Trinity College studiert hatte und nun Leiter der Rechtsabteilung war. Er selbst bereitete Graham zwar gelegentlich Kopfschmerzen, wobei es meistens um üble Nachrede ging. Doch da er dem Juristen immer wieder bereitwillig half, wenn der mal wieder einen Tisch in einem sehr gefragten Restaurant reservieren wollte, beruhte diese Sympathie auf Gegenseitigkeit. Alan setzte sich auf das schmale Sofa. »Hast du eine Minute?«

»Aber nur, weil du's bist.«

»Ich hab einen Freund, der war in einer Band. Vor fünfundzwanzig Jahren waren sie kurze Zeit relativ erfolgreich, aber er hat nie wirklich Geld gesehen. Ich hab mich gefragt, ob ihm wohl Tantiemen oder so was zustehen. Gibt's eine Möglichkeit, das rauszufinden?«

»Das ist leider nicht meine Baustelle. Da brauchst du einen Anwalt, der auf Musik- und Urheberrecht spezialisiert ist.«

»Verstehe. Er sagt, dass er damals sämtliche Rechte an den Songs abgetreten hat.«

»Ist in dieser Mistbranche nicht unüblich ... nach allem, was man so aufschnappt. Wie hieß die Band?«

»The Rakes.«

»Nie gehört.«

»Ich sagte ja: ›kurz‹ und ›*relativ* erfolgreich‹«.

»Und er heißt wie?«

»Craig Carmichael.«

»Craig Carmichael ... The Rakes ...« Graham machte sich jetzt Notizen. »Und wann waren sie ... aktiv?«

»So um '92, '93.«

»Pass auf«, sagte Graham, legte den Stift weg und klebte das Post-it an seinen Bildschirm. »Ich hab einen Kumpel aus Uni-Tagen, der ist jetzt drüben bei Harbottle & Lewis. Die machen viel mit Entertainment-Recht. Ich setz ihn ins Bild und frag ihn, was er davon hält. In Ordnung?«

»Das wäre wirklich große Klasse, Graham.«

»Kein Ding.«

Alans Blick schweifte in den Flur, wo gerade jemand sichtlich zufrieden die Toilette verließ. Der Glückliche. Wenn sich sein Problem nicht bald von alleine löste, würde er zum Arzt gehen müssen. Inzwischen waren es vier Tage. Vielleicht sollte er es noch mal mit Abführmittel probieren.

10

Der Freitag war im Hause Grainger ein Tag emsiger häuslicher Aktivitäten. Petra kam gewöhnlich gegen neun Uhr und begann den letzten ihrer drei wöchentlichen Großangriffe gegen Schmutz und Unordnung: Sie knöpfte sich die angefallene Wäsche vor und machte das Haus wochenendfein, damit seine Bewohner es bis zum Montag – wenn Petra wieder zur Arbeit erscheinen würde – erneut in Schutt und Asche legen konnten. Petra war Russin, Mitte dreißig, dünn wie eine Kreditkarte und konnte ihr Hoheitsgebiet, das Reinemachen, aggressiv verteidigen. (»No! Njet! Ecover njicht gutt! Ich doch schon sagen! Daas Müll!«)

Barry, der Gärtner, kam ebenfalls freitags, im Winter allerdings nur alle zwei Wochen. Er stutzte Zweige, säuberte den Rasen von Reisig und Laub und entsorgte die Gartenabfälle in seinem Verbrennungsofen. Schon für den Vorbesitzer, Dr. Rosen, hatte er zwanzig Jahre lang den Garten gepflegt. Er war knapp über sechzig, hatte graues Haar, und obwohl er wie ein Labor-Beagle rauchte, schien er noch ziemlich fit und gelenkig zu sein. Im Sommer kletterte er ständig auf den Bäumen herum und entfernte abgestorbene Äste mit den bloßen Händen.

Freitag war außerdem die Deadline für Katies Kolumne und deshalb einer von drei Tagen, an denen sie Unterstützung von Cleo bekam, ihrer Teilzeit-Nanny und -Haushälterin. Cleo brachte Sophie zur Schule und holte sie wieder ab. Sie besaß karibische Wurzeln, war eine Dame von beachtlicher Leibesfülle und großem Wuchs – wenn sie neben Petra stand, war es unvermeidlich, an Laurel und Hardy zu denken. Die fantastische Köchin wurde von den Kindern innig geliebt und arbeitete seit mehr als zehn Jahren für die Graingers. Alan und Katie hatten sie aus der Kindertagesstätte abgeworben, als Melissa fünf, Tom acht und Sophie immer noch ein Dinner mit üppiger Weinbegleitung von ihrer Zeugung entfernt gewesen war.

An diesem Freitag war auch noch ein Techniker von Sky im Haus, der eine gesonderte Box im Fernsehzimmer aufstellte und damit den Wunsch der Kinder erfüllte, jederzeit ein anderes Programm als ihre Eltern schauen zu können.

Craig saß in der Küche, trank Kaffee und kritzelte in sein Tagebuch. Irgendwo über ihm tippte Katie auf ihrem Laptop. Er lauschte dem Treiben um ihn herum: Petras Kreischen, Gackern und Fluchen aus dem Hauswirtschaftsraum neben der Küche, wo sie beim Bügeln eine Seifenoper auf ihrem iPad schaute. Manche ihrer Flüche waren auf Russisch – »PIZDA!« lautete der häufigste –, andere waren seltsam verballhornt, wie zum Beispiel »SCHWEIN VON FRAU!«. Cleo packte summend ein paar Einkäufe aus, die sie getätigt hatte, nachdem sie Sophie vor der Schule abgesetzt hatte. Die Nanny, so viel wusste Craig inzwischen, bekam von der Familie ein Auto und eine Kreditkarte zur Verfügung gestellt. Durch die großen

Terrassenfenster konnte er sehen, wie Barry Zweige und Geäst in den qualmenden Verbrennungsofen stopfte. Den Flur hinunter telefonierte der Sky-Techniker mit seiner Zentrale, um Probleme mit dem Anschluss zu klären. Musik – ein Spätsiebziger-Dylan-Album – schallte leise aus den im ganzen Haus verteilten Lautsprechern.

Just in diesem Moment rauschte Katie herein und griff nach dem Wasserkocher. »Hallo zusammen!«

»Die Sorte Mandelmilch, die Sie wollten, gab's leider nicht«, wurde sie von Cleo informiert. »Ich hab stattdessen diese hier geholt.« Cleo hielt einen Tetrapak in die Höhe.

»Oh, passt schon. Das ist okay.«

»Ich habe gerade Kaffee gemacht«, sagte Craig.

»Ich hätte lieber einen Kräutertee. Ich hab heute Morgen schon zu viel Kaffee getrunken und werde ein bisschen aggro.«

»Ich hoffe, das ist in Ordnung«, sagte Craig. »Dass ich mir Kaffee gemacht habe, meine ich.«

»Aber natürlich, Craig. Tu dir bitte keinen Zwang an.«

»Ich bin dann gegen halb drei mit Sophie zurück«, verkündete Cleo und schloss den Kühlschrank. »Heute Abend gibt's Jerk Chicken, Kate.« Cleo war der einzige Mensch, der Katie »Kate« nannte.

Katie störte das nicht. »Klasse«, antwortete sie. »Da wird sich Alan aber freuen.«

»Tschüss!« Cleo verschwand im langen Flur und zog die Haustür hinter sich zu.

»Wow, das alles muss euch doch ein Vermögen kosten«, sagte Craig.

»Inwiefern?«, fragte Katie und goss heißes Wasser in ihre Teetasse.

»Na, all das … hier«, erwiderte er, deutete um sich und meinte damit wohl vor allem Petra, Cleo, Barry und den Sky-Techniker.

»DU DRECKSCHEISSE MANN!«, schallte es aus dem Hauswirtschaftsraum.

»Keine Sorge wegen Petra. Sie schaut nur so eine verrückte Seifenoper«, klärte Katie ihn auf. »Na ja, das hier ist zwar nicht Downton Abbey«, ging sie dann auf seinen Kommentar ein, »aber du hast recht, es ist nicht ganz billig, den Laden am Laufen zu halten.« Sie tauchte ihren ayurvedischen Bio-Ingwer-Teebeutel in ihre »I HEART MARHAM«-Tasse (keine Hasstasse, aber auch kein Favorit). »O Gott, ich hoffe, du findest das nicht alles schrecklich unangenehm. Ich meine, du weißt schon, angesichts deiner Situation und so …«

»Ach was. Red keinen Blödsinn«, entgegnete Craig und bemerkte dabei, dass er angesichts von Katies kultiviertem Auftreten seinen Akzent zu kaschieren versuchte.

»SOOKA! PIZDA!«

»Es freut mich, dass für euch alles so gut gelaufen ist.«

Die Vorstellung, dass etwas »gut für einen läuft«, war für Katie zugegebenermaßen befremdlich, kam sie doch aus einer Welt, in der es für jeden immer schon gut lief und – soweit sie es absehen konnte – auch weiterhin gut laufen würde. Trotzdem nahm sie den Ball auf. »O ja, wir haben wirklich Glück gehabt.«

Sie setzte sich zu ihm an den Tisch und bemerkte, dass er den DIN-A4-Block, in den er die ganze Zeit schrieb, zugeschlagen und seine Kaffeetasse darauf abgestellt hatte. Katie trug eine Jeans und ein Sweatshirt, das mit einem Tigerkopf bestickt war. Dank einem von Yoga- und Pilates-

Marathons geformten Körper und ihrem fast mädchenhaften Teint durch den täglichen Konsum von Wasser und viel Gemüse sah sie nicht annähernd nach ihren achtundvierzig Jahren aus. Craig musste an die Mädchen denken, mit denen er in Ardgirvan zur Schule gegangen war. Obwohl sie nur ein paar Jahre älter als Katie waren, würden sie heute problemlos als Rentnerinnen durchgehen. Armut laugte die Menschen wirklich aus.

»KAHNST DU WETTEN! DU ASCHLOOCH!«

»Hier«, sagte Craig und reichte ihr ein Bündel Briefe. »Die Post war da.«

»Danke.« Den Umschlägen nach zu urteilen, waren es größtenteils Rechnungen.

»Ich glaube, da sind ein paar Fehlzustellungen dabei. Irgendwas für Renegade Limited?«

»Nein, nein. Das ist der Name von Alans Firma.«

»Alan hat eine Firma?«

»Das macht doch jeder. Du gründest eine Limited und kannst darüber ein paar mehr Ausgaben machen, ein bisschen mehr absetzen und zahlst dadurch weniger Steuern.«

»Ach so – ihr seid also Steuerhinterzieher?«

»Nein, nicht doch. Das ist alles legal. Na ja, vielleicht gibt es ein paar Grauzonen. Lassen wir es einfach dabei bewenden. Und, was hast du am Wochenende vor?«

»Ich dachte, ich könnte mal einen Spaziergang ins Städtchen machen und mich dort ein bisschen umsehen.«

»Ja, tu das. Dann solltest du ins The Pantry gehen. Die haben fantastischen Kaffee und Kuchen. Hör mal, Samstagabend, also morgen, schmeißen wir diese dämliche Geburtstagsparty für meinen Dad – drüben bei meinen Eltern. Es ist nur ein Stück die Straße nach Oxford runter. Cleo wollte auf die Kinder aufpassen. Also hab ich mich gefragt, ob du vielleicht Lust hättest, uns zu begleiten?«

»NJIX DA! PIZDA!«

»Katie, ihr müsst mich wirklich nicht auf die Feier deiner Eltern …«

»Keine Bange. Es werden Unmengen von Gästen da sein. Bei ihren Partys gilt das Motto: je mehr, desto besser. Dad kann ein bisschen einschüchternd sein, aber das ist alles nur Show. Es wird bestimmt sehr lustig. Wir werden auch nicht bis in die Puppen bleiben. Wir wollten so um sieben hier losfahren und vor Mitternacht wieder zurück sein.«

»SCHEISE! MIESTSCHEISE! NJET! DU DUHME SCHLAMPE!«

»Lieber nicht. Worüber soll ich denn mit den Leuten reden, wenn sie mich fragen, was ich so mache, und ich darauf mit ›gar nichts‹ antworte?«

»Du wirst da nicht groß auffallen, glaub mir. Da sind nur Leute, die noch nie in ihrem Leben gearbeitet haben. Die halten uns für neureiche Primitivlinge.«

»Ich denk drüber nach.«

»Wie du meinst. Das Angebot steht. Also schön, ich mach mich mal wieder an die Arbeit. Du hast nicht zufällig eine klare Meinung zum neuesten Sexting-Skandal im Parlament?«

»Leider nicht.«

»Na gut. Viel Spaß in der Stadt. Bis später.«

Petra erschien in der Tür zur Küche und schob ihre Kopfhörer von den Ohren. »Miehs Katie, sohl iech wechseln Behtwehsche in Gestezimmer?«

»Ja bitte, Petra.«

Petra warf Craig, dem Grund für die zusätzliche Arbeit, einen skeptischen Blick zu. »Schon in Ordnung«, sagte er. »Ist wirklich nicht nötig.«

»Iech wechseln Wehsche«, verkündete sie und zog sich wieder in den Hauswirtschaftsraum zurück.

»Da hast du's«, sagte Katie.

11

»Ich finde das nicht fair.«

»Ach Gottchen, Melissa, du findest überhaupt nichts fair. Sei ein Schatz und such mir meine Haarbürste.«

Katie, das Haar noch nass von der Dusche, stand in Unterwäsche vor dem Frisiertisch im Schlafzimmer und legte ihre Ohrringe an. Melissa fläzte sich mit der für Teenager typischen Lethargie auf dem Bett.

»Alle anderen gehen hin.«

»Erstens bin ich mir sicher, dass das nicht stimmt, und zweitens hab ich dir schon gesagt: Du *kannst* hingehen. Aber du bleibst nicht die ganze Nacht. Einer von uns wird dich um zwölf dort abholen.«

»Na toll … als ob ich das verfickte Dornröschen wäre.«

»Nicht fluchen, Schatz. Hast du meine Halskette gesehen? Die kleine goldene mit dem Büroklammer-Anhänger von Katie Hillier?«

»Die hab ich an.«

»Ausziehen. Sofort.«

»Nie darf ich …«

»Bitte, Melissa, echt jetzt. Ich versuche mich zurechtzumachen. Kannst du das nicht mit deinem Vater klären? ALAN!«

Alan war in ihrem Ankleideraum auf der anderen Seite des Flurs damit beschäftigt, seine Krawatte zu binden. In dem Glas vor ihm auf dem Tisch schwappte das letzte Drittel eines angenehm starken Gin Tonic. »Vielleicht nächstes Jahr, Sophie«, schlug er ihrer anderen Tochter vor.

»Das sagst du immer.«

»Wenn du eine andere Antwort hören willst, musst du eine andere Frage stellen.«

»Das sagst du auch immer.«

»Ich weiß. Ganz schön langweilig, stimmt's?«

»Ja!«

»Also hätten wir beide sicher mehr Spaß, wenn wir das Thema wechseln würden.« Im Erdgeschoss bereitete Cleo das Abendessen für die Mädchen.

»Du hast gesagt, dass wir eines Tages ein Hündchen kriegen können.«

»Ich habe ›vielleicht‹ gesagt.«

»›Vielleicht‹ heißt bei dir immer ›nein‹. Oh, Daddy! Guck mal hier.«

Sophie streckte Alan ihr Smartphone entgegen, und er staunte einmal mehr über ihre Aufmerksamkeitsspanne. Vermutlich würden sich selbst Stechmücken wundern, wie kurz diese war. Sie scrollte durch einen Twitter-Account namens *Hold My Beer*. Der Account, einer von Sophies Lieblingen, trug GIFs von Menschen zusammen, die von Häusern fielen, Autos zu Schrott fuhren, gegen Mauern liefen und so weiter. Im Grunde eine Art *Pleiten, Pech und Pannen* fürs 21. Jahrhundert – oder »Die Hinfall-Sendung«, wie Tom sie genannt hatte, als er klein gewesen war und das Ding, das Sophie in der Hand hielt, noch nicht einmal existiert hatte. Sophie war ganz vernarrt in

Hold My Beer. Auf dem Display versuchte gerade ein etwa vierzehnjähriger Junge von einem Garagendach auf ein Trampolin zu springen. Zwei Sekunden später hatte er offenbar das halbe Haus in Schutt und Asche gelegt. Als Sophie vor Begeisterung aufkreischte, erschien Melissa in der Tür. »Dad, warum kann ich heute Nacht nicht auf Jades Party bleiben?«

»Weil es auf der letzten Party, zu der ich dich gebracht habe, wie bei *Ich glaub, mich tritt ein Pferd* zuging, wenn es in Sodom und Gomorrha gedreht worden wäre.« Er erinnerte sich daran, wie er die Einfahrt eines großen Hauses in den Chalfonts hinaufgefahren war, als ihm ein halbes Dutzend kaum bekleideter Teenagermädchen entgegengetorkelt war, von denen sich eines übergeben hatte, während ihn ein kaum älterer Junge herausfordernd angestarrt und dabei seelenruhig an einem Joint gezogen hatte.

»Was ist *Ich glaub, mich tritt ein Pferd*?«

»Das war vor deiner Zeit. Hier, mach dich mal nützlich«, sagte Alan und wedelte mit seinem Glas. »Bring deinem Dad einen neuen Drink.«

»Auf keinen Fall!«

»Ein Pfund.«

»Träum weiter.«

»*Zwei* Pfund.«

»Ich mach's!«, kreischte Sophie.

»Du kannst das gar nicht«, erwiderte Melissa.

»Kann ich wohl.«

»Bitte, Mädels. Melissa, zeig deiner Schwester, wie man einen Gin Tonic mixt.«

»Komm mit, Hirni.«

»Dad!«

»Melissa.«

»Ist ja gut … hallo, Craig.«

Die Mädchen trotteten davon, worauf ihr Platz in der Tür von Craig eingenommen wurde, der immer noch die abgewetzte Jeans und das T-Shirt trug. »Hast du dich noch nicht umgezogen?«, fragte Alan und wandte sich von dem großen Spiegel ab.

»Ich dachte, ich schenk mir die Party.«

»Kommt nicht in die Tüte. Wenn ich mich mit Katies Sippe rumschlagen muss, dann sollst du genauso leiden. Na los, ich hab dir Hemd und Krawatte in dein Zimmer gelegt.«

»Komm schon, worüber soll ich denn mit diesen Leuten reden?«

»Ist doch scheißegal, die verstehen eh kein Wort von dem, was du sagst.«

»Na vielen Dank.«

»Oder von dem, was ich sage. Wenn sich dein Stammbaum nicht bis zu Wilhelm dem beschissenen Eroberer zurückverfolgen lässt, bist du eh gearscht. Ehrlich, das ist die Sorte Leute, die dich fragt, wo dein Vater seine Schuhe hat machen lassen.« Wenn Alan von Katies alten Freunden oder Familienangehörigen nach seinem Beruf gefragt wurde, spürte er häufig das starke Bedürfnis, mit den Worten »Mein Herr, ich gehe dem Handwerk des Schreibers nach …« seinen imaginären Hut zu ziehen, so wie Richard Tull, als dieser in Martin Amis' Roman *Information* Demeters Vater kennenlernt. Er sprühte sich einen Hauch Aftershave auf die Handgelenke und sagte: »Na los, raff dich auf. Es wird sicher lustig, und wir bleiben ja auch nicht allzu lange.«

»Was wirst du denen erzählen?«

»Was?«

»Na, über mich.«

»Na, halt … dass du ein alter Freund aus Studienzeiten bist.« Mit dem letzten Rest seines Drinks spülte Alan zwei Abführtabletten runter.

»Nimmst du nicht ein bisschen viel von den Dingern?«, fragte Craig.

»Ich glaube nicht. Ist jobbedingt. Wie auch immer, wenn sie dich löchern, sag ihnen einfach, du bist im Musikgeschäft. Ernsthaft, das genügt.«

»Ach, scheiß drauf – na gut. Ich zieh mich um.« Craig verschwand den Flur hinunter und Alan im Schlafzimmer, wo Katie – in silbernen High Heels und einem schwarzen Wickelkleid – sich gerade schminkte.

»Du siehst fantastisch aus, Süße.«

»Danke. Worum ging's gerade?«

»Craig kommt mit.«

»Oh, gut.«

»Das ist doch in Ordnung, oder?«

»Natürlich.« Katie tupfte ihren Lippenstift mit einem Papiertuch ab und blickte dabei konzentriert in den Spiegel über der Armee an teuren Cremes, Lotionen und Gels, von denen anscheinend ihr Überleben abhing.

»Wir sagen einfach, er ist ein alter Freund von der Uni.«

»Na ja …«

»Na ja? Was soll das heißen?«

»Ich hab ein paar von meinen Mädels schon ein bisschen mehr über die Geschichte erzählt.«

»Wem?«

»Mach dir keine Sorgen, ich hab ihnen gesagt, sie sollen den Ball flach halten.«

»Wem?«

»Also, Vanessa ...«

»Vanessa? So eine Scheiße! Da hättest du ja gleich eine Anzeige in der *Times* schalten können. Oder in irgendeinem Klatschblatt.«

»Ach, komm schon, so schlimm ist sie nicht.«

»Daddy hat geflucht!«

Sophie kam mit Gänseschrittchen durch die Tür. In ihren kleinen, zitternden Händen hielt sie den schweren Kristall-Tumbler mit Gin Tonic wie ein Priester die Monstranz.

»Danke, Soph, warte ... ich hab's schon.« Vorsichtig nahm Alan ihr das Glas ab.

»Missbrauchst du die Kinder wieder als wehrlose Arbeitssklaven?«, fragte Katie, ohne sich vom Spiegel abzuwenden.

Sophie streckte ihre Hand aus.

»Ach ja, richtig«, sagte Alan und kramte in seinen Taschen herum.

»Den hab ich selber gemacht!«, erklärte Sophie stolz. »Melissa hat mir nur geholfen.«

Alan inspizierte den Drink: ein winziger Eiswürfel und keine Zitrone. »Hier, bitte.« Er drückte Sophie zwei Pfund in die Hand.

»Oha, also doch keine Sklavenarbeit«, sagte Katie. »Obwohl ich nicht weiß, was schlimmer ist, Bestechung oder Sklaverei.«

»Ich spare das für ein Hündchen!«, verkündete Sophie und marschierte in ihr Zimmer zu ihrer Homer-Simpson-Spardose.

Alan schlürfte seinen Drink. Und bekam sofort einen Hustenanfall. »Herr im Himmel …« Der Cocktail hatte ein Mischungsverhältnis von mindestens 98 Prozent Gin und höchstens zwei Prozent Tonic. »Melissa! Was hast du dir dabei gedacht!«

»Tja«, sagte Katie. »Qualität hat nun mal ihren Preis.«

12

»Heilige Scheiße«, staunte Craig, als Katie den Range Rover in die Auffahrt steuerte.

»Auffahrt« traf es eigentlich nicht so ganz. Nein, »Auffahrt« war sogar reichlich untertrieben. Der Schotterweg, auf dem sie sich befanden, war breit genug für drei Autos und erstreckte sich vor ihnen, so weit die Scheinwerferkegel reichten. Die riesigen Bäume, die sich rechts und links davon erhoben, ließen sich nur vage erahnen. Es dauerte eine ganze Weile, bis sich links von ihnen ein großes Haus aus hellem Stein aus der Dunkelheit schälte. »Ist es das?«, fragte Craig.

»Das ist das Gesindehaus«, sagte Katie.

Sie fuhren weiter. Und weiter. Gerade als Craig die Vermutung äußern wollte, sie könnten sich verirrt haben, fuhren sie über eine Hügelkuppe und erblickten im Scheinwerferlicht schließlich Gresham Park mit seinen zahllosen erleuchteten Fenstern. Das im späten 18. Jahrhundert erbaute und von Robert Adam entworfene Haus verfügte über zweiundsiebzig Zimmer. Der mehr als achtzig Hektar große, parkähnliche Garten war ursprünglich von Capability Brown angelegt worden.

»Heilige Scheiße«, wiederholte Craig. »Wer wohnt denn *hier*?«

»Bloß meine Eltern. Sie bewohnen natürlich nicht alles, und inzwischen müssen sie das Haus auch für Publikum öffnen. Führungen, weißt du? Um die Kosten zu decken? Aber meine Brüder und Schwestern leben immer noch in London. Sie kommen gelegentlich am Wochenende oder in den Ferien hierher.« Letzteres betonte Katie, als ob durch die gelegentliche Anwesenheit von zehn oder zwölf weiteren Menschen der Platz mehr als ausreichend genutzt würde.

»Was macht dein Dad beruflich?«, fragte Craig.

»Ach, das Übliche«, antwortete Katie. »Immobilien, Aktien und Wertpapiere.«

»Allerdings haben sie das Haus lustigerweise beim Kartenspiel abgestaubt«, klärte Alan ihn auf. »Hat dein Urgroßvater es nicht so um 1880 bei einer Partie Whist in einem Herrenclub wie dem White's gewonnen, Schatz?«

»Das besagt zumindest die Familienlegende«, antwortete Katie, als sie den Wagen neben den anderen vor dem Haus parkte. Es hatte den Anschein, als würde die hier versammelte Gesellschaft das Geschäft von Range Rover ganz allein am Laufen halten.

»Nehmt euch bitte vor Woodford in Acht, der nimmt sich in jüngster Zeit etwas wichtig«, sagte Katie, stieg aus dem Auto und rief fröhlich »Hallo, Wooders!«, als sie die Stufen hinaufeilte.

»Woodford?« Craig sah Alan fragend an.

»Der Butler.«

Sie gingen die Freitreppe zum Eingangsportal des gewaltigen neoklassizistischen Gebäudes hinauf, wo Katie an der Seite von Woodford auf sie wartete. Der Butler sah nicht nur aufgrund seines Fracks aus, als wäre er gut zweihundert Jahre alt.

»Sie erinnern sich doch an meinen Gatten Alan, nicht wahr?«

»Einen guten Abend, Sir«, begrüßte ihn Woodford mit einem leichten Kopfnicken.

»Und das ist unser Freund Craig Carmichael.«

»Mr. Carmichael«, sagte das alte Faktotum.

»Erfreut, Sie kennenzulernen. Nennen Sie mich doch Craig«, erwiderte dieser und reichte ihm die Hand.

Woodford kannte Katie schon, seit sie ein kleines Mädchen gewesen war, aber das Erscheinungsbild dieser beiden Gentlemen verwirrte ihn: Krawatten und Straßenanzüge. Ihm kam es vor, als wäre es erst gestern gewesen, dass die Kleiderordnung für einen Samstagabend in Gresham Fliege und Smoking vorgeschrieben hatte – dabei lag es vermutlich rund vierzig Jahre zurück. Doch auch wenn sich diesbezüglich die Sitten geändert hatten – wie ihm schon so manches Mal dargelegt wurde –, sah der Gentleman, der vor ihm stand, unverkennbar wie ein Strauchdieb aus. Woodford starrte kurz auf Craigs angebotene Hand, bevor er ihm wortlos den Rücken zukehrte und die Gruppe weiter die Stufen hinaufführte.

»Sie werden erwartet. Ihre Mutter und ihre Gesellschaft sind in der alten Bibliothek«, sagte er.

»Wie ist es Ihnen ergangen, Woodford?«, fragte Katie, hakte sich bei dem Butler unter und ging mit ihm voraus. Craig starrte noch immer auf seine ausgestreckte, ungeschüttelte Hand.

»Was zum Teufel?«

»Dem Personal gibt man nicht die Hand«, klärte Alan ihn auf.

»Natürlich nicht … ich Idiot«, antwortete Craig, der allmählich spürte, wie sich das Erbe aufständischer Arbeiter des Red Clydeside in ihm regte.

Sie folgten dem hüftsteifen Woodford durch eine Empfangshalle von der Größe eines Tennisplatzes – graue Granitfliesen und dunkles Holz, so weit das Auge reichte, ein riesiger schmiedeeiserner Leuchter mit flackernden Kerzen. Der einzige Hinweis auf menschliches Leben bestand aus einem Häufchen Kinderspielzeug neben einem Radiator. Von dort ging es in die alte Bibliothek – Craig fragte sich unwillkürlich, wie dann wohl die neue Bibliothek aussah –, wo sie ein Anblick erwartete, wie man ihn als Normalsterblicher nur selten zu Gesicht bekam: die englische Oberschicht in ihrem natürlichen Habitat. Umgeben von turmhohen Bücherregalen, deren Inhalt ausgereicht hätte, eine größere öffentliche Bücherei zu bestücken, standen etwa dreißig bis vierzig Menschen herum – manche saßen auf Sofas oder in Sesseln. Die meisten hatten sich zu Grüppchen von einem halben Dutzend Personen zusammengefunden und plauderten fröhlich miteinander. An den Wänden hoch oben über der versammelten Gesellschaft wachten finsteren Blickes die in Öl gemalten Porträts all jener Drecksäcke und Miststücke, deren ausbeuterische Untaten den Generationen zu ihren Füßen ein Leben in Saus und Braus ermöglicht hatten.

Mehrere junge Kellner schlängelten sich mit Tabletts voller Champagnergläser und Kanapees durch das illustre Gewimmel.

Die Reaktionen der drei Neuankömmlinge hätten kaum unterschiedlicher ausfallen können. Katie betrat mit der Bibliothek schlicht ihr eigenes Wohnzimmer. Als jemand, der in dieser Umgebung aufgewachsen war, fiel ihr die Pracht gar nicht mehr auf. Sie wusste Bescheid über das leckende Dach, die Pfützen im Treppenhaus des Ostflügels, die wimmelnden Mäuse hinter den Wänden, das faulende Gebälk, die fehlenden, nicht mehr zu ersetzenden Bleirohre, die astronomischen Heizkostenrechnungen und den Umstand, dass vermutlich gerade einmal zehn Prozent der riesigen Wohnfläche regelmäßig genutzt wurde. Über ihnen gab es ein gutes Dutzend Zimmer, in denen die Möbel mit Laken abgedeckt und die verschlissenen Vorhänge fast ständig zugezogen waren. Zimmer, die sich lediglich im Sommer mit Leben füllten, wenn das Haus – und sei es auch nur für kurze Zeit – voller Gäste war.

Craig reagierte mit einem simplen, reflexhaften »Ich glaub, ich spinne«.

Alans Reaktion war komplexer. Wie Craig war auch er in einer Sozialbausiedlung aufgewachsen. Das elterliche Reihenhaus mit seiner Waschbetonfassade hätte problemlos in diesen Raum hineingepasst – und zwar inklusive des Gartens. Er hatte mit zwanzig zum ersten Mal Knoblauch gegessen. Das hier war nicht seine Familie und nicht sein Milieu. Allerdings bewegte er sich inzwischen seit mehr als zwanzig Jahren in diesen Kreisen und war seit der Heirat mit Katie quasi voll integriert. Versüßt durch den Umstand, dass Alan damals gerade bei einer angesehenen Zeitung angefangen hatte, musste Katies Familie die bittere Pille ihrer Heirat wohl oder übel schlucken. Immerhin bestand die Chance, dass er noch etwas aus sich machen würde, auch wenn es ihm natürlich – wie sie zu sagen pflegten – am richtigen Blut mangelte. Er hatte gelernt, sich mit einer gewissen Ungezwungenheit in dieser Umgebung zu bewegen. Er wusste inzwischen, wann er sich über etwas auslassen konnte, wann es besser war, bloß wissend zu nicken, und wann das Gespräch in Bereiche abdriftete, die so versnobt waren, dass ihm die nötige Qualifikation fehlte, um der Konversation zu folgen – etwa wenn es um die filigrane Arbeit bestimmter Büchsenmacher in Mayfair, die Renditekurve langfristiger Anleihen oder die Feinheiten von Point-to-Point-Querfeldeinrennen ging. Er war ausreichend vertraut mit jener Handvoll Schulen, Läden, Clubs und Restaurants, um die sich das Leben dieser Leute seit Jahrhunderten drehte. Er kannte seinen White's, seinen Wilton's, seinen Pratt's und seinen John Lobb's. Was er noch gelernt hatte, war jene Sache, die Craig jetzt, da sie einzelnen Gästen vorgestellt wurden, dazu veranlasste, ihn mit unverhohlenem Erstaunen anzusehen: Alan hatte gelernt, seinen Akzent perfekt zu kaschieren.

Zu Beginn seiner Beziehung mit Katie hatte er sich, wenn er in Gesellschaft ihrer Familie oder Freunde etwas zum Gespräch beitrug, an die immer gleiche Reaktion gewöhnen müssen: ein schroffes »Was?« (diese Leute sagten genauso wenig »Wie bitte?«, wie sie »Toilette« sagten), begleitet von einem fassungslosen Starren seitens des eher unhöflichen Teils der Anwesenden (Katies Vater und die meisten Männer), während der etwas höflichere Teil (ihre Mutter, die Frauen) ihn gewöhnlich mit einem angestrengten, von einem Nicken unterstrichenen, eingefrorenen Grinsen bedachte. Als ginge es darum, ein geistig behindertes Kind zu ermutigen, sich verständlich zu machen. Aus nachvollziehbaren Gründen verlor dieses Verhalten bald seinen Charme, woraufhin Alan gegen sein verstümmeltes Englisch zu Felde zog und sich in ihrer Gegenwart eines stark abgemilderten, gutbürgerlichen Akzents befleißigte. Einer gehobenen Sprache, wie sie beispielsweise in den vornehmen Vierteln der schottischen Hauptstadt gesprochen wurde und die auch den bornierten Aristokraten einigermaßen geläufig war. Immerhin waren einige von ihnen bereits in Edinburgh gewesen oder kannten jemanden, der das College von Fettes oder Gordonstoun besucht hatte.

Zu Craigs wachsender Fassungslosigkeit stellte Alan exakt diesen Akzent zur Schau, als ein Mann Ende dreißig sich von seinen Freunden loseiste, um sie zu begrüßen. »Katie! Hallo, meine Liebe. Und Alan! Genau der Mann, den wir jetzt brauchen. Wir sprechen gerade über das Festival.«

»Hallo, Henry. Welches Festival?«, fragte Alan.

»Na das, was ich hier veranstalten werde. Um Geld für das verdammte Dach aufzutreiben.«

»Oh, da hinten ist Vanessa. Ich bin gleich wieder da, Jungs«, sagte Katie und schoss quer durch den Raum davon.

»Entschuldige, Henry ... das ist Craig, ein alter Freund aus der Heimat. Er bleibt für ein paar Tage bei uns. Craig, das ist Henry, Katies Bruder.«

»Freut mich, Sie kennenzulernen«, sagte Henry und reichte ihm die Hand. Craig fiel auf, dass Henry rauchte. Im Haus zu rauchen war auch so ein Privileg, das heutzutage nur noch den obersten und den untersten Schichten der Gesellschaft vorbehalten blieb. In der Mittelklasse war es dagegen längst undenkbar.

»Wo wir gerade von Festivals sprechen«, sagte Alan. »Craig ist im Musikgeschäft.«

»Ach wirklich?«

»Aye, war ich mal. Is 'n Weilchen her«, erwiderte Craig und nahm sich ein Glas Champagner vom dargebotenen Tablett.

»Was?«, fragte Henry.

»Is schon 'n ganzes Weilchen her«, sagte Craig.

»Bitte?«

Für Alan war es, als würde er ein Video von sich selbst vor zwanzig Jahren sehen. Beim dritten Versuch sprach Craig betont langsam und machte hinter jedem Wort eine Pause. »Ich. War. Mal. Im. Musikgeschäft.«

»Ah! Fabelhaft! Dann kennen Sie sich ja mit der Materie aus. Was wir hier planen, ist natürlich ein Boutique-Festival. Ein paar coole Bands, DJs, Comedians, Autorenlesungen.« Nachdem sich Craig gerade noch über Alans »Snob«-Akzent gewundert hatte, gab ihm Henrys aufgesetztes Eton-Genäsel erst recht Anlass zum Staunen. »Die kulinarische Seite kommt selbstredend auch nicht zu kurz. Da muss ich dich unbedingt mit ins Boot holen, Alan. Du kennst dich doch aus mit diesem Kram, mit solchem Quatsch wie Bio-Burgern, handgemachter Eiskrem und Käse aus eigener Herstellung. Fitzroy, mit dem ich zur Schule gegangen bin, hat vor ein paar Jahren auf seinem Familien-Anwesen in Norfolk so was gestartet. Hatte letztes Jahr zehntausend Kunden. Er scheffelt richtig Zaster. Seine Speckbrötchen kosten sechs Pfund, und die Leute stehen schon morgens scharenweise bei ihm an! So was könnte hier auch nicht schaden. Sei's drum ... wie geht's dir, Alan? Wie läuft's in der kulinarischen Glitzerwelt?«

»Danke, bestens.«

»Hab diese Geschichte gesehen, die du kürzlich in der Zeitung gemacht hast. Veggie-Sandwiches mit ...«

»Bear Grylls und Kylie Minogue?«

»Genau. Erste Sahne. Wie ist er so drauf?«

Am anderen Ende des Raums schielte Vanessa über ihre Brille hinweg (was völlig sinnlos war, da sie Gläser mit null Dioptrien hatte) und beobachtete, wie Henry sich mit Alan und Craig unterhielt. »O ja. Den würde ich ganz sicher nicht von der Bettkante schubsen.«

»Er ist wirklich sehr nett«, sagte Katie. »Er wirkt nur ein wenig ... verloren. Ständig kritzelt er in sein Tagebuch.«

»Gewöhn dich nicht zu sehr an ihn, Darling.«

»Warum?«

»Also, um ganz offen zu sein: Glaubst du nicht, dass er irgendwann zurückkehrt nach ... na ja ... auf die Straße? Oh ... hallo, Connie!«

»Hallo!« Zur Begrüßung hauchte man sich die obligatorischen Küsse auf die Wange. »Katie, Schatz ... schön, dich zu sehen.«

»Bei dir klingt das, als wäre er ein Schoßhündchen.«

»Wer?«

»Na Craig. Von wegen ›Gewöhn dich nicht zu sehr an ihn‹.«

»Ach so. Du weißt doch, was ich meine.«

»Und daraufhin meinte ich: ›Danke, aber wenn du nichts dagegen hast, trinke ich lieber meine eigene Pisse‹«, beendete Alan auf der anderen Seite des Raums derweil zum allgemeinen Amüsement seine Bear-Grylls-Anekdote, als ein Respekt gebietender, ganz in Tweed gekleideter Siebzigjähriger zu ihrer Runde stieß.

»Henry – wann ist das verfluchte Dinner endlich so weit? Es ist schon nach acht.«

»Guten Abend, Hugh. Herzlichen Glückwunsch zum Geburtstag«, sagte Alan.

Katies Vater, Hugh De Havilland, der elfte Duke of Gresham, starrte ihn wortlos nieder.

»Das ist Al, Papa«, informierte ihn Henry. »Wir haben ihn kürzlich im Fernsehen gesehen. Katies Mann ...«

In den Augen des Dukes glomm so etwas wie vages Erkennen auf. »Ach ja. Al. Wie geht es dir?«

»Danke, gut. Das ist mein Freund Craig ...«

»Hallo, herzlichen Glückwunsch«, sagte Craig und streckte seine Hand aus.

Der Duke betrachtete sie mit sprachlosem Erstaunen.

»Craig stammt ebenfalls aus Schottland«, sprang ihnen Henry bei.

Die Pupillen des Dukes verengten sich.

Craig nickte bestätigend.

»Kennen Sie die Balfours?«

»Die ...«

»Aus den Borders. Tolles Jagdrevier.«

Craig erkannte, dass er es mit einem Mann zu tun hatte, der Schottland nicht mit Waschbeton und Sozialsiedlungen in Verbindung brachte, sondern nur mit Flüssen voller Lachse und Hirschgehirn, das über sonnengebleichtes Heidekraut spritzt.

»Ich bin mir nicht sicher. Ich schätze, nein«, erwiderte Craig.

»Jagen Sie?«

»Nee ... nein. Eigentlich nicht.«

Das Verhältnis zwischen Craig und dem elften Duke of Gresham blieb auf diesen kurzen Dialog beschränkt. Einer von Henrys Freunden fragte: »Wo ist das Klo?« Die

Frage schien den Duke zu verärgern. »Durch die Halle und dann links, aber seien Sie bitte vorsichtig und stopfen Sie nicht zu viel Papier hinein. Die Rohre pfeifen aus dem letzten Loch. Da ist seit 1850 nichts mehr dran gemacht worden.«

»Ein Blatt zum Abwischen und eins zum Putzen?«, fragte Craig.

»Ganz genau, wie früher in der Schule«, erwiderte Henry und bezog sich damit auf seine Zeit in Eton. Craig wiederum zitierte ein Buch von Stephen Fry, das er mal gelesen hatte.

»Wo zum Teufel steckt eigentlich der verflixte Woodford?«, schimpfte der Duke. »Und warum wurden wir noch nicht zum Dinner gerufen?«

»Aber es ist gerade erst acht ...«

»Wirklich? Verflixte Uhr ...«

Wie aufs Stichwort erschien Woodford in der Tür und verkündete, dass in Kürze das Essen aufgetragen werden würde.

* * *

Das Dinner wurde im großen Saal serviert – einem zugigen Gewölbe, das mit Leichtigkeit dreimal so vielen Gästen Platz geboten hätte wie den etwa vierzig Anwesenden. Alan war in der Mitte der Tafel zwischen einer Tara Soundso und einem Andy Nochirgendwas platziert worden, fast direkt gegenüber von Craig, mit dem er gelegentlich befremdete Blicke wechselte. Als die Teller für die Vorspeise – irgendetwas Pâté- oder Terrinenähnliches – abgeräumt wurden, fragte sich Craig, ob er jemals in seinem Leben so oft das Wörtchen »Was?« gehört hatte. Er schätzte, dass er jeden der kurzen Sätze, die er zur Unterhaltung beigetragen hatte, mindestens zweimal wiederholen musste. Er beobachtete, wie Alan auf der anderen Seite des Tisches unbehaglich auf dem Stuhl hin und her rutschte. Schließlich erhob sich Alan mit einem »Entschuldigung« auf den Lippen von seinem Platz. »Entschuldigung«, murmelte auch Craig und stand ebenfalls auf. Ohne das obligatorische »Was?« abzuwarten, schlüpfte er durch den Vorhang, war dabei ein paar Sekunden schneller als Alan und machte sich eilig auf den Weg zur Toilette. Er drehte sich um, als er hinter sich Alans Schritte auf den uralten Steinplatten hörte. »Alles in Ordnung?«, fragte ihn Alan. »Wirst du's überleben?«

»Mit Müh und Not. Kein Schwein versteht mich. Nicht mal ein beschissenes Wort.«

»Hab ich dir doch gesagt. Könnte ich ku…«

»Musst du aufs Klo?«, fragte Craig und deutete mit dem Daumen zur Tür.

»Ja, aber geh du zu …«

»Nein, bitte nach dir.«

Es folgte der übliche Eiertanz, bis Craig nach einer Minute sagte: »Ich muss wirklich nur kurz pissen.«

»Gut, bei mir könnt's was länger dauern«, erwiderte Alan und trat nervös von einem Fuß auf den anderen.

»Haha. Verstehe. Ich beeil mich«, sagte Craig, schlüpfte hinein und schloss die Tür hinter sich.

Auf Craigs Wort war Verlass.

Er vertrödelte keine Zeit.

Knapp zwei Minuten später kam er mit einem jovialen »Hereinspaziert!« wieder heraus.

»Danke«, sagte Alan, schlüpfte ebenfalls eilig hinein und schloss ab. Lächelnd schlenderte Craig über den zugigen Korridor Richtung Speisesaal davon.

Alan öffnete die Hose mit der hektischen Aufregung eines Soldaten, der nach dreijährigem Kriegseinsatz heimkehrt und seine Frau nackt auf dem Bett vorfindet, bevor er seinen blanken, frierenden Hintern auf die Toilette pflanzte. Oder vielmehr auf das, was auf dem Höhepunkt der edwardianischen Ära als Toilette galt: so ein Ding mit Wasserkasten und Kettenzug.

Stöhnend rackerte er sich auf der eiskalten Klobrille ab, und im verzweifelten Bemühen, seine Eingeweide zur Mitarbeit zu bewegen, biss er sich irgendwann in die Knöchel der geballten Faust und stampfte mit den Füßen auf den Boden. Schließlich – ihm liefen bereits Tränen übers Gesicht, und Schweißperlen traten ihm auf die Stirn – wurde er mit einem winzigen »Plop« belohnt, als etwas Kleines im eisigen Wasser der Schüssel versank.

»Soll das ein Witz sein?«, murrte Alan.

Es war, wie nach endlosen Geburtswehen eine Murmel zur Welt zu bringen. Schlimmer noch: Sein Arsch vollzog offenbar eine Art grausamen *Kackitus interruptus*: Noch bevor es richtig losging, brach er unnötigerweise die Niederkunft eines Prachtburschen ab, der versprach, ein echtes Schwergewicht zu werden. Würde man als Maßstab für den Brummer, den er da gerade auf die Rollbahn schickte, einen Jumbojet anlegen, dann hatte er bislang höchstens Nase und Cockpit geschafft. Alles andere – von der ersten Klasse bis zum letzten Economy-Sitz – befand sich weiterhin im Hangar. Er presste erneut mit aller Macht, musste aber rasch einsehen, dass diese Runde vorläufig gelaufen war. Da erschloss sich dem erschöpften Alan ein weiterer bedauerlicher Aspekt der Situation: Mit Abwischen würde er eine ganze Weile beschäftigt sein.

Nach ungefähr einer halben Rolle Toilettenpapier sah er sich endlich imstande aufzustehen. Er wollte gerade die Hose zumachen, als er spürte, wie sich etwas an seinem inneren Gas-Wasser-Scheiße-System zu schaffen machte und ein paarmal gegen die Rohre trat, sodass Alan panisch an seinem Gürtel nestelte, die Hose herunterzog und sich eilig wieder aufs Klo setzte. (Was war nur mit dem menschlichen Verdauungstrakt los? Was *wollte* er von uns? War er nicht eigentlich da, um uns zu helfen? Stattdessen machte er das halbe Leben nichts als Probleme.) Gerade noch rechtzeitig – denn jetzt kam der Rest der 747.

Gefühlt verhielt sich der zweite Teil der Entleerung zum ersten wie Hiroshima zu einem platzenden Luftballon.

Schon bald klammerte sich Alan ans nackte Überleben, während unter ihm ein infernalischer Sturzbach an Exkrementen in die Schüssel rauschte. Er ertappte sich dabei, wie er seinen eigenen Arsch abwechselnd lobte und beschimpfte: »Na los, jetzt komm schon, verdammt ... willst du wohl, du ... verfluchte Scheiße, jetzt reicht's mir aber ... o ja, so ist's gut, ganz genau, HERR IM HIMMEL, verfickte ...« Und so weiter.

Irgendwann ließ es nach. Alan wartete einen Moment, um wieder zu Atem zu kommen, und griff dann mit zitternder Hand zum zweiten Mal nach dem Toilettenpapier, das seiner Einschätzung nach gerade so reichen würde, um dem Albtraum Herr zu werden, in den die spritzenden Querschläger der vorausgegangenen Fäkalkanonade seinen Hintern verwandelt hatten. Es folgten sieben oder acht Minuten emsigen Wischens, bevor er sich imstande sah, abermals aufzustehen. Mit krebsrotem Gesicht und noch etwas wackelig auf den Beinen spähte er in die Schüssel – ganz die schweißüberströmte, stolze Mami im Wochenbett, die zärtlich ihr Neugeborenes inspiziert.

Jesus, Maria und Josef.

Alan zog an der Kette. Gerade als er sich die Hände waschen wollte, ertönte hinter ihm ein hohles Gurgeln, eine Art tiefes Grollen, als die vorsintflutliche Sanitärtechnik ächzend zum Leben erwachte. Es folgte ein Rattern und Ruckeln, beinahe, als würde der Boden unter seinen Füßen beben. Er drehte sich um. Ohne etwas so Profanem wie einer Toilettenschüssel anthropomorphe Eigenschaften zuschreiben zu wollen, hatte es für Alan ganz den Anschein, als würde die Apparatur unter heftigem Würgen versuchen, ihren Protest gegen diese Sauerei, die man ihr in den Schlund gepumpt hatte, in die Welt hinauszuschreien. Der Wasserpegel – oder besser der Güllepegel in der Schüssel – stieg an. Rasend schnell. Während Alan vor dem Klosett stand, ohne recht zu wissen, was er tun sollte, wurde ihm klar, dass die Flut in wenigen Sekunden über den Rand treten würde. Panisch zerrte er erneut an der Kette. Unter einer weiteren würgenden Unmutsbezeugung schlürfte die diabolische Keramik blitzartig etwa einen Zentimeter des Horrors herunter, bevor der Pegel wieder anstieg, sogar noch schneller diesmal, und dabei widerliche Fäkalienklumpen nach oben spülte. Alan zog erneut an der Kette. So fest, wie er konnte.

Einen Sekundenbruchteil später hielt er den abgerissenen Griff in der Hand.

Offenkundig hatte er dem System, als er zum dritten Mal an der Kette gezerrt hatte, quasi den Todesstoß versetzt. Es gab ein Beben, eine Art dumpfen Knall, der tief aus dem Erdboden zu kommen schien, und dann stieg eine grausige Flutwelle empor, schwappte schäumend über den Toilettenrand und ergoss sich auf den Fußboden.

Weiter und immer weiter. Das ... das konnte unmöglich alles sein Werk gewesen sein. Er erblickte komplette Kackwürste, Brocken und Köttel, manche waren vermutlich seit der Regentschaft von Königin Victoria da unten gewesen. Vintage-Kacke. Antike Scheißhaufen.

Ehe er sich's versah, stand Alan bis zu den Knöcheln in ungeklärtem Abwasser.

Er trat die Flucht an und knallte die Tür hinter sich zu. Ein Schwall aus Wasser und zermatschten Exkrementen schoss darunter hervor und ergoss sich in den Korridor – immer dem tiefsten Punkt zustrebend.

Der lag – wie konnte es anders sein – im großen Saal.

In der Ferne hörte er das leise Klirren von Gläsern, das gedämpfte Klappern von Besteck und das Murmeln gepflegter Konversation: die Dinnergäste, in seliger Unkenntnis des Fäkal-Tsunamis, der auf sie zurollte. Eilig wägte Alan seine Optionen ab.

1) Vor die Gäste treten und alles beichten
2) Wegrennen
3) So tun, als wäre nichts gewesen

Ein kurzer Sprint reichte – seine vollgesogenen Schuhe gaben bei jedem Schritt ein schreckliches Schmatzen von sich –, um dem Güllestrom zu entkommen. Durch die schweren Samtvorhänge vor dem Korridor schob er sich zurück in den großen Saal. Nach seiner Schätzung blieben ihm vielleicht dreißig Sekunden bis zum großen Auftritt von Hurrikan »Kacka«. Alan bemerkte zu seiner Überraschung, dass man nach guter alter edwardianischer Tradition zum Dessert die Plätze getauscht hatte und nun – wer auch sonst? – der Duke höchstpersönlich sein Sitznachbar war. *Angriff ist die beste Form der Verteidigung,* sagte sich Alan. Er nahm neben seinem Schwiegervater Platz, und noch bevor der Gestank von seinen Schuhen den Weg in die Nase des Gastgebers finden konnte, schnaubte er: »Grundgütiger. Was ist denn das für ein grässlicher Gestank?«

»Gestank?«, fragte der Duke.

Der erste Schrei ertönte am Fuß der Tafel, dem Ende, das den Samtvorhängen zum Korridor am nächsten war. Innerhalb weniger Augenblicke war der Saal außer Rand und Band. Die Hölle brach los.

Als befände er sich in der Landungsszene am Anfang von *Der Soldat James Ryan*, blickte Alan sich um und erfasste mit einem dumpfen Rauschen im Ohr eine Vielzahl einzelner Horrorszenarien: ein Kind, das sich übergab. Eine Frau, die beim hektischen Versuch zu entkommen ausrutschte und ins stinkende Miasma stürzte. Eine alte Dame, Typ Gräfinwitwe, die unweit der Stelle gesessen hatte, wo die Lawine sich in den Saal ergoss, und nun wie vor den Kopf geschlagen herumstolperte und dabei eine große menschliche Wurst umklammerte.

In diesem Hexenkessel gehörte Alan selbstverständlich zu denen, die ihre Empörung als Erste und am vehementesten zum Ausdruck brachten. (»Allmächtiger! Das ist ja widerlich!«, und so weiter und so fort.)

Mit Ausnahme der wenigen, die in Gresham Hall übernachteten, suchte die Gesellschaft auf der Stelle das Weite. In der stinkenden Vorhölle der Vorhalle reichte Woodford den hustenden und würgenden Gästen die Mäntel. Alan erhaschte einen kurzen Blick auf den Duke und einige der Hausangestellten, die sich – nunmehr allesamt in Gummistiefeln – im Türrahmen der kleinen Toilette drängelten. Teilweise heftig würgend musterten sie angewidert die Kloschüssel. Der sich daraus ergießende Schwall war kein Sturzbach mehr, sondern nur noch ein steter Strom, dessen bestialischer Inhalt sich nun vermutlich bis ins Mittelalter zurückdatieren ließ.

Der Duke hielt den abgerissenen Griff des Kettenzugs wie einen Indizienbeweis in die Höhe. Das mit einem unschönen Kackstriemen beschmierte Gesicht gen Himmel gereckt, heulte er: »WARUM?«

Craig lachte immer noch, als sie etwa eine Stunde später in die Einfahrt ihres Hauses einbogen. Alan lag auf dem Rücksitz, die nackten Füße aus dem Fenster gestreckt, seine Socken, Schuhe und Hose luftdicht in einer Plastiktüte im Kofferraum verstaut.

»Das … das ist ja *A-a*!«, imitierte Craig die Gräfinwitwe, die offenbar dem Irrtum aufgesessen war, ihr heruntergefallenes Brillenetui aufzuheben.

»Oh verdammt!«, sagte Katie. »Habt ihr zwei eigentlich eine Vorstellung, was es kostet, das zu reparieren?«

»Das hätten sie schon vor einer Ewigkeit reparieren sollen!«, erwiderte Alan. »So viel Geld, und die sanitären Anlagen sind noch aus dem dunkelsten Mittelalter.«

»Da muss jemand tonnenweise Klopapier benutzt haben«, sagte Katie.

»Mmmm«, stimmte Alan ihr zu.

Dann gingen sie zu Bett.

* * *

Nachdem er in der Stille und Dunkelheit seines Zimmers unter dem Dach noch eine ganze Weile vor sich hin gekichert hatte, begann Craig, immer noch ziemlich betrunken, einen neuen Abschnitt in seinem Tagebuch, den er mit »Katies Familie?« überschrieb. Die Passage folgte auf mehrere andere Abschnitte mit Titeln wie »Arbeitskollegen?« und »Finanzen?«. Craig machte sich ein paar Notizen zu dem Abend.

13

Der Sonntagmorgen verlief stets nach dem gleichen Muster. Das tat er selbst dann, wenn der Vorabend in einer Katastrophe wie der gestrigen geendet war. Abgesehen vielleicht von Katies besorgten Anrufen in Gresham Park. Ihr Vater, teilte man ihr mit, würde den Tag im Bett verbringen. Das Trauma hatte ihn sämtlicher Kräfte beraubt. Derweil arbeitete in den Katakomben tief unter dem Haus wohl ein ganzes Team von Klempnern – zu einem horrenden Preis.

Wie jeden Sonntag wurde Sophie auch diesmal um sieben von ihrer inneren Uhr geweckt, worauf sie munter ins Elternschlafzimmer stürmte. Alan schaltete verschlafen den Fernseher an und ließ seine Tochter Kinderprogramm schauen, während er und Katie noch ein Stündchen dösten. Gewöhnlich rieb der Erste von ihnen, der auf den Beinen war, ein paar Würstchen mit etwas Öl ein, legte sie in die schwere gusseiserne Pfanne, die sie vor Jahren auf dem kleinen Flohmarkt in der Dordogne gekauft hatten (Alan hatte sich einmal dabei ertappt, wie er diesen Satz laut aussprach, worauf er sich unwillkürlich fragte, wann er eigentlich zum größten Arschloch der Welt geworden war), und schob diese in den Ofen, während der andere schon mal den Tee aufsetzte. Die

Würstchen brutzelten bei niedriger Hitze etwa eine Stunde lang vor sich hin, und beide kehrten mit einer Tasse Tee in ihr Bett zurück. Wenn die Stunde ihrem Ende zuging, fuhr entweder Alan oder Katie zum Laden um die Ecke und besorgte die Sonntagszeitungen. Danach wurde der Rest des üppigen Frühstücks zubereitet. Meistens Speck, Tomaten, Black Pudding, gelegentlich Haggis, in einem dicken Klumpen Butter und mit schwarzem Pfeffer gebratene Champignons (was machten die Pilze mit der Butter? Wo taten die Mistdinger das Zeug hin?) und natürlich Eier, gewöhnlich in Form von Rührei. Anschließend wurde das üppige Mahl in aller Seelenruhe verzehrt, unterbrochen nur von gelegentlichen Ausflügen zur Teekanne und zahlreichen Ausrufen wie »Oh mein Gott, hast du gesehen, was XY geschrieben hat?«, wenn Alan oder Katie sich gegenseitig darauf aufmerksam machten, wie großartig – oder eben nicht – (meistens Letzteres) die Kolumnen, Interviews oder Essays ihrer Kollegen waren. Nachdem die Kinder den Frühstückstisch verlassen hatten (was selten lange dauerte: Melissa befand sich gerade mitten in einer Phase, in der man »sich vollstopfte«, wenn man mehr als drei Bissen zu sich nahm, während Sophie die Aufmerksamkeitsspanne einer Stubenfliege hatte und kaum lange genug auf ihren vier Buchstaben saß, um etwas zu essen – meistens zog sie es schon nach dem ersten Happen vor, auf dem Stuhl zu tanzen oder sich kopfüber herunterhängen zu lassen), stieg die Bösartigkeit dieser Kommentare sprunghaft an und stellte Scharfsinn, Gewissenhaftigkeit, Integrität, Sexualität, geistige Gesundheit und sogar das Aussehen von fast jedem Zeitungsschreiber des Landes in Frage. So auch an diesem Morgen.

»Was schreibt die denn da? Die spinnt doch.«

»Oh, er und seine Frau ›sind überglücklich miteinander, seit sie beide das Trinken aufgegeben haben‹. Diese spaßbefreiten Arschgeigen.«

»Er hat letztes Jahr beim Hay Festival versucht, Emily aufzureißen.«

»Guck dir den fetten Hintern dieser Kuh an.«

»Der hat sich das Hirn weggekokst. Hat im Aufzug seinen Schwanz ausgepackt.«

»Warum tätowiert sie sich nicht einfach BOTOX auf die Stirn?«

»... ständig schreibt er über Tafeln und Suppenküchen, dabei verdient er inzwischen 250 000 Pfund im Jahr.«

Craig schlief immer noch irgendwo über ihnen.

»Der beste Fisch in London ... am Arsch.«

»Na, so eine Überraschung: Da bekommt doch dieses Ressort auf den Malediven, das ihnen die komplette Reise spendiert hat, tatsächlich eine ausgezeichnete Kritik ...«

Gleichzeitig durchforsteten beide mit Smartphone und iPad die sozialen Medien, um dort die neuesten Entwicklungen zu den skandalösesten Äußerungen, Behauptungen und Banalitäten des Wochenendes zu verfolgen. Nebenher führte Katie drei oder vier private Chats via Twitter oder Messenger, wo die Kommentare so ätzend ausfielen, wie sie in einer hermetisch abgeschlossenen, zur üblen Nachrede regelrecht einladenden Zone nur sein können. Extrem ätzend also. Gegen Katies private Chats klang die Frühstückstisch-Stichelei mit Alan wie das harmlose Geplänkel, in dem man sich nur dann erging, wenn sämtliche Freunde der Kinder MITSAMT ihren Eltern anwesend waren.

»Habt ihr das Foto im Sunday Times Mag *von heute gesehen? Die hat bestimmt Aids.«*

»Offenbar ist sein Ding extrem winzig.«

»Der hat noch nie einen hochbekommen.«

»Observer Mag, *Seite 17. Wenn das mal keine akute homosexuelle Panikreaktion von ihm ist!«*

Alan wusste, dass Katie nicht selten von einer geschlossenen Chatgruppe in eine geschlossene Untergruppe wechselte, um sich von dort wiederum in eine geschlossene Untergruppe abzusetzen, die meistens nur noch aus ihr und Vanessa bestand und über den Rest der Welt herzog.

Alan las gerade den »Ein Tag im Leben von«-Artikel, in dem das alternde Supermodel Amber Gris über ihren Tagesablauf und ihre Ernährungsgewohnheiten sprach. Das Foto, mit dem die Story illustriert wurde, zeigte sie auf der Terrasse ihres Hauses in Kalifornien. Im Hintergrund glitzerte der Pazifik, und vor ihr auf dem Tisch ergoss sich aus handgeschnitzten Schüsseln ein Ozean aus grünem Salat. Die über der Taille geknotete weiße Baumwollbluse enthüllte die honigfarben gebräunte Haut ihres perfekten, flachen Bauches. Der Artikel ließ sich ziemlich akkurat mit den folgenden Worten zusammenfassen:

»Ich stehe um 4:25 Uhr auf, wenn mein Windspiel einen Luftreiniger aktiviert, der mein Gesicht sanft mit einer kühlen Brise streichelt. Diese Brise ist großartig für die Poren und enthält außerdem einen Nährstoff namens ›Sauerstoff‹, der gut für die Lunge ist. Den Luftreiniger habe ich aus einem kleinen Laden namens ›Eseldödel‹ in Santa Barbara.

Ich trinke einen kleinen Algen-Smoothie mit Kurkuma-Aufguss und mache dann eine halbe Stunde Sackleinen-

Yoga. Das habe ich in einem Ashram in Kilmarnock gelernt. Dazu stülpt man sich einen Kartoffelsack über und rastet dann total aus, sodass die Toxine aus dem Körper geschwemmt werden. Gegen sechs Uhr frühstücke ich zusammen mit meinem Sohn Winterkirsche – er ist drei Jahre alt. Wenn es ein Werktag ist, gönne ich mir ein Stückchen getrocknetes Wurzelgemüse (keine Früchte! Da ist Zucker drin!), das ich mit einer Tasse Meerwasser und ein paar Kieseln runterspüle. Winterkirsche darf essen, was immer er mag. Meistens Chia-Samen in Menstrualblut. Da ich 22 Kilo wiege und deshalb bereits 2002 aufgehört habe zu menstruieren, beziehen wir das Blut von einem tollen Laden in Topanga Canyon namens ›WIR VERKAUFEN DAS MENSTRUALBLUT VON IMMIGRANTEN‹. Es ist fantastisch.

Um sieben Uhr gehen die Geschäftsanrufe los, und bis zur Mittagspause habe ich alle Hände voll zu tun.

Meinen Lunch hole ich mir bei meinem Lieblings-Deli, ›Fritzls Kerker‹ in Brentwood. Meistens reicht mir ein Seetang-Wrap mit alkalisierten Erbsen, und wenn ich richtig hungrig bin, nehme ich vielleicht noch eine Portion geröstete Bio-Spirulina.

Abends, wenn mein Mann Dildo nach Hause kommt, koche ich gerne für uns. Wir haben niemals rotes Fleisch, Mehl, Zucker, Koffein, weißes Fleisch, Weizen, Milchprodukte, Alkohol oder Nachtschattengewächse im Haus. Also keine Tomaten, Auberginen oder Paprika. Meine Familie liebt mein eifreies Omelett, das ich aus Tofu, Leinöl, Grünkohl und Sperma zubereite. Manchmal, nach einem besonders arbeitsreichen Tag, zaubere ich aber auch mal eine leckere Portion Garnichts. Dann starren wir einfach nur auf unsere leeren Porzellanteller (sie müssen absolut weiß sein, von

›Ledergeschirr‹ in Malibu), bis es halb neun ist und wir ins Bett gehen. Bevor wir uns zurückziehen, trinken Dildo und ich noch ein Glas eisgekühlten, mit Lavendel aufgegossenen Schäferhund-Urin. Er ist reich an Melatonin, einem natürlichen Entspannungsmittel.

Da wir am Meer leben, lassen wir uns vom Rauschen der Wellen und dem sanften, rhythmischen Weinen von Winterkirsche im Nebenzimmer in den Schlaf wiegen. Um 4:25 Uhr springt der Luftreiniger an, und der ganze Zirkus beginnt von vorne …«

Beim Lesen verspürte Alan ein vertrautes Bedürfnis. Wie jeder halbwegs zurechnungsfähige Mensch wünschte er Amber Gris und ihrer Familie alles denkbar Schlechte dieser Welt. So malte er sich zum Bespiel in den lebhaftesten Farben aus, ihr den Kopf abzusägen, während sie zusehen musste, wie ihr Mann und ihr Sohn riesige Mengen rohes Fleisch und Kristallzucker mit literweise Whisky runterspülten. Er stellte sich vor, sie in einer KFC-Filiale einzuschließen, wo ihr nur die Wahl zwischen frittiertem Chlorhühnchen und dem Hungertod blieb, und sie dort mit vorgehaltener Knarre zu zwingen, sich durch einen riesigen Berg frittierter Pommes zu fressen.

Plötzlich klingelte sein Smartphone. Eine Londoner Nummer, die er nicht zuordnen konnte. An einem Sonntagmorgen? Seltsam. Ignorieren oder …?

»Hallo?«

»Alan? Graham hier, von der Arbeit.«

Ein Anflug von Panik überkam ihn: Wurde er etwa schon wieder verklagt? Es war erstaunlich, wie viele Restaurants den Umstand, dass jemand ihr Essen oder eine 45-minütige Wartezeit für ein Glas Wein beanstandete, als hinreichenden Grund betrachteten, um einen Prozess anzustreben. »Hallo, Graham. Alles in Ordnung?«

»Ja, entschuldige die sonntägliche Störung, aber ich habe gestern Abend Tim getroffen – den Anwalt für Musikrecht, von dem ich dir erzählt habe? Und ich dachte, dich würde vielleicht interessieren, was er zu der Angelegenheit deines Freundes zu sagen hatte. Ist ziemlich interessant – hast du eine Minute Zeit?«

»Klar doch …«, sagte Alan und zog sich in den Wintergarten zurück.

Zehn Minuten später kam er zurück in die Küche. Katie hatte die Reise-Beilage des *Sunday Telegraph* vor sich ausgebreitet und tippte auf ihrem Smartphone einen Kommentar. *(»… hat mir auf der Party an die Titten gefasst.«)* »Graham?«, fragte sie, ohne aufzusehen. »Wir werden doch nicht schon wieder verklagt, Schatz?«

»Nein, nein. Ist Craig schon aufgetaucht?«

Katie schüttelte den Kopf, den Blick immer noch fest auf ihr Handy gerichtet. *(»… damals in der Tate Modern.«)*

»Fauler Sack. Ich hab gerade was ziemlich Interessantes erfahren.«

»Was denn?«

»Leg erst das Handy weg.«

»Also gut. Einen Moment noch …« Katie beendete ihre diffamierende Anekdote über einen bekannten Schriftsteller und widmete Alan ihre volle Aufmerksamkeit. »Schieß los.«

»Ich hab dir doch erzählt, dass ich Craig gefragt habe, ob er wirklich gar kein Geld für die Songs seiner Band bekommt, und dass er daraufhin meinte, sie hätten bei einem windigen Deal all ihre Rechte abgetreten.«

»Ich erinnere mich vage.«

»Ich hab es Graham gegenüber erwähnt, und er wollte einen Freund fragen, der sich mit Musikrecht auskennt. Wie sich rausstellt, steht Craig, obwohl er alle Veröffentlichungsrechte abgetreten hat, trotzdem Geld aus den mechanischen Rechten zu. Und zwar von etwas, das sich wohl PPL nennt …«

»Mummy! Ich krieg Sky Movies nicht zum Laufen!«, brüllte Sophie aus dem Fernsehzimmer.

»Bin gleich da!«, rief Katie, bevor sie sich wieder Alan zuwandte. »Was ist PPL?«

»Ich glaube, das ist so etwas wie die PLR.« Die PLR ist die Verwertungsgesellschaft, von der die wenigen Pennys kommen, die jeder Autor automatisch erhält, wenn jemand eins seiner Bücher in der Bibliothek ausleiht. Alans Pennys summierten sich jedes Jahr auf ein paar tausend Pfund – ein recht erkleckliches Taschengeld. Weiß der Geier, wie viel zum Beispiel J. K. Rowling einsackt.

»Toll. Und was heißt das?«

»Hast du meine Schultasche gesehen?«, fragte Melissa, die plötzlich auf der Türschwelle stand.

»Sie ist in deinem Zimmer«, antwortete Katie.

»Ist sie nicht.«

»Und ob sie das ist, Melissa. Benutz einfach mal deine Augen.«

»Sie ist da nicht.«

»Wenn ich hochgehe und sie finde …«

»Ist ja schon gut. Ich guck noch mal nach. Aber …«

»Schatz, bitte – deine Mum und dein Dad unterhalten sich gerade.« Eingeschnappt stapfte Melissa davon. »Tut mir leid«, sagte Katie zu Alan, »erzähl bitte weiter.«

»Jedenfalls hat sich dieser Anwalt wohl im Interesse von Craig beziehungsweise der Band schlaugemacht. Und es sieht ganz danach aus, als ob dem guten Craig ein hübsches Sümmchen Geld zusteht. Könnte fünfstellig sein.«

»Ehrlich? Donnerwetter! Er wird überglücklich sein.«

»Tja …«, sagte Alan, senkte seine Stimme und blickte dabei zur Decke, als könnte er durch zwei Etagen hindurch bis in das Zimmer hinaufsehen, wo Craig vermutlich noch schlief. »Ich bin mir nicht sicher, ob wir ihm das jetzt schon sagen sollten. Grahams Freund muss noch ein paar Anrufe machen, und er meinte, dass es vermutlich ein Weilchen dauern könnte, bis Craig das Geld wirklich bekommt. Ich weiß nicht, ob es eine gute Idee ist, ihm Hoffnungen zu machen, bevor wir ein bisschen klarer sehen. Die Sache ist …« Alan beugte sich vor. »Um das alles ordentlich zu regeln, um überhaupt das Geld kriegen zu können, bräuchte …«

»MAMI! Sky Movies!«

»Ach, verdammte Axt. Ich komme sofort, Sophie!«

»Graham sagt, Craig bräuchte eine feste Adresse, ein Bankkonto …«

Katie sah ihn abwartend an. »Verstehe …«

»Du hattest mich doch gefragt, wie es mit Craig weitergehen soll. Und, na ja, das könnte die Lösung sein, oder? Selbst wenn die Summe eher im unteren Bereich dessen liegen sollte, was Graham angedeutet hat, wäre das immer noch genug Geld, um die Mietkaution für eine

Wohnung und vielleicht sogar die Miete fürs erste Jahr zu zahlen. Er …«

»Alan, was …«

»… könnte wieder ein Dach über dem Kopf haben. Sich wieder …«

»Ja, aber …«

»… auf eigene Füße stellen.«

»Alan!«

»Was denn?«

»Was, wenn er das alles gar nicht will?«

»Wieso denn?«

»Was, wenn er lieber rumgammeln, im Freien übernachten und auf der Straße Bier trinken will?«

»Aber … warum sollte er das tun, wenn er eine andere Wahl hat?«

Katie seufzte. »Nicht alle Menschen ticken gleich. Manche, insbesondere Männer, kommen einfach nicht damit klar, Verantwortung zu übernehmen und ein selbstbestimmtes Leben zu führen. Strom, Gas, Miete, Hypotheken, Steuer, Telefonrechnung … das alles überfordert sie. Aber worauf wolltest du eigentlich hinaus?«

Alan spielte mit seiner Teetasse herum. »Na ja, ich dachte … vielleicht … und jetzt bitte nicht gleich ausflippen … ich weiß, das ist sehr viel verlangt, aber vielleicht …«

»… könnten wir ihn bei uns aufnehmen, bis er …«, wollte Katie seinen Satz zu Ende führen, als sie Melissa durch den Flur schleichen sah. »Gefunden?«

»Ja«, antwortete Melissa kleinlaut.

»Wo war sie denn? Nur so aus Interesse.«

Melissa murmelte etwas Unverständliches.

»Was hast du gesagt?«

»In meinem Zimmer«, zischte sie schließlich. »Zufrieden?«

»Danke«, erwiderte Katie und wandte sich wieder Alan zu. »Bis er das Geld kriegt.«

»Ja, so in etwa.«

Katie schlürfte ihren Tee. »Wie lange – jetzt mal realistisch betrachtet – würde das voraussichtlich dauern?«

»Graham sagt, dass er morgen eine bessere Vorstellung davon hat. Aber die Sache ist die ...«

»Morgen sollte er uns eigentlich verlassen.«

Natürlich war Katie ihrem Mann bereits mehrere Schritte voraus. Schon vier Sekunden nachdem er den Satz »Sieht ganz danach aus, als ob dem guten Craig ein hübsches Sümmchen Geld zusteht« gesagt hatte, war sie mit ihrer Spielfigur auf das Feld mit der Aufschrift »Craigs Aufenthalt verlängern« vorgerückt. »Es ist doch so, Alan: Ich hab wirklich nichts gegen Craig. Er ist ein echt netter Kerl, und wenn ich eine alte Freundin hätte, die abgestürzt und auf der Straße gelandet ist, würde ich ihr ebenfalls helfen wollen, wo immer ich kann«, sagte Katie. Alan versuchte sich eine ihrer Schulfreundinnen vorzustellen – eine dieser Arabellas oder Emilys –, wie sie hinterm Bahnhof Euston Station auf dem Bürgersteig schlief, aber es wollte ihm einfach nicht gelingen. »Und wenn es nur eine Frage von ein paar Wochen, vielleicht sogar ein, zwei Monaten ist ... ja, dann kriegen wir das sicher hin. Wenn es aber eher sechs Monate werden sollten, dann müssen wir meiner Meinung nach eine andere Lösung finden.«

»Und die wäre?«

»Also, wenn er das Geld auf jeden Fall kriegt, könnten wir ihm ja vielleicht einen Vor...«

»MUMMY! DADDY! *DIE EISKÖNIGIN* FÄNGT AN, UND ICH WEISS NICHT …«

So verlief jedes Gespräch unter Erwachsenen in einem Haus mit zwei oder mehr Kindern: ein Overkill an Unterbrechungen, ein Massengrab halb beendeter Sätze, ein Friedhof der verlorenen Gedankengänge und Ideen.

»MELISSA, SEI BITTE SO GUT UND HILF DEINER SCHWESTER MIT DEM VERFLUCHTEN FERNSEHER! Entschuldige, wo war ich? Ach ja, wir strecken ihm die Miete für eine kleine Wohnung vor und holen ihn von der Straße, bevor das Wetter richtig übel wird«, schlug sie vor, und wie um das Gesagte zu unterstreichen, rüttelte hinter ihnen ein heftiger Wind an den Scheiben des Wintergartens. »Er könnte es uns dann später zurückzahlen. Aber …«

»Das wäre eine Möglichkeit …«

»*Aber*, wie ich schon sagte, vielleicht will er das gar nicht. Wer weiß, was er will? Vielleicht will er sich einfach nur aus dem Staub machen?«

»Er hat gesagt, er will wieder auf die Beine kommen. Sich einen Job suchen …«

»So etwas kann sich schnell ändern, wenn jemand einen dicken Scheck bekommt …«

Aus dem Fernsehzimmer ertönten die Stimmen der Mädchen, die sich offenbar in die Haare kriegten.

»Ja, ich weiß.«

»Egal. Und du hast vermutlich recht. Lass uns dieses Geld nicht erwähnen, bevor du eine klare Vorstellung hast, wie es weitergeht. Dann können wir darüber reden und entscheiden, wie wir vorgehen. Hast du schon eine Idee, was du morgen mit ihm unternimmst, bis Graham sich bei dir meldet?«

»Ich muss mittags nach London, zu diesem neuen Mexikaner. Ich dachte, ich nehme ihn vielleicht mit.«

»Prima.« Wie aufs Stichwort hörten sie Schritte auf der Treppe. Beide lehnten sich zurück und blätterten in ihren Zeitungen. »Ich nehme ein Bad und gehe mit den Mädchen einkaufen. Soph braucht neue Schuhe. Guten Morgen, Craig! Gut geschlafen?«

»Aye. Danke, Katie. Schon was wegen der gestrigen Kackflut gehört?«

Alan beschäftigte sich mit der Teekanne.

»Oh, erinnere mich nicht daran. Es ist der reinste Albtraum. Na gut, ich hüpfe dann mal in die Wanne ...«

»Im Ofen sind Speck und Würstchen«, informierte Alan seinen Freund, als dieser sich setzte. »Soll ich dir Eier machen?«

»Nö, 'ne Stulle reicht mir. Was sagen die Zeitungen? Gibt's was Neues?«, fragte Craig und blätterte in dem Berg an Papier herum, der sich auf dem Küchentisch häufte.

»Nur den üblichen Scheiß. Hier, lies mal das Interview mit Amber Gris, wenn du deinen Kreislauf ankurbeln willst.«

Sophie erschien in der Tür. Oder besser gesagt stürzte sie durch die Tür in Alans Arme. Sie war fix und fertig, rang schluchzend nach Luft, und ihr Gesicht war tränenüberströmt.

Alan beruhigte sie, so gut er konnte, bevor er schließlich fragte, was um Himmels willen denn passiert war. Es dauerte eine geschlagene Minute, bis die Kleine ihre Sprache wiederfand. »Me... Me... Melissa h... h... hat *X-Men* angemacht.«

14

»Was hast du in dem Laden, wo wir nachher hingehen, eigentlich im Visier?«

»So funktioniert das nicht. Ich picke mir nichts Konkretes raus ...«

»Du, Craig? ICH HAB DIESES WOCHENENDE EINE SCHMINKPARTY.«

Alan saß hinter dem Steuer, Craig auf dem Beifahrersitz und Sophie auf der Rückbank. Sie hatten sich in der langen Autoschlange vor der Schule eingereiht, die sich dort jeden Morgen bildete, um zu verhindern, dass der kostbare Nachwuchs am helllichten Tag, in Begleitung Dutzender anderer Kinder und in Sichtweite zahlreicher Passanten und Autofahrer, ein paar hundert Meter zu Fuß zurücklegen musste.

»Tatsächlich? Und was passiert da so?«

Während Craig von Sophie in die Feinheiten einer Schminkparty für Siebenjährige eingeweiht wurde, betrachtete Alan erst die Schlange vor ihm (Audi 4×4, Lexus 4×4, Range Rover), dann im Rückspiegel die hinter ihm (Mercedes 4×4, Porsche 4×4 und ein Nissan Micra, der zweifellos irgendjemandes Kindermädchen gehörte) und sinnierte dabei nicht zum ersten Mal darüber, wie viele Mittelklasse-Eltern offenbar davon überzeugt waren, dass die Weltbevölkerung abgesehen von ihrer engsten Familie zu 96 Prozent aus Pädophilen bestand. Die restlichen vier Prozent waren potenzielle Pädophile.

Ihre nächsten Nachbarn Theresa und Malcolm hatten Zwillinge (Chloe und Claire), die ein Jahr jünger waren als Sophie. Letzten Sommer hatte Sophie die beiden zum Spielen eingeladen, und als es abends an der Zeit gewesen war, nach Hause zu gehen, hatte Alan seiner Tochter aufgetragen, die Zwillinge den kurzen Weg vom Ende seines Gartens bis zur Rückseite ihres Hauses zu bringen. Nach glücklich vollendeter Aufgabe und stolz wie Oskar, dass man ihr diese enorme Verantwortung übertragen hatte, war Sophie fünf Minuten später zurückgekehrt. Kaum saßen sie am Küchentisch, da klingelte es an der Tür. Als Alan öffnete, stand Theresa vor ihm.

Aufgrund seines Jobs war Alan natürlich daran gewöhnt, dass sich ihm Leute im Zustand aufwallenden Zorns entgegenstellten. Er hatte erlebt, wie sich Köche und Gastronomen bei Partys oder Buchpremieren wutschäumend vor ihm aufbauten, weil er etwas geschrieben oder im Fernsehen gesagt hatte. Er war auf dem Weg von der Bühne zur Backstage-Bar eines Literaturfestivals und sogar schon auf offener Straße von wildfremden Menschen angepöbelt worden, die über etwas erzürnt waren, was sie Monate zuvor in der Zeitung gelesen hatten. Also kannte er die typischen Anzeichen: den mahlenden Kiefer, die geballten Fäuste, den bohrenden Blick. In genau dieser Verfassung hatte er Theresa vorgefunden, nachdem er ihr an jenem Sommerabend die Tür geöffnet hatte.

Theresa war Anfang vierzig. Eine streichholzdürre, überkorrekte Tussi aus dem Londoner Speckgürtel, die kaum

Alkohol trank, weder Fett noch scharfe Gewürze aß und für Alan und Katie ein Monument der Freudlosigkeit darstellte. Wenn man sich mit Malcolm über etwas unterhielt, was die beiden gemeinsam unternommen hatten – einen Ausflug, ein Hotel, ein Essen, einen Urlaub, was auch immer –, konnte man sich hundertprozentig darauf verlassen, dass Malcolm das Gespräch mit den Worten »Also Theresa war nicht so glücklich, weil …« begann, bevor er einen Katalog von Beschwerden seiner Frau herunterratterte.

»Hallo, Theresa. Was gibt's?«, hatte Alan sie mit einem strahlenden Lächeln begrüßt und sich das Küchentuch über die Schulter geworfen. (Unerschütterlich gut gelauntes Auftreten hatte sich als eine Taktik erwiesen, mit der sich die Spaßbefreiten todsicher auf die Palme bringen ließen.)

»Ich … die Mädchen sind gerade zurückgekommen. Mit Sophie. Ihr … das *könnt* ihr nicht machen – die Kinder von Sophie nach Hause bringen lassen.«

»Wieso? Sophie weiß, dass sie auf Autos achten muss.« Zwischen den beiden Häusern verlief ein schmaler Privatweg, den die Kinder überqueren mussten. Hin und wieder zuckelte ein Fahrzeug dort entlang, meistens der Transporter eines Online-Supermarkts, der mit einer »Geschwindigkeit« von fünf Stundenkilometern Lebensmittel auslieferte.

»Es geht nicht um die Autos, Alan.«

Mit einem ernsten Nicken war er näher an sie herangetreten und hatte verschwörerisch geflüstert: »Machst du dir etwa Sorgen wegen der Pädophilen, Theresa?«

Seine Unverfrorenheit, das böse Wort tatsächlich laut auszusprechen, hatte sie regelrecht zurückschrecken lassen. Ganz so, als hätte er allein dadurch – in bester *Beetlejuice*-Manier – einen echten Triebtäter heraufbeschwören können. »Ich finde es für sechs- und siebenjährige Kinder einfach nicht angemessen, ohne Begleitung eines Erwachsenen draußen herumzulaufen.«

»Draußen herumzulaufen?«, hatte er ihre Worte wiederholt und dabei über die Hecke auf ihr Haus gezeigt.

»Ich … die Entfernung spielt keine Rolle.«

»Es geht wirklich um die Pädos, hab ich recht?«

»Pass auf, Alan …«

Natürlich war ihm aufgefallen, dass sie kurz davorstand, die Beherrschung zu verlieren, was Alan sogar diebisch gefreut hätte. Doch Katie hatte ihn beschworen, die Nachbarn nicht ständig zu provozieren. Also hatte er beschwichtigend die Hand gehoben. »Ist schon gut, Theresa. Ich mach doch nur Spaß. Du hast natürlich völlig recht. Bitte entschuldige. Ich werde die Mädchen sicher nicht mehr allein nach Hause gehen lassen. Zufrieden?«

Er hatte es genossen, dabei zuzusehen, wie jemandem, der sich gerade zum Angriff aufgeplustert hatte, von jetzt auf gleich die Luft abgelassen wurde. »Na schön … dann, danke. Grüß Katie von mir. Wir sehen uns.«

Fick dich, du frigide Kuh, hatte Alan im Stillen gedacht, sie mit einem fröhlichen »Ciao!« verabschiedet und die Haustür geschlossen.

»Es ist eher so, dass ich …«, wollte Alan gerade Craigs Frage beantworten, verlor aber den Faden, als er den Wagen unter lautem Piepen haarscharf an den Torpfosten vorbei durchs Schulhoftor manövrierte. »Verfickte Parkhilfe«, fluchte er gedankenlos.

»Daddy«, rügte ihn Sophie von hinten.

»Tut mir leid, Schatz«, sagte Alan und wandte sich dann wieder an Craig. »Bei solchen Restaurants, die keine

Drei-Sterne-Edelschuppen sind, geht's mehr darum, ob sie die grundlegenden Dinge richtig hinkriegen – wenn du verstehst, was ich meine. Die werden das Rad sicher nicht neu erfinden. Wir reden ja hier nicht vom El Bulli. Die Frage ist einfach, ob sie die Basics ... da wären wir, Schätzchen. Gib deinem Daddy einen Kuss.«

Sophie löste den Sicherheitsgurt und schob sich zwischen die Vordersitze, um ihrem Vater einen dicken Schmatzer auf die Wange zu drücken. »Craig auch!«, sagte sie und gab ihm ebenfalls ein Küsschen, bevor sie zur Tür hinaushuschte, sich unter lauten »Amber!«- und »Boo Boo!«-Rufen einem Grüppchen von Mädchen in feuerroten Schulblazern anschloss und mit ihnen in dem großen alten Gebäude verschwand.

»Gibt's hier keine Jungs?«, fragte Craig.

»Nur Mädchen.«

»Und wie viel kostet diese Schule?«

»Das willst du gar nicht wissen.«

»Doch. Will ich.«

»Na ja ... fünf- oder sechstausend?«

»Pro Jahr?«

»Pro Trimester. *Pro verficktes Trimester.*«

»Dreimal im Jahr?«

»Allerdings.«

»O Mann, und wenn du zwei oder drei Kinder hier hast ...«

»Ganz genau.«

»Heilige Scheiße.«

* * *

Sie saßen in einer Ecknische des El Cantina und tranken Modelo-Bier mit Limettenscheiben. Alan weihte Craig mit gedämpfter Stimme in das Konzept des Ladens ein: Es war ein neues, fürchterlich hippes mexikanisches Restaurant, eröffnet von dem extrem angesagten Chefkoch des Centrino und einem Trio von Bankern, die sich darin gefielen, mal eine Weile so zu tun, als wären sie keine räuberischen Arschgeigen. Der höhlenähnliche Kellerraum war düster und hatte sandfarbene Wände. Leise plätscherte an Walgesänge erinnernde Ambient-Musik aus den Boxen. Für ein Mittagessen war es mit drei Uhr recht spät, weshalb an den anderen Tischen gerade mal ein halbes Dutzend Gäste saßen: ein angetrunkenes Pärchen, das offenkundig gerade miteinander anbandelte, und ein Vierertisch mit Businesstypen, wahrscheinlich Freunde oder Bekannte der räuberischen Arschgeigen außer Dienst.

Alan sprach deshalb so leise, weil er ziemlich sicher wusste, dass er aufgeflogen war. Ein typischer Hinweis darauf war der etwas zu bemühte Service: vom überfreundlichen »Bitte hier entlang« beim Empfang über das blitzschnell, fast schon hektisch servierte Brot bis hin zu dem Umstand, dass die Kellner förmlich in die Küche *rannten.* Diesen Verlust an Anonymität brachte ein gewisser Grad an Prominenz einfach mit sich. »Wenn sie dich erkannt haben«, sagte Alan gerade zu Craig, »führt das komischerweise nicht unbedingt dazu, dass Essen und Service besser werden. Im Gegenteil: Liegen die Nerven einmal blank, gehen die Dinge mit an Sicherheit grenzender Wahrscheinlichkeit erst recht schief.«

»Was für eine Macht in deinen Händen liegt«, sagte Craig.

Höre ich da etwa Sarkasmus heraus?, fragte sich Alan insgeheim, während die Kellner – deren Eifer beim Auftragen des Essens ihn in der Annahme, dass er enttarnt worden war, noch bestätigte – die ersten Teller mit den Empfehlungen des Kochs servierten. Alan hasste es zu bestellen. Er hasste es, Speisekarten zu lesen. Wenn er ein neues Restaurant besuchte, sagte er stets: »Verwöhnen Sie uns und bringen Sie das Beste, was Sie zu bieten haben.« Wie souverän ein Restaurant dann mit dieser bescheidenen Bitte umzugehen wusste, war häufig ein geeigneter Gradmesser dafür, wie gut es war. Die Spezialitäten des Hauses und das Tagesgericht waren immer eine gute Wahl. Alan und Craig musterten die reiche Auswahl an Speisen, die sich auf ihrem Tisch stapelten. Es gab Klassiker wie Steak Burrito mit Chipotle-Salsa, kleine Tostadas mit schwarzen Bohnen, Bohnenmus mit Avocado und frischer Tomaten-Salsa, einen scharfen Krautsalat und eine schön stückige Guacamole. Zwischen diesen Tellern fanden sich auch ein paar anspruchsvollere Gerichte: etwas, das aussah wie Quesadillas mit Pilzen, außerdem gegrillter Fisch mit grünem Reis und … waren das Schweinekrusten? Wie sich herausstellte, waren es *Fenchel*-Schweinekrusten – und sie waren köstlich.

»Was ist nur aus Chili con Carne, Tacos, großen Kakteen und Sombreros an der Wand geworden?«, fragte Craig.

»Oh, das haben Läden wie dieser schon eine ganze Weile hinter sich gelassen«, erklärte Alan. »Schon Restaurants wie Bodega Negra, Coya oder Peyote haben einen auf hippen Mexikaner gemacht.«

»Schätze, ich hab in den letzten Jahren nicht viele Gedanken an hippe Mexikaner verschwendet.«

»Da ist vermutlich was dran.«

Noch mehr Essen wurde aufgetragen. Lammmedaillons in dunkler Soße, eine Meeresfrüchte-Cazuela – ein an Paella erinnerndes Eintopfgericht mit Tintenfisch, Garnelen und Muscheln in einer cremigen, würzigen Soße –, eine Pulpo-Ceviche in einer leichten Brühe mit Brunnenkresse und roten Zwiebelringen sowie Rindfleisch in Tamarindensoße mit Shitakepilzen.

»Wie zum Teufel sollen wir das denn alles essen?«, fragte Craig und überlegte, was ein durchschnittlicher Mexikaner, der für seine Guacamole mit Tortilla-Chips am Straßenimbiss in Juarez vierzig Pesos bezahlte, wohl von einem Londoner Tuntenschuppen halten würde, der eine vermutlich minderwertigere Version desselben Gerichts für zehn verfickte Pfund anbot. »Und was meine Wohnsituation betrifft. Ich denke, morgen mach ich 'nen Abflug.«

»Was hast du denn vor?«

»Ich geh vielleicht nach Islington. Hab da ein paar Kumpels. Ist kein schlechter Platz, vor der U-Bahn-Station Angel.«

»Aber ...«

»Das ist nicht dein Problem, Alan. Ganz ehrlich. Es war schön, sich mal wiederzusehen. Ich meine, es war schon schräg, versteh mich bitte nicht falsch, aber du ... du hast 'ne wundervolle Familie und all das. Es ist toll zu sehen, was du aus deinem Leben gemacht hast.«

»Ich hab nur Glück gehabt.«

»Nee. Ich hab immer gewusst, dass du mal was aus dir machst. Schon als wir dreizehn, vierzehn waren.«

»Wie bist du denn darauf gekommen?« Das war keine geheuchelte Bescheidenheit. Alan war wirklich neugierig, was Craig als Teenager zu der Überzeugung gebracht hatte, dass Alan es einmal leichter haben würde. Immerhin hatten sie beide denselben sozialen Hintergrund.

»Na ja … du warst vielleicht nicht unbedingt so viel cleverer als alle anderen. Aber man hat dir einfach angemerkt, dass du zu Höherem bestimmt warst.«

Alan hatte das Gefühl, dass da noch etwas war, das Craig nicht aussprach. Er hatte jedoch keine Zeit mehr, diesem Verdacht nachzugehen, denn auf dem Tisch vibrierte plötzlich sein Handy. Graham. Das wurde aber auch Zeit. »Tut mir leid, ich muss da rangehen«, sagte Alan. »Bestell dir doch noch ein Bier. Ich bin in einer Minute wieder zurück.«

Er hechtete die Stufen hinauf in den dunklen, kalten Dezember und nahm mit klopfendem Herzen den Anruf an. »Graham?«, fragte er besonders laut, um den Verkehrslärm zu übertönen.

Alan hörte zu, was Graham zu berichten hatte, dankte ihm lächelnd, legte auf und schlenderte wieder die Treppe hinunter ins Restaurant. Er stoppte am Fuß der Stufen und ließ den Blick ans andere Ende des Raums schweifen. In der dunkelsten Ecke knutschte das Pärchen jetzt offen herum, und vom Tisch der Banker schallte lautstarkes Gelächter herüber. Er beobachtete, wie Craig am Etikett seiner Bierflasche herumknibbelte. Craig Carmichael, der ihm beigebracht hatte, Gitarre zu spielen. Der coolste Junge in seiner Klasse, dem einmal, für kurze Zeit, die Welt zu Füßen gelegen hatte. Craig Carmichael, dessen Leben Alan gleich ändern würde.

»Craig?«, sagte er, als er sich wieder zu ihm setzte. »Ich habe gute Neuigkeiten …«

Etwa fünfzehn Minuten später hatten sie die dritte Runde Bier geordert, und Craig fragte zum wiederholten Mal ungläubig: »Zweiunddreißigtausend Pfund?«

Alan nickte. »Pi mal Daumen. Du musst ein paar Formulare unterzeichnen, mit denen du Grahams Kumpel Tim autorisierst, in deinem Namen mit den verschiedenen Inkassostellen zu dealen. Und es könnte ein paar Monate dauern, das Geld vollständig einzutreiben. Aber ja, das ist die ungefähre Größenordnung. Herzlichen Glückwunsch, mein Lieber.« Alan fühlte sich wie der Weihnachtsmann.

»Scheiß die Wand an! Ich dachte immer, weil wir damals die Rechte weggegeben haben ...«

»Offenbar spielt das keine Rolle. Ein Teil des Geldes steht wohl unabhängig davon immer noch der Band und den Songwritern zu. Graham meinte, dass jedes Jahr mehrere Millionen Pfund unbeansprucht bleiben. Das ganze Geld fließt in einen großen Topf. Fakt ist, dass du einen Song geschrieben hast, der immer noch im Radio gespielt wird. Zwar nicht übermäßig oft, aber über die letzten zwanzig Jahre sind dadurch hier ein paar Tausend Pfund und dort ein paar Tausend Pfund zusammengekommen. Natürlich wirst du Tim ein kleines Anwaltshonorar zahlen müssen, aber er macht dir einen Freundschaftspreis – lass es ein- oder zweitausend Pfund sein. Und eine Kiste Wein für Graham wäre eine nette Geste ...«

»Das ...«, sagte Craig, »... das träum ich doch nur.«

»Außerdem hab ich mit Katie gesprochen, und wir wollen dir Folgendes vorschlagen: Du kannst die nächsten Monate bei uns wohnen, und wenn du dann dein Geld kriegst, wird das reichen, um eine Wohnungskaution zu zahlen und dir eine Bleibe zu suchen. Sollte absehbar sein, dass es etwas länger dauert, dann werde ich dir das nötige Geld leihen, und du kannst es mir später wiedergeben. Bis dahin strecke ich dir was zum Leben vor. Du kannst es mir zurückzahlen, wenn du reich bist.«

Craig blickte ihn fassungslos an. »Heilige Scheiße.«

»Was hältst du davon?«

»Bist du dir sicher? Was ist, wenn irgendwas schiefgeht und wir das Geld nicht kriegen?«

»Graham meint, dass sein Kumpel wirklich gut ist. Und selbst wenn alles schieflaufen sollte, müsstest du zumindest die schlimmste Winterzeit nicht auf der Straße verbringen. Hab ich recht?«

»Aye, aber ... bist du dir wirklich sicher? Ist sich Katie sicher, dass ...«

»Es war sogar Katies Idee.« Berauscht vom Bier und seinem detektivischen Triumph hatte Alan den Eindruck, dass die Situation ein bisschen Schönfärberei vertragen konnte.

»Also dann: Aye, ich bin dabei. Scheiße, ja. Danke, Mann. Ehrlich. Das sollten wir feiern.«

»Soll ich das Kokain rausholen?«, fragte Alan.

»Echt jetzt, Koks?«, entgegnete Craig überrascht.

»Nur ein Witz«, sagte Alan. »Das Zeug verwandelt mich bloß in einen irren Triebtäterzombie. Lass uns das Bier runterkippen und nach Hause fahren, um allen die gute Nachricht zu erzählen ...«

15

In der Woche vor Weihnachten verfiel ganz London unübersehbar in einen kollektiven Konsumrausch. Alan betrachtete seinen eigenen Beitrag zu diesem Irrsinn: ein Gewirr aus Einkaufstaschen von Liberty und Selfridges. Er hatte sich für seine Weihnachtseinkäufe gerade mal eineinhalb Stunden Zeit genommen und doch mehrere tausend Pfund ausgegeben. Katie hatte ihre Einkäufe natürlich längst erledigt. Die ganze letzte Woche waren Pakete von Amazon, John Lewis, Net-A-Porter und Konsorten angekommen und die Unterschriftenschnörkel auf den winzigen Bildschirmen der Paketboten von Mal zu Mal unleserlicher geworden, als Katie die Früchte ihres stundenlangen, wohl organisierten Online-Einkaufs eingefahren hatte. Alan hatte Craig für sein Zimmer einen Digitalwecker von Bose gekauft, damit sie ihn nicht mehr jeden Morgen zum Frühstück rufen mussten. Apropos: Es hatte nicht mal einen Monat gedauert, bis die Bezeichnung »Craigs Zimmer« zum festen Begriff geworden war.

»Was hast du für Katie besorgt?«, fragte Pandora, die in ihrem gemeinsamen Büro bei der Zeitung mit Alan auf den Beginn der Telefonkonferenz wartete.

»So eine Art Clutch von Hermès. Und die Bluse von Alexander McQueen, die sie so toll findet.«

»Oh, sehr schick.« Pandora hatte die Füße auf den Schreibtisch gelegt – passend zu ihren engen schwarzen Jeans steckten sie in Chelsea Boots.

Endlich erwachte die Freisprecheinrichtung zwischen ihnen auf dem Tisch zum Leben. Zugeschaltet waren Rose, die leitende Redakteurin der Zeitung, aus ihrem Haus in den Cotswolds, und Steve, der Onlinechef, der gerade beruflich in Los Angeles zu tun hatte. »Hallo, Leute«, meldete sich Steve.

»Erklärt mir diese saumäßig teure Story doch bitte noch mal«, bat Rose.

»Okay«, sagte Alan. »Unsere Coverstory der Frühjahrsausgabe: eine Abenteuer-Küchenschlacht in der Wildnis. Bear Grylls entführt für uns drei Promis in die schottische Natur, wo jeder von ihnen sich sein Essen selber fangen und kochen muss.«

»Wir dachten uns das so«, sprang Pandora ihm bei, »dass einer vielleicht ein Kaninchen, einer einen Fisch – Lachs oder Forelle – und einer ein vegetarisches Gericht aus selbst gesammelten Kräutern und wildem Gemüse kocht.«

»Und was, wenn von den Kerlen keiner fündig wird?«

»Für den Fall haben wir natürlich vorgesorgt«, antwortete Alan und hatte dabei den Kofferraum eines Volvo Estate vor Augen, gefüllt mit Wild, Fisch und diversen alten Gemüsesorten. »Aber wir planen das Ganze in einem Waldgebiet, das im Besitz von Katies Familic ist. Soweit ich das beurteilen kann, gibt es dort mehr als reichlich essbare Tiere und Pflanzen.«

»Und wer ist dabei?«

»Miles Warren definitiv, er bringt gerade ein neues Buch raus. Bei Fergus Marks sieht es sehr gut aus – sein

Management sagt, er wäre etwa um diese Zeit zurück aus L. A., um hier ein bisschen Promo für einen Film zu machen. Vielleicht können wir ihn überreden zu jagen ... Kaninchen oder Taube. Und für das vegetarische Gericht dachten wir an eine Frau, womöglich Chrissie Hynde ...«

»Auch wenn wir nicht wissen, ob sie damit einverstanden wäre, sich für eine Story fotografieren zu lassen, bei der Tiere getötet werden«, warf Pandora ein.

»Lauren Laverne oder Ellie Goulding kämen auch in Frage«, fuhr Alan fort.

»Und was würde uns der Spaß kosten?«

»Fotograf, Autor, Assistenten, Hotel, Transport – alles zusammen acht- bis höchstens zehntausend.«

»Was sagt Online dazu, Steve?«

»Ich denke, mit Fergus an Bord wäre die Sache für uns deutlich attraktiver. Er macht sich im Netz ziemlich gut. Ich nehme an, dass du für die Website alles mitfilmst, Alan?«

»Ja, natürlich.«

»Und du sagtest ›Küchenschlacht‹? Wird irgendjemand dieses Ding gewinnen?«

»O ja. Wir dachten, dass Bear die Ergebnisse bewerten könnte.«

»Könnt ihr nicht einen Überraschungsgast ins Spiel bringen, der dann nur als Juror auftritt? Wie wär's mit ...«

Sag es nicht, dachte Alan.

»... Jamie Oliver?«

»Gute Idee, Rose«, sagte Alan. »Wir können es versuchen. Aber du weißt ja, wie beschäftigt Jamie ist.«

»Wie wär's mit Gordon Ramsay?«, schlug Steve vor.

»Den hatten wir erst vor ein paar Ausgaben«, erwiderte Pandora.

»Lasst mich drüber nachdenken«, sagte Alan. »Ich glaube nicht, dass die Idee damit steht oder fällt, einen weiteren Promi ins Boot zu holen.«

»Und die Fotos? Die zeigen was?«

»Du weißt schon: Einer von ihnen beim Angeln, wie er das Vieh ausnimmt, es auf der Wiese neben dem plätschernden Bach auf einem kleinen Campingkocher brät. Die Fotos wollte ich Archie machen lassen. Das wird klasse aussehen. Bruce schreibt die Story.«

»Bruce?«

»Chatwin? Ein Freelancer? Hat die Geschichte über Johnny Marr und vegane Desserts in der Sommerausgabe gemacht. Er ist super.«

»Hör mal, Alan«, sagte Rose, »jetzt mal im Ernst. Warum schreibst du das nicht selber?«

»Ich?« Oh, verdammt. Es gab nichts, was Alan weniger reizte als die Aussicht, mit einem Rudel Promi-Arschlöcher mehrere Tage in der schottischen Wildnis zu verbringen. »Na ja, Bruce ist wirklich gut, und ich bin …«

»Komm schon«, drängte Rose. »Finanziell wird das eine verdammt knappe Kiste. Dich müssen wir eh bezahlen. Die Kosten für einen Freelancer einzusparen würde das Budget deutlich entlasten.« *Du knauserige Kuh,* dachte Alan.

Die Zeitung achtete gerade extrem aufs Geld. Erst neulich hatte man ein Gemeindezentrum in Acton als Location für das Interview und die Fotosession mit einem der bekanntesten Schauspieler der Welt ausgewählt. Das Catering hatte aus Supermarkt-Sandwiches bestanden, in handliche Streifen geschnitten. Dazu gab es eine Kanne mit schalem Kaffee. Pandora blickte Alan erwartungsvoll an. Gelegentlich musste man sich wohl auf die Seite der

Angestellten schlagen. »Ich … na schön … ich schätze, das könnte ich übernehmen.«

»Prima«, sagte Rose. »Wenn du jetzt noch eine Zusage von Fergus Marks bekommst, dann dürfte die Sache laufen.«

»Und wenn nicht?«

»Wen habt ihr sonst noch auf der Liste?«

»Jonathan Ross, Stephen Fry, Graham Norton …«

»Alle ein bisschen … alt für uns«, nörgelte Steve.

»Wer wäre dir denn recht, Steve?«, fragte Alan. »Die verfickte Zoella?«

»Warum nicht?«, sagte Steve.

Klar doch, dachte Alan. *Viel Glück damit, die Schnepfe durch ein schottisches Moor stöckeln, Pilze suchen oder auf Karnickel ballern zu lassen.*

»Oh, ist sie ein Foodie? Kocht sie gern?«, wollte Rose wissen.

»Weiß der Geier«, antwortete Steve. »Ich weiß allerdings, dass alles, was sie anpackt, locker eine Milliarde Clicks einbringt. Und ich hab gehört, dass sie ein neues Buch veröffentlicht.«

»Rose«, sagte Alan. »Ich denke, es ist essenziell, dass jeder, den wir an Bord holen, zumindest ein bisschen Foodie ist. Warum machen wir nicht einfach eine B-Liste? Wir sollten von Fergus schon bald etwas Definitives hören. Nicht wahr, Pandora?«

»Genau. Der Pressemanager des Films ist ganz scharf darauf, dass Fergus dabei ist, solange es bei der Titelstory bleibt und wir den Film prominent herausstellen.«

»Wenn er zusagt und ich die Story schreibe, haben wir also grünes Licht? Und wenn er abspringt, reden wir noch mal über andere Kandidaten?«

»In Ordnung«, sagte Rose.

»Klasse, ich danke euch.«

Alle verabschiedeten sich und legten dann auf.

»Alan, du hast dich tatsächlich für uns geopfert!«, staunte Pandora. »Ich bin ehrlich beeindruckt.«

»Tolle Wurst, ein klatschnasses Wochenende in Schottland mit einem Haufen Egomanen.«

»Die Jungs und ich treffen uns nachher im Pub. Vielleicht hast du ja auch Lust auf ein Bier?«

Er wäre zwar lieber auf ein Bier mitgegangen, doch er musste noch die ganzen Einkaufstaschen nach Hause bringen. So sehr er sich auch dagegen sperrte, ständig flirrte ihm dieses Bild im Kopf herum: Pandoras Lippen, die sich seinen näherten, weißes Pulver, das in den Nasenlöchern brannte. *Denken wir eigentlich öfter an die Menschen, mit denen wir nicht geschlafen haben, als an diejenigen, mit denen wir es getan haben?* »Besser nicht, P. Ich muss dieses verfluchte Zeug hier nach Hause schaffen. Und übermorgen ist eh schon die Weihnachtsfeier.«

»Na gut. Ich sag dir Bescheid, sobald ich was von Fergus gehört habe.« Auf der Türschwelle drehte sie sich noch einmal um. »Echt jetzt? Zoella?«

Alan schüttelte den Kopf. »Diese Online-Spinner.«

16

Am King's Cross nahm er ein Taxi, dann in Marylebone den Zug und schließlich ein zweites Taxi nach Hause.

Die jeweiligen Fahrpreise betrugen zwölf Pfund, zweiundzwanzig Pfund und sechs Pfund. Die Quittungen verstaute er penibel in seiner Brieftasche, denn die Steuer war so sicher wie der Tod. Wenn man dazu noch die sechs Pfund fürs morgendliche Schuhputzen am Bahnhof, das Taxi zum Büro, drei Coffee-to-go für jeweils zwei Pfund und weitere fünf Pfund und ein paar Zerquetschte für die neueste Ausgabe der *GQ* hinzurechnete, dann wurde deutlich, dass es Alan offenbar unmöglich war, einen Fuß aus dem Haus zu setzen, ohne mindestens hundert Pfund auszugeben.

Zu Hause empfing ihn der heimelige Anblick des festlich funkelnden, viereinhalb Meter hohen Weihnachtsbaums im Erkerfenster des Wohnzimmers, und in der Zufahrt erwartete ihn eine freudige Überraschung: der VW Polo seines Sohnes. Seufzend registrierte Alan das Chaos in Toms Auto, das immerzu aussah, als würde sein Ältester darin wohnen. Er ging um das Haus herum und betrat es durch den Hauswirtschaftsraum, wo er die Geschenke sorgfältig unter einem Stapel sauberer Handtücher versteckte. Dessen Anblick erinnerte ihn daran, dass er vergessen hatte, auch etwas für Petra zu kaufen.

Als er in die Küche kam, begrüßte ihn Sophie mit einem lauten »DADDY!« und rannte ihm entgegen. Melissa saß am Tisch über Schulhefte und Bücher gebeugt, Katie stand am Aga-Herd und rührte in einem Topf.

»Hallo, Leute«, sagte Alan und nahm Sophie auf den Arm. »Ich hab ein Leistungsabzeichen im Buchstabieren bekommen!«, berichtete sie ihm stolz.

»Hast du? Hi, Mel. Wie läuft's?«, fragte er Melissa und küsste sie auf den Kopf. Irgendwo über ihm ertönte Lärm.

»Die Verfassung der Vereinigten Staaten könnte mir nicht gleichgültiger sein«, schimpfte Melissa über ihre Hausaufgaben.

»Dann würdest du da drüben einen exzellenten Anwalt abgeben«, sagte Katie, trug ein Küchensieb voller knubbeliger, seltsam geformter Möhren aus der Gemüsekiste neben der Hintertür (gab es eigentlich irgendein Besserverdiener-Klischee, das diese Familie nicht erfüllte?) zur Spüle und drückte ihrem Mann dabei einen Kuss auf die Wange. »Wie war's in der Stadt?«

»Ganz gut. Im neuen Jahr muss ich vielleicht für ein paar Tage rauf nach Schottland, wegen dieser dämlichen Wildnis-Küchenschlacht. Wo ist der verlorene Sohn?«

»Oben«, antwortete Katie. »Er ist heute Nachmittag hier aufgeschlagen.«

»Tom ist mit Craig am Jammen«, sagte Melissa und setzte mit den Fingern Anführungszeichen um das fiese Hippiewort.

Alan lauschte aufmerksam, und tatsächlich entpuppte sich der Lärm im ersten Stock als eine Art zwölftaktiges Bluesschema.

»Komm mit gucken, Daddy!«, forderte Sophie. »Sie sind richtig gut!« Sie trampelte von dannen, drehte sich aber in der Tür noch einmal um, stemmte die Hände in die Hüften und erklärte: »Aber sie sind *zu laut*!«

»Sag den Jungs, in zwanzig Minuten gibt's Essen«, bat Katie. »Mel, du musst bitte deine Bücher wegräumen.«

Alan holte drei Corona aus dem Kühlschrank und folgte Sophie die Treppe hinauf und den Flur entlang bis zu Toms Zimmer im hinteren Teil des Hauses. Die Musik wurde lauter, alter Rock 'n' Roll, so was wie Elvis oder Carl Perkins. Sophie stieß die Tür auf und drohte ihnen mit dem Finger. »IHR SEID VIEL ZU LAUT!«, rief sie, bevor sie in Richtung ihres eigenen Zimmers verschwand.

Craig hockte im Schneidersitz auf dem Boden und spielte auf Toms schwarzer Telecaster-Kopie, einem Geschenk zum 17. Geburtstag. Sie war mit einem blauweißen Effektgerät an Toms kleinen Übungsverstärker angeschlossen. Tom saß auf der Bettkante und begleitete Craig mit der akustischen Gitarre. Alan, dessen musikalisches Talent sich nie groß über das unrhythmische Geschrammel hinausentwickelt hatte, wegen dem ihn Craig vor all den Jahren aus der Band geworfen hatte, sah den beiden begeistert und ohne den geringsten Anflug von Neid zu. Tom hatte mit zwölf Jahren in der Schule begonnen, Gitarre zu lernen, und sich zu einem passablen Rhythmusgitarristen entwickelt. Simple Akkordfolgen waren kein Problem für ihn. Von Craig begleitet, klang er allerdings völlig verändert: Tom spielte voller Energie und Begeisterung ein aus drei Akkorden bestehendes Riff, in das Craig kurze, in den Hall eines Reverb- oder Echo-Effekts getauchte Läufe und Solopassagen einfließen ließ.

Der Anblick von Craig dort auf dem Fußboden katapultierte Alan um dreißig Jahre zurück in die Reihenhauszimmer und die nach Teeröl stinkenden Garagen ihrer Jugend. In eine Zeit, als Craig für ihn noch ein Superheld mit unbegrenzten Fähigkeiten und kein bemitleidenswerter Obdachloser gewesen war. Alan hatte das Bild deutlich vor Augen: den Peavey-Verstärker mit dem schwarzen Gitter und dem gezackten, silbernen Logo (»Bandit«) und die Shergold Masquerader in Sunburst-Lackierung – dasselbe Modell, das Barney bei Joy Division gespielt hatte. Sie hatten Strongbow-Cider oder Kestrel-Bier getrunken und Craig ihre Songwünsche zugerufen, während seine Mutter von unten brüllte, er solle gefälligst »das verdammte Ding leiser machen!«. In Craigs Jugendzimmer hatten sie unzählige Stunden damit verbracht, Platten zu hören und nachzuspielen. Ein ums andere Mal hatten sie die Nadel von Neuem aufs Vinyl gesetzt, wenn Craig diesen oder jenen Part so akkurat wie möglich zu kopieren versuchte und dabei auf Fotos in den Musikzeitungen starrte, um die genauen Akkordfolgen rauszukriegen. Aus dem gleichen Grund also, aus dem er auf Konzerten immer vor den Gitarristen gestanden hatte, wo ihm kein Detail entging. Irgendwann hatte bei diesen Sessions in Craigs Zimmer irgendjemand »›Eton Rifles‹!« vorgeschlagen. Ein anderer hatte dann »Spiel ›Pretty Vacant‹!« oder »Wir wollen ›Safe European Home‹!« gerufen. Ein oder zwei Jahre später – für einen Teenager eine Ewigkeit – lauteten die Wünsche dann »This Charming Man«, »Felicity« oder »Walk Out To Winter«. Und Craig hatte die Songs aus dem Ärmel geschüttelt. Nicht nur die Grundakkorde, keine *ähnlichen* Versionen, sondern exakt die gleichen Parts, die korrekten Noten, sodass man glauben konnte, Mick Jones oder Roddy Frame persönlich würden vor einem stehen. In diesen beengten Räumen, in denen der Qualm der Selbstgedrehten und Filterkippen die Styropordecken über ihnen gelblich gefärbt hatte, war sein Verstärker herrlich laut, der Cider herrlich süß und ihre Zukunft grenzenlos gewesen, selbst im trostlosen Ayrshire jener düsteren Zeit unter Thatcher. »Zauberfinger« hatte Alans Dad Craig wegen dessen Fingerfertigkeit genannt, nachdem dieser auf einer Hogmanay-Party nicht wie erwartet Punkrock gespielt, sondern den Raum mit einer perfekten Version von Simon & Garfunkels »Feeling Groovy« zum Verstummen gebracht hatte. Betrunken hatte Alans Dad den Arm ausgestreckt, auf Craig gezeigt und mit schwerer Zunge verkündet: »Der Junge hat Zauberfinger.« Den Spitznamen war er so schnell nicht mehr losgeworden.

»Hi, Dad«, sagte Tom und umarmte seinen Vater.

Du kleiner Mistkerl, dachte Alan, wie eigentlich jedes Mal, wenn er ihn im Abstand von ein paar Monaten wiedersah. Denn Tom war erneut gewachsen – so ungerecht und unmöglich das auch zu sein schien. Nicht mehr lange, und der Bursche würde seinen zwanzigsten Geburtstag feiern. Es hatte also keinen Zweck mehr, mit einer auftoupierten Tolle oder Stiefeln mit dicken Sohlen, die Alan gelegentlich trug, ein paar Zentimeter hinzuzumogeln. Das Rennen war gelaufen: Tom war inzwischen eindeutig größer als sein Vater.

Und ob man's nun glaubt oder nicht, solche Dinge sind von existenzieller Bedeutung. Alan konnte sich noch lebhaft daran erinnern, wie geschockt er gewesen war, als er damals bei ihrem Umzug Fotos von seiner Abschlussfeier an der Uni gefunden und festgestellt hatte, wie viel kleiner sein Vater darauf war. Bis dahin hatte er sich nie für größer als seinen Vater gehalten, und plötzlich hielt er den Gegenbeweis in der Hand. Wenn sein Sohn in ein paar Jahren seinen Abschluss machte, würden sie beide auf den Erinnerungsfotos dann genauso aussehen? Alan, ein gebrechlicher, wackeliger Yoda, neben seinem hochgeschossenen Padawan Tom?

So befremdlich Toms anhaltendes Wachstum auch war, so erstaunte es Alan doch stets von Neuem, dass die eigenen Kinder offenbar immer im exakt richtigen Alter dafür waren, ihnen das Maximum an Liebe mit auf den Weg zu geben. Hast du selbst ein dreijähriges Kind und siehst Eltern mit einem, sagen wir, siebenjährigen Kind, dann denkst du vielleicht: *O Gott, wie kann man so ein Riesenmonster nur lieben?* Wird dagegen dein eigenes Kind sieben, dann gibt es scheinbar kein perfekteres Alter. Genau wie später zehn, zwölf oder eben zwanzig.

»Hi, Craig«, sagte Alan, gab seinem Freund eine der drei Flaschen und reichte das andere Bier an Tom. »Ihr habt euch also schon kennengelernt?« Tom war über Craig auf dem Laufenden, da Katie und Alan ihrem Sohn von ihrem Gast berichtet hatten – wenn er denn mal via Skype erreichbar gewesen war. »Wow«, hatte Tom einigermaßen beeindruckt gesagt, »ihr leistet tatsächlich Obdachlosenhilfe. Und das im wahrsten Sinne des Wortes.« Wie die meisten Eltern, deren Kinder anderswo studierten, informierten sich auch die Graingers über die Aktivitäten ihres Sohnes, indem sie ihn in jenen sozialen Medien stalkten, in denen er sie immer noch nicht erfolgreich geblockt hatte. Über ihren Instagram-Account, den Katie unter falschem Namen betrieb, gelangen ihr immer wieder neue Einblicke in sein ausschweifendes Studentenleben: Mal zeigten die Fotos ihn mit ein paar Kumpels volltrunken in irgendeiner schäbigen WG-Küche, wie sie ihre Bierflaschen in die Kamera hielten, mal mit ein paar Mädchen schnapstrinkend in einem Club. Auf anderen Schnappschüssen präsentierten sich Tom und seine Kumpels während des Griechenland-Urlaubs schnapstrinkend an der Poolbar, schnapstrinkend auf der Bowlingbahn, schnapstrinkend bei einem Konzert, schnapstrinkend im Smoking auf irgendeinem Uni-Ball, schnapstrinkend in … und so weiter.

»Ja«, antwortete Tom auf Alans Frage. »Craig hat mein Delay-Pedal wieder zum Laufen gebracht.« Er tippte das blauweiße Kästchen mit dem Fuß an. Craig drückte das Pedal mit der flachen Hand durch und schrammelte ein Riff auf der Gitarre.

»Rockabilly?«, fragte Alan.

»Aye, klassisches Slapback-Echo, geht prima mit dem DD-3. Musste nur kurz gelötet werden. Dein Junge ist gar nicht so übel«, sagte Craig, schaltete den Verstärker aus und stand auf. »Prost.« Die drei stießen miteinander an. Alan ließ sich in den prall gefüllten Sitzsack sinken, der schon seit Jahren in Toms Zimmer stand.

»Und wie läuft's so, Tom? Das Semester gut zu Ende gebracht?«

»Klar, alles gut. Ich hab ein Fach gewechselt.«

»Echt jetzt? Wie kommt's?«

»Ich fand das Psychologie-Modul kacke.« Tom studierte PPE – Philosophie, Politik und Wirtschaft in einem integrierten Studiengang – an der Universität von Glasgow, der Alma Mater seines Vaters. Der Einfachheit halber hatten sie ihm eine Wohnung im Glasgower West End gekauft.

»Ach? Das geht so mir nichts, dir nichts?« Die komplexen Voraussetzungen der heutigen Hochschulabschlüsse zusammenzusetzen überstieg Alans Horizont. Zu seiner Zeit hatte man sich für ein Fach entschieden, es für drei oder vier Jahre belegt und dann seine Abschlussarbeit geschrieben. Heutzutage gab es Module, Dissertationen, laufende Beurteilungen und so weiter und so fort. Wer kam da eigentlich noch mit? Trotzdem wollte er die Sache nicht unkommentiert lassen. »Sollten wir da nicht erst mal drüber sprechen?«

»Meinetwegen«, sagte Tom, der genau wusste, wie bequem sein Vater in Erziehungsfragen war. »Also, Dad … findest du es taktisch sinnvoll, innerhalb des PPE-Studiums von Psychologie zu Kriminologie zu wechseln?«

»Hab's gebongt!«, gab sich Alan geschlagen und griff dafür auf eine von Toms Lieblingsphrasen zurück.

»Ich hatte Mum eh schon davon erzählt. Sie ist einverstanden.«

»Oh, gut«, sagte Alan, und sein Tonfall suggerierte, dass das Thema für ihn damit erledigt war.

»Habt ihr zwei euch in Glasgow kennengelernt?«, wollte Tom wissen.

»In der Schule«, antwortete Alan.

»Ich hab die Uni sausen lassen«, gestand Craig.

»Um Popstar zu werden«, sagte Alan.

»Wohl kaum.«

»Ich hab deine Band gegoogelt«, sagte Tom. »Es gibt ein paar Songs bei YouTube. Ziemlich gut.«

»Ach, das ist 'ne Ewigkeit her.«

Sophie erschien in der Tür, die Hände mal wieder in die Hüfte gestemmt. »MUMMY SAGT, IHR MÜSST JETZT ESSEN KOMMEN!«

»Jawohl, mein Führer«, schnarrte Alan.

»Ich bin nicht Myfoora!«, schimpfte Sophie. »Ich sitze neben Tom!«

»Ich dachte, Craig wäre dein Favorit«, erwiderte Alan, stand auf und trank sein Bier aus.

»Tom«, sagte Sophie bestimmt und ergriff die Hand ihres Bruders.

»Jetzt weiß ich Bescheid«, sagte Craig.

* * *

Der Winterregen trommelte gegen die Fenster. Alle sechs saßen am Küchentisch: Katie, Alan, Craig, Tom, Melissa und Sophie. Katie hatte ein klassisches Wintergericht gekocht: Schweineschulter in Cider mit Kartoffelpüree und karamellisierten Karotten sowie als vegane Alternative für Melissa einen Brokkoli-Auflauf. Es gab Wein für alle, sogar Sophie bekam ein klitzekleines Schlückchen, aufgefüllt mit reichlich Sprudelwasser – ihr »Spezialcocktail« zur Feier von Toms Besuch. Im Hintergrund lief leise Lana Del Rey – eine Kompromisslösung nach einer hitzigen Debatte zwischen Tom, der einen Indie-Sampler hören wollte, Melissa, die auf HipHop stand, und Sophie, die leidenschaftlich für wahlweise Katy Perry oder *Minecraft*-Songs gekämpft hatte – wobei ihre »Argumentation« sich hauptsächlich darin erschöpfte, immer wieder die Worte »MINECRAFT« und »KATY PERRY« zu kreischen.

Die Gesprächsthemen beim Essen reichten von Gitarren (Tom und Craig) über die Ungerechtigkeit, nach einer Party nicht das ganze Wochenende bei einer Freundin übernachten zu dürfen (Melissa), bis hin zu der Frage, ob Applejack ein Rennen gegen Twilight Sparkle gewinnen würde (Sophie, mit einem engagierten Beitrag von Tom), bevor es schließlich um Katies und Alans bevorstehendes Treffen mit ihren Steuerberatern anlässlich ihres gemeinsamen Steuerbescheids ging.

Die Steuer. Ein schwieriges Thema. Obwohl keiner von beiden dem Finanzamt bereitwillig das Geld in den Rachen warf, ließ sich wohl mit Fug und Recht behaupten, dass weder Alan noch Katie das Konzept der Steuerhinterziehung befürworteten. Sie bevorzugten es, die Höhe der zu zahlenden Summe im Rahmen der gesetzlichen Möglichkeiten zu minimieren. Sie besaßen zwar nie einen Offshore-Trust, hatten aber kein Problem damit, sämtliche steuerlich absetzbaren Ausgaben geltend zu machen. Sie hatten zwar nie eine holländische Strohfirma angemeldet, aber als vorletztes Jahr ein unerwartet hoher Tantiemen-Scheck ins Haus geflattert war, hatte Alan auf den Rat seines Steuerberaters hin eine neue Limited gegründet und dann ein paar seiner »Aktiva« (seine Bücher) an diese Firma verkauft. Das diente wohl dem Zweck der Steueraufschiebung … oder so in der Art. Mehr wusste Alan auch nicht. Mit den Erklärungen seines Steuerberaters ging es ihm wie mit Wegbeschreibungen: Spätestens nach dem dritten Satz schweiften seine Gedanken unweigerlich ab. Obwohl man ihnen versichert hatte, es handele sich dabei um eine völlig legitime Praxis, beschlich Alan und Katie das Gefühl, schon weiter gegangen zu sein, als sie es eigentlich guthießen. Sie hatten Toms Wohnung in Glasgow über die Firma gekauft. Und mit einem unerwarteten Geldsegen von Katies Vater, den sie offenbar irgendeiner Dividendenausschüttung verdankten.

»Ihr schäbigen Steuerhinterzieher«, witzelte Tom, als er ihr Gespräch mitbekam.

»Du sagst es«, haute Melissa in dieselbe Kerbe.

»Zum hunderttausendsten Mal, Tom«, sagte Alan. »Es gibt einen Unterschied zwischen Steuerhinterziehung und Steuervermeidung.«

»Einen rechtlichen«, erwiderte Tom. »Aber gibt es auch einen moralischen?« Schachmatt gesetzt von den eigenen, cleveren Kindern.

»Du wirst feststellen, dass diese Unterschiede nicht mehr ganz so klar sind, wenn du älter wirst«, sagte Katie.

»In der Tat«, stimmte Craig ihr zu. »Ich weiß noch, wie das damals zu Bandzeiten lief. Eine Zeit lang bekamen wir ständig Werbeverträge angeboten. Wir haben da bloß drüber gelacht. Haben einen nach dem anderen ausgeschlagen. Wir würden uns niemals verkaufen. Keine Chance! Gott, wie gut ich das Geld zuletzt hätte brauchen können, das sag ich euch aber.«

»Um was für Produkte ging es denn dabei?«, wollte Tom wissen.

»Ach, nichts Schlimmes. Mal ein Auto. Mal ein Fruchtsaftgetränk. Keine Banken oder solche Verbrecher wie die *Sun*.«

»Dad hat mal bei einer Werbung mitgemacht«, erzählte Melissa und goss sich ein zweites Glas Wein ein. Ziemlich unverfroren für eine Sechzehnjährige.

»Ach wirklich?«, fragte Craig.

»Ist schon ein paar Jahre her. War nur ein Cameo-Auftritt. In der Weihnachtswerbung von einem Supermarkt«, gestand Alan.

»Du warst voll scheiße«, ätzte Melissa.

»Totalausverkauf«, sagte Tom.

»Da ich kein Interesse an einer Karriere als Schauspieler habe, können deine Worte mir nichts anhaben. Übrigens, Tom, wie steht's mit der Wohnung?«

»Alles bestens.«

»Keine verrückten Facebook-Massenpartys in letzter Zeit?«

»Nein, obwohl ...«

»Denk dran, da steckt unser Geld drin.«

»Wohl eher das von Grandpa«, murmelte Melissa. Es war ein ungewohnter und etwas zu bissiger Verweis auf den Umstand, dass Katies Familienvermögen ihnen gelegentlich zupasskam.

»Wir verdienen unser eigenes Geld, Melissa«, erwiderte Katie.

»Ja klar.«

»Und was soll das jetzt bitte heißen?«

»Ach, kommt schon. Grandpa hat euch das Geld gegeben, um Toms Wohnung zu kaufen.«

»Das ist so nicht ganz ... na gut, du hast jetzt genug Wein getrunken.«

Das Gespräch drohte zu kippen. Craig hielt den Kopf gesenkt und konzentrierte sich auf sein Essen. Sophie rief »Nicht streiten!« und drohte ihnen mit ihrem winzigen Finger. Alan hatte das schon früher bemerkt. Jedes Mal, wenn Tom nach Hause kam, wurde Melissa ein wenig patziger und aggressiver. Als würde dieses Verhalten zunehmend der Person entsprechen, als die sie sich in Gegenwart ihres Bruders definierte. Tom war locker und gesellig. Er war mit einigem Abstand das pflegeleichteste ihrer Kinder (häufig das Vorrecht des Erstgeborenen), also begab sich Melissa in die Rolle der streitbaren, provokativen Tochter. *Die Rollen, die uns durch die Reihenfolge unserer Geburt zugeschrieben werden,* dachte Alan. Hinzu kam fraglos ein gewisser Drang, sich vor Craig zu profilieren, der sich in den letzten paar Wochen bei ihr eingeschlichen hatte. Das bei einem Mädchen ihres Alters zur Sprache zu bringen war natürlich blanker Selbstmord.

»Komm mal wieder runter, Dad«, sagte Melissa zickig.

»Lass das bitte sein, Melissa«, erwiderte Alan.

»Was denn?«

»Jemanden erst angreifen und ihm dann, wenn er sich verteidigt, vorwerfen, die Beherrschung zu verlieren. Das ist eine echt nervtötende Taktik.«

»Oh, jetzt bin ich also nervtötend?«

»Himmel, Mel«, sagte Tom, der allmählich die Geduld mit seiner Schwester verlor.

»Ich sagte, die Taktik ist nervtötend, nicht du.«

»Na schön, reden wir über was anderes«, erklärte Katie. »Craig, reichst du mir bitte die ...«

»Alter, vielleicht war das ja gar keine Taktik?«, wurde sie von Melissa unterbrochen.

»Alter, kommste vielleicht aus Amiland? Chillste den ganzen Tag krass im Einkaufszentrum ab?«, imitierte Alan seine Tochter – seine Standardtaktik, wenn sich jemand aus ihrer Generation irgendwelcher Sitcom-Amerikanismen bediente.

»So reden die Kids heute eben.«

»Welche Kids? Die Kids in einer dummen amerikanischen Fernsehserie?«

»O ja, alle sind dumm – außer dir natürlich.« Melissa schien fest entschlossen, das letzte Wort zu haben. Eine Eigenschaft, die sie – was Katie zweifellos bestätigen konnte – mit ihrem Vater gemeinsam hatte.

»Also gut, Mel. Jetzt *reicht's.*« Alan sah, wie Melissa und Craig die Andeutung eines süffisanten Grinsens austauschten. Eine primitive und patriarchalische Seite an ihm, ein lächerlich viktorianischer Nerv, reagierte ganz und gar nicht gut darauf, am eigenen Tisch nicht respektiert zu werden. *Scheiß drauf,* dachte er, als er die Selbstmord-Option zog: »Verdammt noch mal, Melissa, hör endlich damit auf, hier vor Craig so eine Show abzuziehen.«

»LECK MICH DOCH!«, brüllte Melissa und knallte scheppernd ihr Besteck auf den Teller.

»VORSICHT!«

Sie sprang auf und stapfte erbost davon. Alan wollte aufstehen, um ihr zu folgen. Doch der Ton, mit dem Katie »Lass es, Alan« sagte, duldete keinen Widerspruch.

»Melissa ist sauer«, verkündete Sophie.

»Melissa ist immer über irgendwas sauer«, konstatierte Alan, und mit einer zur Schau gestellten Gelassenheit, die er so gar nicht empfand, trank er sein Glas leer.

Für einen kurzen Moment herrschte betretene Stille, dann sagte Tom: »Verfluchte Kids, was?«

Alan räumte ein paar Teller ab und trug sie zur Spülmaschine. Während er das Geschirr einräumte, lieferte er weiterhin die überzeugende Darstellung eines Menschen, der mit trockenem Humor auf das reagierte, was eben passiert war. In Wahrheit pumpte das Blut hinter seinen

Augen, und ihm war schwindelig vor Zorn. Dieses unverschämte Grinsen der beiden. Er konnte sich nicht daran erinnern, wann er an seinem eigenen Esstisch zuletzt derart wütend gewesen war. Wann er überhaupt zuletzt so wütend gewesen war. Das, was er gerade empfand, dieses Gefühl von Wut und Ohnmacht, brachte ihn völlig aus der Fassung. Die Erfahrung, herabgesetzt und überrumpelt worden zu sein. Es war ewig her, dass er sich so gefühlt hatte. Als Teenager. Wenn er mit Craig zusammen gewesen war.

* * *

Am darauffolgenden Tag saß Craig nach einem Spaziergang vor der Costa-Coffee-Filiale, warm eingepackt in einen von Alans Parkas, und schlürfte einen Latte Macchiato. Er blätterte eine Seite in seinem Tagebuch um (das letzte Kapitel, das er begonnen hatte, war mit »Kokain?« überschrieben) und fing ein neues Kapitel namens »Steuern?« an. Dazu würde er sich noch etwas schlaumachen müssen.

17

»Also dieser hier … nun … ich denke, Sie werden feststellen, dass er eine wundervolle Leichtigkeit und Transparenz besitzt. Er enthält nur zwölf Prozent Alkohol. Sehr blumig, mit Aromen von rosa Pfeffer, Cranberrys, Fynbos-Kräutern und einem Hauch Erde …«

»Mmmm.« Alan ließ den edlen Tropfen im Mund rollen, sog Luft ein, konnte aber nichts anderes schmecken als wässrigen Rotwein.

Es war der letzte Tag des Jahres. Silvester stand vor der Tür, und er wollte bei Turnbull's, ihrem örtlichen Weinhändler, ein paar Kisten für die heutige Party kaufen. Tom war unterwegs, um Freunde zu besuchen, Katie und die Mädchen verbrachten den Morgen im Schlafanzug zu Hause, und Craig war nach London gefahren, um dort ein bisschen »herumzulaufen«. Etwas, das er dieser Tage immer häufiger tat.

»Wogegen der hier, ein Italiener, aus der in Kampanien angebauten *Falanghina*-Traube gekeltert wird. Sehr erfrischend, mit einer Nuance von Orangen und Safran. Das ist ein exzellenter Tropfen. Der Winzer stellt nur limitierte Chargen her. Die Reben wurden in den Fünfzigern angelegt und mit höchster Sorgfalt gehegt und gepflegt. Wir hatten großes Glück, dieses Jahr ein Dutzend Kisten zu bekommen.«

Die alte Anlage-Umwelt-Kontroverse.

Bevor Alan selbst Kinder hatte, war er überzeugt gewesen, dass Umwelt und Erziehung die für die Ausbildung der menschlichen Persönlichkeit wesentlichen Faktoren waren. Wird das Kind einer alkoholsüchtigen Serienmörderin und eines unverbesserlichen Pädophilen in einer Atmosphäre von Liebe und Gelassenheit groß, dann wächst es zu einem völlig sozialverträglichen Erwachsenen heran. Wenn dagegen das Kind eines Richters und einer Kernphysikerin von einem heroinsüchtigen Crackdealer-Pärchen in einer Kloake großgezogen wird, dann fällt das Ergebnis sicher weniger erfreulich aus. Doch für so manchen psychischen Knacks und so manche Macke, die wir auf unserem Weg durchs Leben erleiden, war das keine hinreichende Erklärung: weder für den Sohn liebender Mittelklasse-Eltern, der die beste Privatschule des Landes besucht und dennoch dumm wie Knäckebrot in ein Erwachsenenleben stolpert, das er mit einem anspruchslosen Job in der Werbeabteilung einer Tageszeitung verbringt, noch für die Tochter einer Putzfrau, die auf eine Gesamtschule geht, die kaum besser ist als ein Jugendknast, und trotzdem in Oxford einen Abschluss mit Auszeichnung macht, um am Ende Intendantin bei BBC2 zu werden. Seine eigenen Kinder aufwachsen zu sehen, ließ ihn in der Frage, wie sehr man sich auf Umwelt und Erziehung verlassen konnte, allerdings zusehends unsicherer werden.

Tom, Melissa und Sophie hatten alle, so glaubte er zumindest, die gleiche Erziehung genossen. Sie hatten die gleiche Aufmerksamkeit bekommen, sie hatten die gleichen Bildungschancen und wurden bei außerschulischen

Aktivitäten gleichermaßen unterstützt. Und doch hätte niemand – selbst unter Berücksichtigung der geschlechtsbedingten Unterschiede – zwei unterschiedlichere Teenager als Tom und Melissa hervorbringen können.

Tom war unkompliziert, entspannt und freundlich. Er war umgänglich, ungezwungen im Umgang mit Erwachsenen und hatte seinen Eltern – ganz dem Klischee entsprechend – niemals ernsthaft Ärger gemacht. Seine schulischen Leistungen waren immer eher solide als brillant gewesen, sein Abschluss aber dennoch so gut, dass er ihm einen Studienplatz an einer der besseren unter den zwanzig führenden Universitäten des Landes eingebracht hatte, wo er jetzt regelmäßig Noten zwischen 1,5 und 2,0 erhielt.

Melissa war dünnhäutig, streitlustig und aufsässig. In Gegenwart von Erwachsenen war sie oft reizbar und ablehnend. Während Tom sich in seiner Schulzeit nicht viel aus Mädchen gemacht hatte, war Melissa schon mit fünfzehn verrückt nach Jungs gewesen. In der Schule war sie erschreckend schlecht in Fächern, an denen sie kein Interesse hatte, und unglaublich gut in den wenigen, mit denen sie etwas anfangen konnte: Englisch und Geschichte.

Dann war da noch das Phänomen Sophie. Ihre Jüngste war immer fröhlich und laut. Sie war unglaublich selbstsicher, stand immer sofort im Mittelpunkt, sprach mit jedem Fremden und freundete sich sofort mit jedem Kind an, dem sie begegnete. Ihr einziges Manko war, dass sie nicht über die geringste Konzentrationsfähigkeit verfügte. Noch der kürzeste und simpelste Trickfilm vermochte ihre Aufmerksamkeit nicht länger als ein paar Minuten zu fesseln. An jedem Kinofilm verlor sie spätestens nach zehn

Minuten das Interesse. Sie konnte nicht länger als zwei Sekunden am Esstisch sitzen, bevor sie durch den Raum stiefelte oder sich kopfüber vom Stuhl hängen ließ. Und die Chance, dass sie eine halbe Stunde allein mit einem Buch verbrachte, war in etwa so groß wie die, dass sie erfolgreich eine Operation am offenen Herzen durchführte. Ihre Lehrer verzweifelten an ihr. Sie beschrieben Sophie als das mit Abstand freundlichste, gesprächigste, zugänglichste und selbstbewussteste Kind in der Klasse, aber sie war unmöglich dazu zu bewegen, sich auf eine Aufgabe zu konzentrieren. Alan fragte sich immer wieder, wo diese explosive Mischung aus überzogenem Selbstvertrauen und null Aufmerksamkeitsspanne eines Tages hinführen würde. Was stand für Sophie in den Sternen? Eine Zukunft als Fernsehmoderatorin? Radio-DJ? Börsenmaklerin?

Drei Kinder also, alle auf die gleiche Art und Weise erzogen, jedoch mit drei völlig unterschiedlichen Resultaten. Hätte man sie als Babys dabei ertappt, wie sie versuchten, einen Finger in die Steckdose zu stecken, und sie angeschrien, um sie davon abzuhalten, dann hätte Tom sofort gehorcht. Melissa hätte einen bloß trotzig angesehen und es dennoch getan, während Sophie gar nicht zugehört hätte. Sie wäre in den Sicherungskasten gekraxelt und hätte ihn mit den Zähnen auseinandergenommen. Erbanlagen, da war sich Alan immer sicherer, waren kodiert. Fest verdrahtet. Sie suchten sich ihren Weg.

»Was halten Sie davon?«

Aus seinen Überlegungen gerissen, blickte er in ein grinsendes Gesicht. Richard Turnbull (um die fünfzig, dick, gerötete Haut) hielt ihm das Etikett entgegen. »Ein Bouquet mit Anklängen von Kirsche, sonnengereiften Tomaten,

Rosmarin, Thymian und Basilikum. Toskana pur.« Alan steckte seine Nase tiefer in das riesige Ballonglas. Er verspürte nur Anklänge von Kopfschmerz.

Wenn es um Weine ging, herrschte die Annahme vor, dass jemand, der gutes Essen mochte und unterhaltsam darüber schreiben konnte, neben einem feinen Gaumen auch ein enzyklopädisches Wissen über jede Rebsorte von Sonoma bis Südfrankreich besaß.

»Wissen Sie was?«, sagte Alan. »Die sind alle spitze. Suchen Sie was für uns aus, Richard. Stellen Sie uns zwei gemischte Kisten zusammen, halb rot, halb weiß, nicht mehr als dreißig Pfund die Flasche. Und noch eine Kiste von dem Champagner, den wir letztes Mal hatten. Ach, und könnten Sie noch zwei Flaschen Hendrick's dazupacken? Ich schau dann in einer halben Stunde wieder rein.«

»Selbstverständlich, Alan. Dürfen wir Sie bald mal wieder im Fernsehen bewundern?«

»Hoffentlich nicht.«

Alan trat in die umwerfend klare, schneidende Nachmittagsluft hinaus und konsultierte die Einkaufsliste auf seinem iPhone.

Blätterteig
Oliven
Käse
Wein
Gin
Kaminholz
Glühbirnen (klein, Bajonettsockel)

Die Einkaufstüte mit den Oliven, dem Käse und dem Blätterteig hatte er bei Richard gelassen, die Getränke waren bestellt. Also musste er nur noch zum Baumarkt. Zur heutigen Party, die sie so oder so ähnlich schon seit ein paar Jahren veranstalteten, waren hauptsächlich Nachbarn sowie Freunde von Tom und Melissa eingeladen.

Schwer atmend marschierte er die Marham Street entlang und spürte dabei jedes Kilo auf seinen Hüften.

Die Zeit vom Weihnachtsabend bis zum heutigen Tag hatte er in dem üblichen, somnambulen Fresskoma verbracht, das er einer endlosen Parade von Snacks, Sandwiches, Filmen, alkoholischen Getränken und üppigen Mahlzeiten verdankte. Im Hause Grainger gab es die langjährige Tradition, dass zwischen Weihnachten und Neujahr jeder essen durfte, was er wollte. Die Folgen waren jedes Jahr ähnlich: In nicht einmal einer Woche hatte Alan ganze drei Kilo zugelegt. Er konnte spüren, wie sein Bauch gegen den Gürtel drückte. Alan musste immer lachen, wenn Schauspieler darüber schwafelten, wie schwer es sei, für eine Rolle an Gewicht zuzulegen. Er konnte es nicht fassen, wie viel Lob sie dafür einheimsten, zehn Kilo zugenommen zu haben. Wenn man Alan völlig sich selbst überließ, würde er sich diese zehn Kilo in vierzehn Tagen anfressen. Doch Katie hielt ihn an der kurzen Leine: wenig Kohlehydrate, viel Gemüse. Man sagt ja, das Leben würde ohne Frauen zur Kneipe werden. Auf gewisse Weise wird es aber auch zum Restaurant: ein All-you-can-eat-Büfett mit einer langen Schlange schwitzender, keuchender Fettsäcke, die ihre Tabletts umklammern. Es wurde allmählich Zeit, dass er wieder Sport trieb.

Wenn dieses klare, sonnige Wetter sich über Nacht hielt, konnte er morgen vielleicht eine Runde Golf spielen. Sicher, das war zwar kein Fünf-Kilometer-Lauf, aber sechs bis acht Kilometer auf dem Golfplatz zurückzulegen und die fast dreißig Kilo schwere Tasche selbst zu tragen war immerhin ein Anfang. Ein erster Schritt aus der Feiertagsträgheit. Er würde zwar nur Wintergreens spielen können, aber das war völlig in Ordnung. Genug, um seiner Wampe zu zeigen, dass er es ernst meinte. Vielleicht würde er Craig mitnehmen und ihm eine kleine Abreibung verpassen. Sie hatten seit der Uni nicht mehr zusammen gespielt. Craig – und das machte Alan rasend – hatte ebenfalls ohne Unterlass gegessen, aber dabei anscheinend nicht ein einziges Kilo zugelegt.

Zum Jahresende war Craig schon sechs Wochen bei den Graingers zu Gast. Kein Zweifel: Er fügte sich nahtlos ein und kam niemandem ins Gehege. Er ging alleine spazieren, verbrachte viel Zeit mit Lesen auf seinem Zimmer und half bereitwillig im Haushalt. Zweimal in der Woche besuchte er morgens einen IT-Grundkurs in der Stadtbibliothek. Katie hatte ihm den Kurs vorgeschlagen, nachdem er seine Frustration darüber zum Ausdruck gebracht hatte, in Sachen Internet völlig hinterm Mond zu leben. Im Netz suchte er nach größeren Apartments und Einzimmerwohnungen in den Außenbezirken Londons. Alan musste sich eingestehen, dass die Vorstellung, Craig könnte bald in eine eigene Wohnung ziehen, ihn nicht nur aus rein altruistischen Gründen erfreute.

Dieses Grinsen.

18

Der Neujahrsmorgen war sonnig und klar und mit 15 Grad für diese Jahreszeit ungewöhnlich warm. Weshalb sich Alan und Craig am Nachmittag tatsächlich leicht verkatert im Umkleideraum von Alans Golfclub, dem Royal Marham, einfanden.

Genau wie Alans Haus war auch der 1902 gegründete Club das Produkt eines überaus selbstbewussten britischen Empires. Das Hauptgebäude war ein spätviktorianisches Minischloss mit einem beeindruckenden Säulenportal und einer Reihe großzügig geschnittener Säle, in denen die Mitglieder – die übliche Palette an Ärzten, Zahnärzten und Emporkömmlingen, die die Kerngruppe eines jeden wohlhabenden Golfclubs bildet – speisten, tranken, Snooker oder Poolbillard spielten und den neuesten Klatsch austauschten. Zwei Anbauten neueren Datums schlossen sich südlich und östlich an das Hauptgebäude an. Der in den späten Neunzigern erbaute Südflügel beherbergte das Schwimmbad und die Sporthalle, die hauptsächlich von den jüngeren Mitgliedern unter vierzig genutzt wurde, der Post-Tiger-Woods-Generation der Waschbrettbäuche und 270-Meter-Drives. Die älteren Mitglieder gehörten einer Generation an, die ihren Wohlstand um die Hüften trug und zu Hause 270 Meter lange Auffahrten besaß. Der Ostflügel, wo Alan und Craig gerade ihre Schuhe wechselten, stammte aus den Fünfzigerjahren und war seitdem ungefähr alle fünfzehn Jahre renoviert worden. Er beherbergte die Umkleideräume, ein mit dicken Teppichen ausgelegtes, eichengetäfeltes Labyrinth aus Spinden, weich gepolsterten Lehnstühlen und Bänken. Die Shampoos, Duschgels und Seifen in den Waschräumen waren sündhaft teure Naturkosmetikprodukte, und auf mehreren Flachbildschirmen lief leise der Golf Channel.

»Heilige Scheiße«, staunte Craig und zog sich eins von Alans Polohemden an. »Ist 'n ziemlicher Unterschied zu Ravenscroft.«

»Aber nur ein kleiner. Guten Morgen, Jim«, begrüßte Alan ein anderes Mitglied, einen silberhaarigen Herrn mit dem Auftreten eines Industriekapitäns.

Der Ravenscroft Golf Club in Ardgirvan, wo Alan und Craig als Kinder das Spiel gelernt hatten, war ein städtischer Club, dessen Umkleideräume sich in einer tristen Baracke mit graubraunem Kieselrauputz und rissigem Betonboden befanden. Die Karbolseifenstücke in der Dusche waren so groß wie Ziegelsteine gewesen. In dem verqualmten Clubhaus mit dem klebrigen Teppichboden und dem billigen Laminat hatten ihre Väter nach dem Spiel ihre Zeit an den Geldspielautomaten verbracht.

»Sag mal«, fragte Alan, »hast du eigentlich mitbekommen, was vor ein paar Jahren in Ravenscroft passiert ist? Dieser Kerl, Gary Irvine, der …«

»Aye! Der Typ hätte beinahe die Open gewonnen! Erinnerst du dich noch an seinen Bruder?«

»Na klar. Der war völlig durchgeknallt. Hat mich mal bei der Schuldisco beklaut.«

Vor fast zehn Jahren hatte ein Junge von ihrer Schule, Gary Irvine, beinahe die Open in Royal Troon gewonnen. Craig und Alan waren damals in derselben Stufe wie dessen verrückter älterer Bruder Lee gewesen.

»Also gut, bist du bereit?«

»Ich glaub schon. Sieht das okay aus?« Craig trug eine von Toms alten Chinos, einen von Alans Pullis, der in der Wäsche etwas eingelaufen war, und ein Paar alte Golfschuhe, die Alan noch im Schuppen gefunden hatte.

»Aye, das wird schon gehen.«

»Wie gut bist du so?«, erkundigte sich Craig nach Alans Handicap.

»13,4«, antwortete dieser nonchalant.

Wenn sie in ihrer Jugend gegeneinander gespielt hatten, war Craig meistens als Gewinner aus diesem Zweikampf hervorgegangen. Er war von Natur aus der athletisch-elegante Typ – eine Eigenschaft, die sich auch in seinem Gitarrenspiel, ja sogar in seinem Gang niederschlug und ihn zum geborenen Sportler machte. Obwohl er nie Unterricht genommen hatte, hatte er Alan beim Tennis, beim Fußball und beim Golf übertroffen. Doch das war lange her. Alan hatte seit damals jene Unmengen an Geld und Zeit in sein Golfspiel investiert, über die nur gut betuchte Selbstständige verfügen. Vor einigen Jahren, kurz vor Sophies Geburt, war er mit 10,3 sogar mal seinem lebenslangen Ziel eines einstelligen Handicaps schmerzhaft nahe gekommen, dann aber allmählich bis auf sein heutiges Handicap zurückgefallen, das immer noch überaus respektabel war. Und Craig? Craig hatte bis vor Kurzem noch in Unterführungen geschlafen und aus Mülltonnen gegessen.

»Meine Fresse! Echt, dreizehn? Ich hatte seit Jahren keinen Golfschläger mehr in der Hand. Ich werd wohl ein paar Anläufe brauchen.«

»Na klar. Wie wär's, wenn du mit –20 startest? Lochspiel mit vollem Handicap? Ich geb dir sieben Schläge von eins bis sieben.« Das hieß, Craig würde an den sieben schwierigsten Löchern des Platzes jeweils einen Schlag abgezogen bekommen.

Craig willigte ein und schulterte seine Tasche mit dem zusammengeschusterten Schlägerset, das aus ein paar von Toms Eisen und ein paar ausgemusterten Hölzern von Alan bestand.

»Möge der Bessere gewinnen!«, sagte Alan.

Am ersten Tee, einem langen, abschüssigen Par 4, traf Alan den Ball mit einem sauberen »Plopp«. Er drehte in der Luft ein wenig nach rechts und landete nach 140 Metern im leichten Rough rechts des Fairways. »War vielleicht etwas zu fest«, erklärte Alan und steckte sein Tee ein.

»Na schön«, sagte Craig und nahm seinen Platz am Abschlag ein. »Dann wollen wir mal.« Er machte ein paar Übungsschwünge, und Alan registrierte mit Genugtuung, dass sein Schwung keinerlei Ähnlichkeit mit den kontrollierten, schlagkräftigen Dreiviertelschwüngen hatte, für die Craig in seiner Jugend bekannt gewesen war. Er war wild, eiernd ... und seine Füße bewegten sich mit. »O Mann«, sagte Craig, »mir schwant nichts Gutes.«

»Halt den Kopf still«, riet ihm Alan.

Craig blickte aufs Fairway, hob den Schläger und drosch auf den Ball ein wie ein Highland-Krieger, der auf dem

Schlachtfeld sein Breitschwert schwingt. Er traf ihn zu weit oben, sodass der Ball über den Boden rollte und nach etwa sechzig Metern hinter dem Damenabschlag liegen blieb. »Vielleicht genieß ich einfach den schönen Spaziergang.«

»Das nenn ich Kampfgeist«, sagte Alan, während die beiden alten Freunde zum ersten Mal seit einer Ewigkeit gemeinsam über das Fairway eines Golfplatzes liefen.

»Sag mal«, fragte Craig, »wann haben wir eigentlich das letzte Mal zusammen Golf gespielt?«

»Gott. Keine Ahnung. War ich da nicht … aye, ich hab's gleich. Ich war immer noch an der Uni. Du hast mit der Band in London gelebt, und wir waren beide den Sommer über zu Hause in Ardgirvan. Wir haben in Ravenscroft gespielt.«

»Ja, stimmt.«

»Ich schätze, das muss so '89, spätestens '90 gewesen sein.«

»O Mann, vor mehr als fünfundzwanzig Jahren.« Craig pfiff durch die Zähne. Sie hatten bereits seinen Ball erreicht. Er zog ein Eisen 5 aus der Tasche. Bis zum Grün waren es noch gute 270 Meter. »Reiß dich zusammen«, sagte er zu sich selbst und machte sich für den Schlag bereit. »Zeig dem Ball, was Sache ist.«

Er schlug einen grauenhaften Duck Hook etwa neunzig Meter weiter mitten ins dichte Rough. »So ein Dreck«, seufzte Craig und griff nach seiner Tasche. »Wer hat gewonnen?«, fragte er, als sie weitergingen.

Alan sah ihn fragend an.

»Wer damals gewonnen hat? Als wir in Ardgirvan gespielt haben.«

»Das weiß ich nicht mehr.«

Sie trennten sich, und jeder ging seinen eigenen Weg. Craig bewegte sich nach rechts zum Rough, von wo er den Ball aufs Fairway zurückprügelte. Mit zwei weiteren Schlägen erreichte er das Grün, um den Ball schließlich mit einem 3-Putt einzulochen. Acht Schläge: der berüchtigte Schneemann.

Alan war mit seiner Antwort auf die Frage nach dem Gewinner ihres Spiels in Ardgirvan vor einem Vierteljahrhundert nicht ganz aufrichtig gewesen. Natürlich nicht. Kein echter Golfer vergaß jemals eine Runde. Jack Nicklaus konnte einem genau sagen, was für Schläge er bei welchem Turnier Anfang der Sechzigerjahre gespielt hatte. Alan war kein Jack Nicklaus, doch er erinnerte sich nur zu gut an seinen zu fest geschlagenen Approach über das fünfzehnte Grün hinweg, den verhunzten Chip und den anschließenden 3-Putt, mit dem er Craig einen Sieg von vier und drei geschenkt hatte. O ja, er konnte sich nur zu gut an die Schmach dieser Niederlage erinnern.

* * *

Über die ersten sieben Löcher verlief die Partie genau so, wie es das erste hatte vermuten lassen: Alan gewann alle außer dem vierten – einem Par 4, bei dem er dummerweise einen 3-Putt hinlegte. Craig hingegen spielte einen Chip, bei dem der Ball eigentlich auf dem benachbarten Fairway gelandet wäre, hätte er nicht die Fahne berührt und dadurch seinen Weg ins Loch gefunden. Am achten Abschlag lag Alan also fünf Löcher vorn – und damit so gut wie uneinholbar in Führung.

Als sie anschließend zu ihren Drives liefen, war er logischerweise bester Dinge und in Plauderlaune – zumal sein Ball hübsch auf dem Fairway lag, während Craigs Ball im Bunker gelandet war. »Wie kommst du mit der Wohnungssuche voran?«, fragte er.

»Ich hab schon ein paar ganz schöne Buden gesehen. Trotzdem kommt mir das ziemlich irrsinnig vor: tausend Pfund im Monat für eine kleine Studiowohnung, kilometerweit von der nächsten U-Bahn entfernt.«

»Das ist London.«

»Ich überlege, mir vielleicht bloß ein möbliertes Zimmer zu nehmen.«

»Das wäre billiger.«

Am neunten Tee war Alan mit seinem Match so glücklich und zufrieden, holte so entspannt und locker zum Backswing aus, dass sein Schläger den Ball mit Macht ... und einem üblen Slice ins dichte Unterholz schickte, wo er ihn niemals finden würde. Fluchend fischte er einen neuen Ball aus seiner Tasche und schaffte es, ihn aufs Fairway zu schlagen. Zusammen mit dem Strafschlag für den verlorenen Ball waren das drei Schläge vom Tee – und das auf einem langen Par 5. Craig machte sich bereit und ging in Ansprechposition. Irgendetwas passierte mit ihm. Er hob langsam den Schläger. Auf der Höhe seines Backswings zeigte die Schulter direkt auf den Ball, zwischen Rückschwung und Abschwung hielt er für einen Millisekundenbruchteil inne, führte den Schläger aus der Drehung zum Ball und schlug – zack – einen sauberen Drive bis in die Mitte des Fairways. Sein erster solider Ballkontakt. Anschließend schlug er ein Eisen 5 bis auf 140 Meter vor das Grün und dann ein perfektes Eisen 7 mittendrauf, um nach zwei Putts mit insgesamt fünf Schlägen sein erstes Par des Tages zu erzielen. Alan brauchte sieben Schläge. Jetzt lag er nur noch vier Löcher vorn.

Etwas war geschehen. Der Rhythmus, der Herzschlag des Spiels veränderte sich.

Craig hatte seinen Schwung gefunden.

Alan wiederum verlor seinen Schwung. Eingeschüchtert von Craigs entspanntem, beiläufigem Beinahe-Halbschwung, drosch Alan umso fester auf den Ball ein. Eine Überkompensation als sprichwörtliche Kraftprobe. Das Resultat war vorhersehbar. Sein Ball flog außer Kontrolle über den Platz, landete links und rechts im Rough, im Bunker, eigentlich überall außer auf dem Fairway und dem Grün. Nun war es Craig, der fröhlich drauflos schnatterte, vom Internet schwärmte und wie viel Freude es ihm bereite, all diese neuen Dinge zu entdecken. Und überhaupt, ob Alan eigentlich diese oder jene Website gesehen hätte, während dieser schweigend zum jeweils nächsten grausam verschlagenen Ball marschierte. So war das beim Golf: Die, bei denen es gut lief, quatschten ohne Punkt und Komma, als würden sie in einer verdammten Talkshow sitzen, wogegen sich diejenigen, die schlecht spielten, in wutschäumende Schweiger verwandelten.

Als sie das dreizehnte Grün erreichten, hatte Craig drei Löcher nacheinander gewonnen, und Alan stand vor einem Eineinhalb-Meter-Putt, den er einlochen musste, um seinen inzwischen auf ein Loch geschrumpften, hauchdünnen Vorsprung zu verteidigen. Er traf den Ball nicht hart genug und verfolgte mit Grausen, wie dieser kurz vor dem Loch verreckte. »Das ist unglücklich gelaufen«, sagte Craig, steckte die Fahne zurück und ging zu seiner Tasche.

Aus einer scheinbar unangreifbaren Führung von fünf Löchern war ein Gleichstand geworden. Jetzt ging es um die Wurst.

Unglücklich gelaufen? Du kleiner, selbstgefälliger Pisser. Vor ein paar Wochen hast du noch in der Gosse gepennt, du undankbarer Wichser. Ich hab dich bei mir zu Hause aufgenommen, hab dir Geld geliehen. Ich bemühe mich, Ordnung in dein erbärmliches Leben zu bringen, und du kommst hierher, auf meinen Golfplatz, und ...

»Alan?«

Aus seinen grimmigen Gedanken aufgeschreckt, sah er, wie Craig ihm vom nächsten Abschlag zuwinkte. Gleichstand und noch fünf Löcher zu spielen. *Ganz ruhig bleiben, Alan, bleib ganz ruhig. Wir sind doch nur zwei alte Freunde, die ein bisschen Spaß haben. Wen kümmert es schon, wer gewinnt?*

Craig gewann die nächsten beiden Löcher, und am sechzehnten Loch, einem kurzen Par 3, lag Alan plötzlich zwei hinten ... und es waren nur noch drei zu spielen. Schlagartig wurde ihm das volle Ausmaß der Katastrophe klar: Wenn er dieses Loch verlor, hatte Craig die Partie gewonnen.

Craig, der seit fünfzehn Jahren nicht mehr gespielt hatte.

Der bis vor Kurzem aus Mülleimern gegessen hatte.

Der zum ersten Mal auf einem Golfplatz stand, auf dem Alan jede Woche spielte.

Der Schläger benutzte, die er noch nie in der Hand gehabt hatte.

Herr im Himmel.

Craig schlug als Erster ab: ein Eisen 7 auf ein Grün, das rundherum steil in dichtes Rough abfiel. Mit seinem kraftvollen Halbschwung beförderte er den Ball sicher rechts vom Loch aufs Grün, allerdings nicht weit genug. Der Ball kippelte, rollte dann – an dieser Stelle dankte Alan den Golfgöttern – den Hang hinunter und hüpfte ins Rough. Doch mehr als ein »Ach je« war von Craig nicht zu hören. Er blieb nervenzerfetzend ruhig.

Mit breiterer Brust als angebracht, nahm Alan ein Eisen 8 und schwang es, so fest er konnte. Der Ball flog hoch in die Luft und driftete ein wenig nach links, fand aber auf den linken Bereich des Grüns und blieb auch dort. Geschafft.

Sie ließen ihre Taschen am Rand des Grüns stehen und stapften den Hang hinunter, um im hohen, nassen Gras nach Craigs Ball zu suchen. Als sie nach fünf Minuten noch nichts gefunden hatten, erlaubte sich Alan einen leichten Anflug von Euphorie. *Verlorener Ball, er geht zurück zum Abschlag und schlägt einen neuen. Zwei Strafschläge, er ist also mit drei Schlägen auf dem Grün. Selbst wenn er ihn versenkt, brauche ich bloß zwei Putts, um das Loch zu gewinnen.* Er war so in seine Kalkulation versunken, dass er einen Augenblick brauchte, um zu begreifen, was er da gerade sah, gleich rechts von seinem Fuß.

Craigs Ball.

Alan war sich deshalb so sicher, weil er seinem Freund ein paar gebrauchte Bälle aus seiner eigenen Tasche gegeben hatte – allesamt mit gelbem Marker gekennzeichnete Titleists. Er riskierte einen Blick. Craig stand etwa dreißig Meter entfernt mit dem Rücken zu ihm und suchte weiter mit gesenktem Kopf.

Augenblicklich erschien ein Engel mit dem Gesicht von Bobby Jones auf Alans linker Schulter und ein Teufel mit dem Gesicht von Donald Trump auf seiner rechten.

»Ruf den Jungen her«, forderte Jones ihn auf, *»Sag ihm, dass du seinen Ball gefunden hast.«*

»Scheiß auf den Kerl«, schnauzte Trump. *»Willst du gewinnen? Also stell dich nicht so an. Das ist dein Club. Du zahlst für alles. ›Unglücklich gelaufen?‹ Kannst du fassen, dass er so was zu dir sagt? Dieser miese Scheißkerl …«*

Noch bevor Alan wusste, was er eigentlich tat, kickte er Craigs Ball unter ein dickes Grasbüschel und bearbeitete es mit dem Fuß, bis der Golfball komplett darunter verschwunden war.

Bobby Jones ließ beschämt den Kopf hängen.

»Sieger!«, flüsterte Trump. *»Suuuuper Sieger!«*

Sie suchten noch ein paar Minuten gemeinsam weiter. Dann seufzte Craig und sagte: »Scheiß drauf.« Er ging zurück zum Tee und schlug einen weiteren Ball, der wieder rechts vom Grün landete. Alan gewann das Loch.

Er hatte sich gegen alles versündigt, was anständig und heilig war. Dieser dunkle Fleck auf seiner Seele würde ihn bis ins Grab begleiten. Aber er würde lernen, damit zu leben – er lag nur noch ein Loch hinten … bei zwei zu spielen.

Alan gewann das siebzehnte Loch durch schieres Glück. Sein übel getoppter Chip landete aus unerfindlichen Gründen nicht einmal einen Meter von der Fahne entfernt. Er zeigte Nerven und lochte den Putt ein. Als sie zum letzten Loch aufbrachen, herrschte also wieder Gleichstand. Wer immer dieses Loch gewann, würde das Match gewinnen.

Schweigend trotteten sie zum Abschlag, und mit einem Mal erkannte Alan, was ihm bislang entgangen war: Entgegen seiner zur Schau gestellten Nonchalance, seinem »Ich hab seit Jahren nicht gespielt«-Gewäsch und dem

»So krieg ich zumindest ein bisschen Übung«-Quatsch, wollte Craig unbedingt gewinnen.

Alan ging auf Nummer sicher, entschied sich für ein Eisen 5 – wenn er durch einen unsauberen Schwung mit dem Driver den Ball verlor, war alles vorbei – und spielte den ersten Schlag sicher in die Mitte des Fairways, aber ein ganzes Stück vom Grün entfernt. Craig schlug den Driver – lang und gerade, weit über Alans Ball hinweg. Bei seiner augenblicklichen Form würde er wahrscheinlich mit drei Schlägen auf dem Grün sein. Plus zwei Putts wären das fünf Schläge. Alan brauchte ein Par, um zu gewinnen.

Als er sich zum zweiten Schlag bereitmachte, flimmerte es vor seinen Augen, und seine Hände zitterten. Er musste den Ball fast 180 Meter weit über einen kleinen Wassergraben befördern, der das Grün umgab. Nach einem mächtigen Schlag mit dem Eisen 5 spürte er im tiefsten Inneren die süße Befriedigung eines perfekten Ballkontakts. Der Ball flog in einem hohen, präzisen Bogen in die tief stehende Sonne (es war schon fast fünfzehn Uhr) und zeichnete sich kurz als Silhouette ab, bevor er sich wieder dem Boden näherte und es einen quälenden Moment lang so aussah, als würde er ins Wasser plumpsen. Doch er landete etwa einen halben Meter hinter dem Graben und rollte vorwärts aufs Grün, wo er rund vier Meter von der Fahne entfernt liegen blieb. Es war mit Abstand Alans bester Schlag des Tages. Mit zwei Schlägen aufs Grün, und das genau im entscheidenden Moment.

»Ein echter Golfschlag«, sagte Craig und sprach ihm damit das größte Kompliment aus, das dieser Sport kennt.

Friss das!, dachte Alan.

Craig traf bei seinem nächsten Schlag den Rasen und beförderte den Ball keine fünfundvierzig Meter weit das Fairway hinauf, wo dieser gut neunzig Meter vom Grün entfernt liegen blieb. Ein Wedge. Er erwischte den Ball zwar perfekt und spielte ihn aufs Grün, die Distanz zum Loch war allerdings zu groß.

Mit zwei Putts kam Craig auf fünf Schläge.

Für die vier Schläge, die den Sieg bedeuten würden, durfte Alan ebenfalls nicht mehr als zwei Putts spielen.

Sein Ball lag vielleicht viereinhalb Meter vom Loch entfernt. Ein ziemlich gerader Putt.

Ihn überkam ein Gefühl übermenschlicher Zuversicht. Er konnte das schaffen. Solange er gewann, spielte es keine Rolle, wie knapp der Sieg war. Er konnte immer noch erhobenen Hauptes durch die Haustür stolzieren, und wenn die Kinder fragten: »Wer hat gewonnen, Daddy?«, konnte er mit den Schultern zucken und sagen: »Was glaubt ihr denn?« Ganz egal, wie oft Craig auf den knappen Ausgang des Spiels hinweisen würde, am Ende des Tages zählte einzig und allein, ob man gewonnen oder verloren hatte. Alan sprach den Ball an und spielte den Putt. Der Ball rollte aufs Loch zu, kam näher und näher, hatte sein Ziel fest im Visier, bevor er in allerletzter Sekunde am Loch vorbeischrammte und dann weiterrollte … und weiter. Knapp fünfzig Zentimeter hinter dem Loch blieb er liegen. Damit war er zwar so weit entfernt, dass ein bloßes Anstupsen nicht gereicht hätte, doch er war eindeutig ein »Gimme«: ein kurzer und sicherer Putt, den der Gegner gewöhnlich aus Sportsgeist einfach als geschlagen und eingelocht akzeptierte.

Voller Zuversicht lief Alan zum Ball und wartete darauf, dass Craig so etwas wie »Lass gut sein« oder »Nimm ihn weg« sagte.

Craig sagte nichts.

Was zum Teufel? Er wollte ihn doch wohl nicht ernsthaft einen Fünfzig-Zentimeter-Putt ausführen lassen? Alan hatte Craig im Verlauf ihrer Runde mehrere solcher Putts geschenkt. Er sah Craig in die Augen und traf auf einen Blick, so leer und gnadenlos wie die Sonne.

Craig würde ihn den Putt tatsächlich spielen lassen.

Kochend vor Wut tat Alan, was viele Golfer tun, wenn sie mit einem kurzen, eigentlich kaum zu verfehlenden Putt konfrontiert sind: Er nahm sich keine Zeit und schlug den Ball einfach locker und lässig Richtung Loch, als wäre es ein Fünf-Zentimeter-Stups und kein Fünfzig-Zentimeter-Putt. In seinem Kopf ging es allerdings alles andere als locker und lässig zu: Dort loderte der große Brand von London, es herrschte Krieg, *Blitzkrieg.*

Er verfehlte das Loch um zwei Zentimeter.

Alan blinzelte, außerstande zu glauben, dass er den Ball immer noch sehen konnte.

»Mist, das war Pech«, sagte Craig.

Unentschieden. Alan konnte es nicht fassen. Das war zwar nicht so schlimm wie eine Niederlage. Aber wie um Gottes willen hatte dieses Spiel nach einem Vorsprung von fünf Löchern derart in die Hose gehen können? In Gedanken legte er sich bereits die Worte zurecht, mit denen er sein verpatztes Spiel im Clubhaus verteidigen würde. *»O ja, er meinte, dass er seit Ewigkeiten nicht mehr gespielt hat, also hab ich ihm sieben Schläge gegeben. Das war wohl ein wenig zu großzügig …«* Doch er wusste, dass dies nur ein schwacher Trost sein würde. Es gab Sieger, und es gab Verlierer – und damit hatte es sich. »Ein Unentschieden also«, sagte Alan und wollte Craig die Hand schütteln. »Gut gespielt …«

»Ich glaube nicht, dass es ein Unentschieden ist«, widersprach ihm Craig.

»Wie meinst du das?«

Craig holte die Scorekarte aus seiner Hosentasche. »Ich kann hier doch einen Schlag abziehen, oder?«

Das blanke Grauen.

»Nein, hier sicher nicht …«, protestierte Alan, starrte aber längst auf seine eigene Scorekarte. Das achtzehnte war tatsächlich das siebtschwierigste Loch des Platzes. Wie zum Teufel konnte dieses lausige Par 4 das siebtschwierigste …

Zog man einen Schlag ab, wie Alan es ihm im Umkleideraum zugesichert hatte, dann hatte Craig nun einen Score von vier. Und das hieß: Er war der Sieger.

Alan blickte von seiner Karte auf. Craig reichte ihm fröhlich die Hand und sagte: »Gutes Spiel.« Fassungslos registrierte Alan, dass er einschlug, auch wenn er längst wie betäubt war und nicht mehr das Geringste spürte. Er hatte der Niederlage nicht nur bereitwillig seinen Kopf ins aufgerissene Maul gesteckt, sondern war ihr sogar in den Schlund gekrochen und hatte es sich in ihrem Bauch gemütlich gemacht. Alan starrte den Putter an, den er immer noch in der Hand hielt, und sagte bloß: »Aha.«

Wie ein Speerwerfer führte er den Arm so weit wie möglich hinter den Kopf und schleuderte den Schläger dann mit aller Kraft von sich. Dessen stählerner Schaft funkelte und glitzerte, als er hoch durch die Luft wirbelte, bevor er mit einem entfernten Klatschen in den Wassergraben fiel, den Alan gerade erst mit einem perfekten Eisen 5 überwunden hatte.

Als sie zu Hause ankamen, ging Alan sofort unter die Dusche. Er hörte, wie Sophie Craig ganz aufgeregt fragte: »Wer hat gewonnen?«

Er konnte Craigs Antwort nicht verstehen. Aber das Nächste, was er hörte, war Sophies Quieken und Lachen, bevor sie rief: »DADDY HAT VERLOREN!«

Ein paar Minuten später, die taube Stirn gegen die Craquelé-Kacheln gedrückt (von Fired Earth, 120 Pfund pro Quadratmeter), während die Nadelstiche der Powerdusche seinen Rücken traktierten, machte er seinen Qualen mit einem kurzen, röchelnden Schrei Luft.

teil zwei

FRÜHLING

19

Es ging früh los. In der dritten Märzwoche fingen die Magnolien und die Kirschbäume an zu blühen. Mit Beginn der Osterwoche und dem offiziellen Start der Sommerzeit liefen die Londoner in Hemdsärmeln herum und bevölkerten essend und trinkend die Bürgersteige.

Alan, der allein im Haus war, genoss die himmlische Ruhe und den Frieden, schlürfte in Jeans und T-Shirt seinen Morgenkaffee und studierte dabei den großen Familienkalender an der Küchenwand: Vor ihm lagen ein paar stressige Wochen.

Tom war wieder in Glasgow, und in Anbetracht der bevorstehenden Examen verbrachte er seine Zeit hoffentlich im Lesesaal und steckte den Kopf in die Lehrbücher.

Katie war bereits mit Melissa und Sophie in Cornwall, wo sie ein Haus für den gemeinsamen Osterurlaub mit Vanessa, deren Mann Jeremy und dem Nachwuchs der beiden gemietet hatten. Die Osterferien der Kinder, die allesamt zum Heulen teure Privatschulen besuchten, begannen schon eine Woche früher und dauerten auch eine Woche länger. *Irgendwie komisch,* dachte Alan, *je mehr Knete eine Schule kostet, desto seltener muss man hingehen.* Er war zu Hause geblieben, weil er noch ein paar Meetings in London hatte, und würde in ein paar Tagen nachkommen. Bis dahin hatten Craig und er das Haus für sich allein.

Wider Erwarten hatten sie für die Jäger-und-Sammler-Outdoor-Küchenschlacht tatsächlich grünes Licht bekommen.

Bear Grylls war zum Produktionszeitpunkt zwar mit Obama beim Bergsteigen in Oregon und deshalb nicht dabei, dafür hatten sie feste Zusagen von dem gefeierten Gourmetkritiker Miles Warren und dem zum megaerfolgreichen Filmstar avancierten Comedian Fergus Marks. Außerdem von Andy Jacks, dem Gitarristen der Britpop-Legenden Crush, der mittlerweile Biohühner züchtete und sich für nachhaltige Lebensmittel einsetzte. Das Jagen würde ihnen ein schottischer Wildhüter zeigen, und Kochtipps erhielten sie von Tomas Wells, dem Küchenchef des Hotels, in dem sie auch übernachteten. Sie hatten einen straffen Zeitplan, da Fergus direkt im Anschluss nach Los Angeles zurückfliegen musste, um dort mit dem Dreh eines neuen Films zu beginnen.

Alan würde also gleich, wenn er aus Cornwall zurück war, in die schottischen Highlands reisen, um dort die Story zu produzieren.

Er setzte sich an den Küchentisch und ging die Post durch. Da inzwischen sämtliche Einladungen zu Premierenfeiern, Eröffnungen, Launch-Partys und ähnlichen Veranstaltungen per E-Mail verschickt wurden, war der Inhalt seines Briefkastens längst auf das reduziert, was auch alle anderen Menschen heutzutage erwartete: eine hassenswerte Mixtur aus Rechnungen und Ramsch. In Alans Fall wurde dieser Dreck fünf- oder sechsmal im Monat von einem Luftpolsterumschlag mit dem Manuskript irgendeines Buches bereichert (oder vielmehr noch zusätzlich verpestet), das ein Freund, ein Agent oder der Kollege des Agenten eines Freundes ihm zuschickte, damit er eine Empfehlung dafür aussprach. Zu diesem Zweck hatte Alan sich drei Standardzitate zurechtgelegt.

Biografie/Autobiografie: *»Eine unglaubliche Geschichte, bewegend erzählt.«*
Roman: *»Eine wirklich erstaunliche Meisterleistung.«*
Kochbücher: *»Ein Hochgenuss und ein Buch, das ich immer zur Hand habe.«*

Craig, dessen Tantiemen-Auszahlung laut Tim »unmittelbar bevorstand«, war in London und schaute sich Wohnungen an. Er hatte sich optimistisch gezeigt und von Ealing gesprochen. Wie auch von Chigwell, Epping Forest, Greenwich, Norbury und sogar irgendeinem Kaff namens Penge.

Alan war das ganz recht. Es wurde allmählich Zeit. Auch wenn Craig in den vier Monaten, die er nun bei ihnen wohnte, nie eine Belastung gewesen und eher für sich geblieben war, hatten gewisse Dinge Alan zunehmend gewurmt. Hier ein Blick, dort ein Kommentar oder eine Grimasse. Die Zeit und das Schicksal hatten entschieden und Craig und Alan zu dem gemacht, was sie heute waren, wobei Alan nach jedem gängigen Maßstab das bessere Los gezogen hatte. Dennoch schaffte Craig es zu Alans Ernüchterung respektive Erschütterung immer noch, dass dieser sich klein und unbehaglich fühlte. Tief in ihm drin war Alan klar geworden, dass alles Geld und sämtlicher Ruhm der Welt niemals ausreichen würden, um an dem Bild, das wir uns als Teenager von uns selbst gemacht haben, jemals ernsthaft kratzen zu können. Das wurde auch durch Erfolg nicht leichter. Nicht einmal während dieser ersten fünf Minuten auf einer Party, wo man niemanden kannte, kam man aus seiner Haut. Craig, das musste Alan entmutigt einsehen, würde immer diese Macht über ihn haben.

Alan wusste, dass er sich eigentlich freuen sollte. Immerhin fand sein alter Freund allmählich wieder zu sich selbst zurück, nachdem er noch vor drei Monaten ein obdachloses Wrack gewesen war. Und das war doch schließlich der Sinn der Sache, oder etwa nicht? Alan hatte es gewiss nicht nötig, wie ein Patriarch vom Kaliber eines Ernest Hemingway behandelt zu werden. Er wollte nicht, dass jeder ihm ständig seinen Respekt bezeugte. Aber zugleich musste er feststellen, dass Craig nie wirklich »Danke« für irgendetwas gesagt hatte. Trotz allem, was Alan für ihn getan hatte. Und dann waren da diese Zwischenfälle, diese kleinen Momente. Wie neulich Abend, als Alan beim gemeinsamen Betrachten der Nachrichten gesagt hatte, seiner Meinung nach müsste die Eisenbahn wieder verstaatlicht werden. Craig hatte das mit einem süffisanten »Sagt der Obersozialist« kommentiert und dazu mit einer vagen Geste auf den zehntausend Pfund teuren Fernseher, den riesigen Raum voller exquisiter Möbel und das große Haus gedeutet. Melissa hatte in ihren Tee gekichert und Craig mit einem spöttischen »Genau!« zugestimmt. Es waren solche Momente, in denen Alan das dringende Verlangen überkam, aufzustehen und zu brüllen: »WAS GLAUBST DU EIGENTLICH, WER ZUM TEUFEL FÜR ALL DAS ZAHLT, DU RESPEKTLOSER

KLEINER WICHSER! NOCH VOR DREI MONATEN HAST DU AUF EINEM STÜCK PAPPE GEPENNT! DU SOLLTEST MIR AUS DANKBARKEIT DEN SCHWANZ LUTSCHEN, UND ZWAR EINMAL PRO STUNDE!«

O ja, ein paar solcher Momente hatte es gegeben.

Jedenfalls ging es bei der Wohnungssuche voran, da draußen in Cheam oder wo immer Craig heute unterwegs war, und die Auszahlung des Geldes stand auch unmittelbar bevor. Also würde alles in Ordnung kommen. Schon bald würden sie zu ihrem gewohnten Leben zurückkehren, und Alan konnte sich (von diesem einen Golfball mal abgesehen) in dem warmen Gefühl aalen, eine gute Tat begangen und das Leben eines anderen Menschen wieder in die richtigen Bahnen gelenkt zu haben.

Alan stand Craigs Bemühen, eine Bleibe in London zu finden, nicht ohne Empathie gegenüber. Er, der sich in den Neunzigern mit Immobilien finanziell saniert hatte, bedauerte jeden, der heutzutage dort leben wollte. Damals, als Katie und er Ende zwanzig, Anfang dreißig gewesen waren, hatte so ziemlich jeder, den sie kannten, in einem Gebiet irgendwo zwischen Battersea im Süden und Hampstead im Norden gewohnt, also in Vierteln wie Notting Hill, Maida Vale und Belsize Park. Damals hatten Gegenden wie Bethnal Green, Brixton und Barnes noch als exotisch und abgelegen gegolten. Als die letzten Außenposten der Menschheit. Jetzt unterschieden sie sich kaum noch von Mayfair oder Belgravia – für so ziemlich jeden Londoner unter vierzig waren sie unerreichbare Inseln des Wohlstands. Er wunderte sich, dass Menschen es auf sich nahmen, in einer beschissenen kleinen Reihenhauswohnung in einem tristen Vorort zu leben, nur weil dieser technisch gesehen immer noch zu London gehörte. Wenn man nach Soho wollte, musste man erst zu Fuß zur Haltestelle gehen, anschließend den Bus nehmen und hatte dann immer noch eine lange Fahrt mit der U-Bahn vor sich. Der Weg in die Innenstadt dauerte neunzig Minuten, und dennoch bildete man sich ein, ein glamouröses Hauptstadtleben zu führen, bloß weil man eine Postleitzahl wie SE72 hatte.

Sein iPhone klingelte: »CRAIG MOBIL« erschien auf dem Display. O ja, Craig hatte jetzt ein eigenes Handy. Eins von Katies alten mit Prepaid-Karte. »Hi«, sagte Alan, »wie läuft's?«

»Ich hab gerade mit Tim gesprochen«, berichtete Craig aufgeregt. »Dem Anwalt.«

»Und?«

»Zweiunddreißigtausend verfickte Pfund.«

»Verdammt, Craig, das ist ja fantastisch.«

»Heute auf meinem Konto.«

»Meinen Glückwunsch.«

»Und vielleicht wird's sogar noch mehr. Hängt wohl damit zusammen, wie damals Kassetten verkauft wurden. Irgend so 'ne Steuer, die nie an die Urheber weitergegeben wurde oder so. Ich hab da schon gar nicht mehr richtig zugehört. Wie auch immer – das müssen wir feiern.«

»Ja klar. Bist du noch in London? Ich könnte den nächsten Zug nehmen.«

»Nee, in Marylebone. Bin schon auf dem Rückweg.«

»Verstehe. Ich stell den Champagner kalt.«

»Vergiss es. Ich lad *dich* ein. Das bin ich dir schuldig, mein Freund. *Vielen Dank.* Lass uns zusammen Marham unsicher machen.«

»Marham?« Alan ging in seinem Wohnort so gut wie nie aus.

»Aye. Da gibt's doch wohl ein paar Pubs, oder?«

»Na ja, mehr oder weniger. Also gut, dann treffe ich dich am Bahnhof.«

Alan legte auf und hatte ein schlechtes Gewissen. Craig war wirklich schwer in Ordnung. Ja, eigentlich war Craig ein echt netter Kerl.

* * *

»Prost!«

»Prost auch«, sagte Craig erneut, als sie die Gläser zusammenstießen. »Zweiunddreißigtausend. Ich kann's nicht fassen. Es ist völlig ... unwirklich.«

Sie waren im Dragon, dem ältesten Pub der Stadt, dessen Geschichte bis ins 17. Jahrhundert zurückreichte und in dem es gewöhnlich recht ruhig zuging, da das riesige Weatherspoons um die Ecke eimerweise Billigbier und Drei-Gänge-Menüs für scheinbar unglaubliche £ 2,99 anbot.

Sie hatten ihr drittes Pint fast ausgetrunken und schickten sich eben an, die diffuse Schwelle zwischen »ausgelassen« und »betrunken« zu überschreiten, als eine junge Frau an ihren Tisch kam – inzwischen saßen sie im Biergarten und rauchten beide Kette – und sagte: »Entschuldigen Sie, dass ich so dazwischenplatze, aber sind Sie Alan Grainger?«

»Ich fürchte, ja.«

»Ich wusste es! HA! ICH HAB'S DIR DOCH GESAGT, ROZ!«, rief sie in Richtung ihres Tisches. Alan und Craig folgten ihrem Blick zu einer ausgelassenen Gruppe junger Leute, die zu ihnen hinübersahen. »Ich lese jede Woche

Ihre Kolumne.« Sie war Ende zwanzig, Anfang dreißig, hatte kurzes dunkles Haar und war alles andere als unattraktiv.

»Danke, ich fühle mich geehrt.«

Ob ihn jemand wegen seiner Bücher, aus der Zeitung oder aus dem Fernsehen kannte, war gewöhnlich ein guter Gradmesser dafür, mit was für einer Art Mensch er es zu tun hatte. Bei denen, die sich auf den unteren Stufen der sozialen Leiter befanden, stellte ein Fernsehauftritt zur besten Sendezeit viele tausend Buchverkäufe in den Schatten, denen wiederum das Foto in einer der größten Tageszeitungen – selbst wenn es dort jeden Sonntag erschien – nicht das Wasser reichen konnte. Alan hatte Cousins in Schottland, von denen er nur dann eine SMS bekam, wenn er mal wieder im Fernsehen zu sehen gewesen war: »HE! SACKGESICHT! HAB DICH BEI JAMIE GESEHEN! MANN, BIST DU FETT GEWORDEN! LOL!« Er hätte den Pulitzer-Preis und den Nobelpreis in ein und derselben Woche gewinnen können, und seine Cousins wären so schlau gewesen wie zuvor.

»Darf ich ein Foto machen?«

Die junge Frau legte den Arm um ihn und machte ein Selfie mit ihrem Smartphone, während Craig daneben saß und so tat, als wäre nichts. Natürlich musste Alan daran denken, wie sie vor über zwanzig Jahren in exakt vertauschten Rollen – obwohl Handys damals noch in weiter Ferne lagen – vor dem King Tut's in Glasgow gestanden hatten. Er erinnerte sich daran, wie sich die drei Mädchen an seinen Freund rangeschmissen hatten, und daran, wie ihm eine der drei ihre Instamatic in die Hand gedrückt und ihn gefragt hatte: »Wärst du so nett?« Wie er von rasender Eifersucht erfasst worden war und das Foto am liebsten vorsätzlich versaut hätte.

Dann fragte die junge Frau: »Warum setzt ihr euch nicht zu uns?«

»Das ist wirklich nett, aber wir haben uns eine Weile nicht gesehen und eine Menge zu erzählen.«

Fünfundvierzig Minuten und ein weiteres Pint später war es dann doch so weit: Sie quetschten sich an einen Tisch mit einem halben Dutzend sehr betrunkener junger Menschen. (»Alan Grainger! Alter, du bist 'ne Legende.«)

Nach mehreren Pints erzählten Alan und Craig, was sie gerade feierten, worauf ihre neuen Trinkgenossen Craig herzlich gratulierten und ihm freundschaftlich auf die Schulter klopften. Die ersten Schnäpse wurden bestellt. Innerhalb einer Stunde glich das Bild einer der derberen Episoden auf Toms Instagram-Account. Alan bekam allmählich eine flüchtige Vorahnung von dem Kater, der ihn am Tag darauf erwartete. *»Katie ist nicht zu Hause, einmal alle Jubeljahre bringt mich nicht um. Ich hab morgen nichts vor, also kuriere ich ihn einfach aus«*, versuchte er gerade das bevorstehende Martyrium kleinzureden, da passierte es. Er merkte, wie Craig ihn in die Seite knuffte, senkte den Blick und sah, wie sein Freund unter dem Tisch die Faust öffnete. In der Handfläche lag weiß glänzend ein kleines Viereck aus Papier. Alan starrte erst das Briefchen und dann Craig an. »Koks?«, flüsterte er. »Wo kommt das her?«

Craig zuckte mit den Schultern: »Bin in Soho 'nem alten Bekannten übern Weg gelaufen. Wusste, dass wir heute feiern würden. Immerhin haben wir sturmfrei.«

Alan lachte. »Sturmfrei.« Das Wort, das sie als Teenager benutzt hatten, wenn die Eltern weggewesen waren und sie das Haus für sich hatten. Für einen fast Fünfzigjährigen war es ein ziemlich alberner Begriff. Er warf einen weiteren Blick auf den Umschlag. »Nee, lass mal. Ich hab seit Jahren nicht mehr gekokst.«

»Ach komm, nur 'ne klitzekleine Nase. Als Dank für all das, was du für mich getan hast.«

»Das wäre echt keine so gute Idee.«

Hinter ihnen brandete lauter Jubel auf, und als sie sich umdrehten, wurde gerade eine weitere Runde Schnäpse an den Tisch gebracht.

Fünfzehn Minuten danach standen sie mit einer Kreditkarte und einem zusammengerollten Zwanziger in der Hand in einer Toilettenkabine. »Scheiße«, sagte Alan schniefend. »Wann haben wir das zuletzt zusammen gemacht?«

»Barrowland Ballroom? Irgendwann '93/'94?«, sagte Craig und beugte sich über seine Line. »Ahhhhh«, keuchte er und reichte den Schein wieder an Alan.

Warum vertrug sich Kokain nur so schlecht mit dem Altern? Alan war in seiner Jugend kein Kostverächter gewesen, hatte das Koksen aber so gut wie aufgegeben, als er die vierzig erreicht hatte. Als er noch jung gewesen war, während seiner Zeit bei *Time Out*, hatte ein Gramm Koks ihm und drei oder vier seiner Freunde und Kollegen genug Energie für ein ausuferndes Saufgelage geliefert, und ein paar Lines hatten sie bis in die Morgenstunden auf Trab gehalten. Abgesehen von einer gewissen Schwatzhaftigkeit hätte man ihnen nicht mal angemerkt, dass sie gekokst hatten. Und heute? Er sah es an seinen Freunden.

Ein winziges Näschen reichte, um dich in eine Kreuzung aus Schlaganfallopfer und rachsüchtigem Triebtäter zu verwandeln, mit mahlendem Kiefer und glasigen Glupschaugen, in denen nichts als die blanke Lust stand. Eine völlig müßige Lust noch dazu, denn dieselbe winzige Line ließ deine Genitalien umgehend grotesk zusammenschrumpeln, bis sie aussahen wie von einem Kleinkind aus Knetmasse geformt.

Alan kannte zu viele Menschen, die ihre bis dahin ziemlich gesunde Ehe mit einer unbedachten Kokain-Session zerstört hatten. Er war sich all dieser Dinge bewusst. Aufgrund seiner Erfahrungen war er zweifellos vorgewarnt, als er dort inzwischen völlig zugekokst im frühlingshaften Biergarten saß. Neben der jungen Frau namens Amy, die ein Selfie mit ihm gemacht hatte und ihm nun von ihren eigenen Schreibversuchen berichtete, zwischendurch aber immer wieder wissen wollte, wie Jamie Oliver, Gordon Ramsay oder andere Promis privat so drauf waren. Craig saß ihnen rauchend, plaudernd und lachend gegenüber ... eingerahmt von zwei Blondinen. Alan spürte das erste Anzeichen einer kokainbedingten Panikattacke, überstand sie aber, indem er sich selbst versprach: *»Ich werde nichts mehr von diesem Mistzeug nehmen, nur noch ein paar Drinks zum Runterkommen. Dann werde ich nach Hause gehen, mir ein Brot schmieren und um Mitternacht in meinem Bett liegen. Schadensbegrenzung.«*

20

Die Küchenparty war in vollem Gange.

Schon komisch, wie genügend Alkohol und Drogen die eigene Wahrnehmung so weit verzerren konnten, dass einem das schlichtweg Unglaubliche mit einem Mal völlig vernünftig zu sein schien. Wenn er an einem x-beliebigen Tag der Woche morgens in seine Küche gekommen und von diesem Anblick überrascht worden wäre, er wäre vermutlich in Ohnmacht gefallen. Amy, Roz und noch ein Typ rauchten. (Das war kein Problem. Er würde in drei Tagen nach Cornwall fahren und dort eine ganze Woche bleiben, erst dann würde die Familie hierher zurückkommen. Volle zehn Tage sollten ausreichen, um den Geruch loszuwerden.) Zwei der anderen Frauen (Jessica und Wie-hieß-sie-noch?) tanzten aufreizend zu »Beast of Burden« von den Stones, das in voller Lautstärke aus dem Sonos-Soundsystem dröhnte. Craig bereitete auf dem Küchentisch neue Lines vor und quatschte dabei mit einem der Kerle (Frank?). Alan legte Weißwein in den Gefrierschrank, damit er schneller kalt wurde.

Ein weiterer Typ, dessen Namen Alan völlig vergessen hatte, lehnte am Kühlschrank und machte ihm Komplimente für sein Haus. »Echt jetzt. Krasse Bude hast du hier.«

»O ja, danke.«

»Frau und Kinder sind ausgeflogen?«

»Nach Cornwall in die Osterferien. Ich hatte noch zu arbeiten und bin deshalb geblieben. Ich fahre dann in ein paar Tagen nach.«

»Ja, ja, wenn die Katze aus dem Haus ist, oder?«

»So ungefähr. Tut mir leid, ich hab deinen …«

»Steve.«

»Richtig, Steve. Sorry.«

»Macht doch nichts«, sagte Steve und tippte gegen den riesigen Gefrierschrank, vollgestopft mit Essen und Getränken. »Die olle Schreiberei macht sich ganz gut bezahlt, was?«

Soweit Alan es verstanden hatte, waren die drei Typen und vier Frauen Kollegen und alle am örtlichen College beschäftigt (oder der »Universität«, wie es von allen hier hochtrabend genannt wurde. Die beschissene Ronnie-Corbett-Universität für Ladendiebstahl oder so was). Sie waren gemeinsam um die Häuser gezogen, um das Semesterende zu feiern, als der Abend jene unerwartete Wendung genommen und sie hierher in Alans Küche geführt hatte.

»Na ja, es füllt die Mägen …«

»Alan!« Er sah auf. Amy hielt ihm eine CD-Hülle mit einem halben Dutzend dicker Lines darauf und einen zusammengerollten Geldschein entgegen. Er beugte sich vor und schniefte eine der Lines weg, unfähig, dabei seinen Blick von ihrem Ausschnitt abzuwenden. »Komm schon, setz dich zu mir«, sagte sie und klopfte neben sich auf das Sofa. Die Musik hatte gewechselt, nun lief Rihanna. »Craig hat uns erzählt, wie du ihm aus der Patsche geholfen hast. Ich finde es fantastisch, was du für ihn getan hast.«

»Ach, weißt du, jeder andere hätte dasselbe getan. Was machst du so, Amy?«

»Ich bin Dozentin für Eventmanagement. Früher war ich im Musikgeschäft, hab in London gearbeitet. Aber nach unserer Heirat sind wir hierhergezogen.«

»Ah. Ist einer von den Jungs hier dein …« Alan deutete auf ihre drei Begleiter.

»Oh nein. Das sind nur Kollegen. Mein Mann und ich leben getrennt.«

»Verstehe. Tut mir leid.«

»Mir nicht. Er war ein Arschloch. Wir haben eine dieser Beziehungen geführt, die …« Sie schilderte detailliert das Scheitern ihrer Ehe, warum sie nicht funktioniert hatte, wie selbstsüchtig ihr Mann gewesen war, dass sie Gott sei Dank keine Kinder hatten. Aber Alan hörte gar nicht richtig zu. Denn die Wirkung der letzten, ziemlich dicken Line setzte ein, und die eben noch überwunden geglaubte Panikattacke verwandelte sich gerade in eine ausgewachsene Kokain-Paranoia. *Was hab ich getan? Was machen die alle hier? O Gott, sieh dir das Chaos an. Es wird geraucht. Fuck, es ist fast drei Uhr morgens, wie soll ich die ganzen Leute aus meinem Haus kriegen? Was hast du nur getan, du verdammter Vollidiot?*

Craig hatte einen iPod in der Hand und spielte schon wieder andere Musik, die Stooges oder so einen alten Kracher. Dabei erklärte er einer der Frauen, wer die Band war.

Alan wurde sich bewusst, dass Amy ihn anschaute und offenbar eine Antwort von ihm erwartete. »Entschuldige, was hast du gesagt?«, fragte er.

»Bist du bald mal wieder im Fernsehen?«

»Nein, wohl kaum. Das war eher ein Ausrutscher. Eigentlich trete ich nicht gern im Fernsehen auf. Das geht den meisten Autoren so. Ich wollte damit ursprünglich nur Werbung für meine Bücher machen.«

»Aber du bist im Fernsehen echt witzig«, sagte sie und knuffte ihn. Sie kam ihm jetzt ziemlich nah. Ihre Oberschenkel waren gebräunt, und ihr Jeans-Minirock zeigte davon ziemlich viel.

»Oh danke«, murmelte er und fummelte am Etikett seiner Bierflasche herum.

»Geht's dir gut?«

»Ja, alles prima. Ich bin gleich zurück ...«

Er ging ins untere Bad, das ganz am Ende des Flurs gegenüber von seinem Arbeitszimmer im vorderen Bereich des Hauses lag, wo das laute Stimmengewirr zu einem fernen Rauschen wurde: Irgendein Disco-Song lief, alle jubelten und tanzten. Er klammerte sich ans Waschbecken. *Was zum Teufel machst du hier?* Plötzlich fühlte sich all das, was vor einer Stunde noch ein ausgelassener Spaß gewesen war, beunruhigend und beängstigend an. Sein Herz klopfte heftig, und sein Mund war trocken. Und unbestreitbar war da auch noch dieses drängende Kribbeln der Begierde. Er ließ kaltes Wasser über seine Handgelenke laufen, atmete ein paar Mal tief durch und machte einen auf Vincent aus *Pulp Fiction*: *»Du wirst jetzt Folgendes tun. Du gehst da wieder rein, sagst den Leuten, dass es toll war, sie kennenzulernen, dass du aber morgen früh raus musst, weil du viel zu tun hast. Also rufst du ihnen allen ein Taxi, natürlich auf deine Kosten, sagst ›Danke für den schönen Abend und bis zum nächsten Mal‹. Dann gehst du ins Bett, holst dir einen runter, und damit hat es sich.«* Er trocknete sich die Hände und betrachtete die gerahmte Auszeichnung über der Toilette: »Best Food and Drink

Writing 2010« stand auf der Urkunde des Press Association Awards. In dem unter Autoren verbreiteten Bemühen, seine Leistungen herunterzuspielen, hatte er die obszöne Zurschaustellung solcher Auszeichnungen ironisiert, indem er sie im Klo aufgehängt hatte. *Also gut, auf geht's.*

Beim Verlassen des Badezimmers sah er, dass in seinem Arbeitszimmer das Licht brannte. Er ging hinein. Amy. Den Rücken zu ihm und ein Glas Weißwein in der Hand, betrachtete sie seine Bücherregale. »Alles in Ordnung?«, fragte Alan.

Sie zuckte kurz zusammen. »O Gott! Entschuldige meine Neugier«, sagte sie. »Was für ein tolles Zimmer. Ich hätte zu gerne ein Arbeitszimmer wie dieses. Sind die alle von dir?«

Das Regal, auf das sie zeigte, war den internationalen Editionen seiner eigenen Bücher vorbehalten. Dort standen gebundene Ausgaben und Taschenbücher aus Frankreich, Deutschland, Italien, Skandinavien und Amerika. Sie setzte ihr Weinglas auf dem Regal ab und zog eine italienische Ausgabe von *Kochen mit der Pausentaste* heraus.

»Jep.«

»Wie beeindruckend. Du musst wirklich stolz sein.«

»Na ja, um ehrlich zu sein, hat die französische Ausgabe sich vielleicht fünfzehn Mal verkauft.«

Sie lachte und drehte sich mit dem Buch in der Hand zu ihm um. »Das hab ich geschenkt bekommen, als es rauskam, in meinem ersten Studienjahr.«

»Wow.« Alan rechnete zurück und fühlte sich schlagartig sehr, sehr alt.

»Hier, das ist mein Lieblingsrezept, schau mal …«, sagte sie und trat mit dem aufgeschlagenen Buch näher an ihn heran. Es war das Ragù-Rezept aus *Goodfellas*, mit Schweine-, Rind- und Kalbsfleisch sowie Knoblauch, der mit der Rasierklinge hauchdünn geschnitten wird. Er roch ihr Haar, nur Zentimeter von seiner Nase entfernt.

»Wirklich? Schön«, erwiderte er. »Weißt du was, du kannst es be…«

Unversehens presste sie ihre Lippen auf seine, schob ihre Zunge in seinen Mund, griff ihm mit der freien Hand, der Hand ohne Buch, zwischen die Beine und begann seine Hoden zu massieren. »Ich … du, Amy … oh, verdammt«, stammelte er und wich keuchend zurück. »Ich bin verheiratet.«

»Technisch gesehen, bin ich das auch«, sagte sie und fummelte an seinem Gürtel herum.

Gott im Himmel!

»Ja, aber …«

»Ach, komm schon, wir müssen ja nicht … ich …« Sie ließ das Buch fallen und hatte nun eine Hand hinten und die andere vorne in seiner Hose, während sie seinen Hals abknutschte. »Ich will mich doch nur bedanken …« Sie rutschte an ihm hinunter und ging auf die Knie. Ihre Lippen strichen über seinen Bauch, als er spürte, wie seine Boxershorts heruntergezogen wurden und etwas hervorschnellte, das sich bereits auf dem besten Weg zu einer vollen Erektion befand. *Schieb sie weg. Schubs sie einfach weg. Du willst das doch gar nicht …* Plötzlich umfing ihn eine feuchte Wärme, und er schloss stöhnend die Augen. *Verdammt, das ist Wahnsinn,* dachte er nach einer Minute oder so. Der Reiz des Fremden, nach dieser langen Zeit mit Katie. Nach … Katie. Urplötzlich hatte er ihr Gesicht vor Augen. Überdeutlich und ungebeten sah er sie am Küchentisch sitzen, die Stirn konzentriert in Falten gelegt, wie sie es immer tat, wenn sie Kreuzworträtsel löste oder eine schwierige Stelle in einem Roman las. Und dann, bevor er wusste, was er tat, schubste er Amy weg, packte seinen Schwanz in die Hose und machte den Reißverschluss zu. »Sorry, tut mir leid, du bist großartig, aber … ich kann das einfach nicht.«

»Wow«, sagte sie und stand auf. »Jetzt fühle ich mich schrecklich.«

»Nein, nein. Hör zu, es ist nicht deine Schuld. Wenn ich nicht …« Er zog sie an sich.

»Also gut«, sagte sie und befreite sich aus der Umarmung. »Ich geh dann mal zuerst.« Sie küsste ihn auf die Wange und schlüpfte zur Tür hinaus. Er setzte sich schwer atmend hin. Die Begierde in seinen Venen verkrustete bereits zu betonhartem Bedauern.

Konsterniert sah er sich um. Er fragte sich, ob das gerade wirklich passiert war, und dem Universum gefiel es offenbar, seinen Blick dabei als Erstes auf ein gerahmtes Bild auf dem Schreibtisch fallen zu lassen: Katie und die Kinder, aufgenommen vor ein paar Jahren in der Karibik. Katie und die Mädchen waren in ein großes Strandtuch gewickelt, Tom stand grinsend hinter ihnen. Natürlich war sein Blick an diesem Bild hängen geblieben.

Alan schlich sich leise nach oben und durchwühlte die obere Schublade ihrer Schlafzimmerkommode, bis er schließlich Katies kleinen Vorrat an Valium gefunden hatte. Er nahm zwei Stück und kroch ins Bett. Die Digitalanzeige des Weckers zeigte 3:52 Uhr. Er konnte den gedämpften Lärm der Küchenparty so gerade noch hören.

Morgen. Er würde sich morgen darum kümmern.

21

Er schlug die Augen auf. Was ihm normalerweise nicht schwerfiel. An diesem Morgen allerdings fühlte es sich an, als wären seine Augenlider mit Prittstift zugeklebt, und es kostete ihn einige Anstrengung, bloß zu blinzeln. Es war 9:14 Uhr. Er hatte ein wenig mehr als fünf Stunden geschlafen. Alan versuchte sich zu bewegen. Keine gute Idee. Gar keine gute Idee.

Autsch. Oje, oje, oje. Wann war es ihm zum letzten Mal so dreckig gegangen?

Es schien, als hätte man über Nacht jeden einzelnen Tropfen Flüssigkeit aus seinem Körper gesaugt. Seine Lippen klebten an seinen Zähnen, und sein Mund fühlte sich an, als hätte stundenlang ein auf höchster Stufe laufender Föhn darin gesteckt. Was vermutlich daran lag, dass er beim Schlafen unmöglich durch die Nase geatmet haben konnte: Seine Nasenlöcher waren so bombendicht, als hätte jemand zwei maßgefertigte Stahlkugeln hineingestopft, was ihn dazu zwang, nur durch den Mund zu atmen, weshalb seine Kehle ganz ausgedörrt war. Im Zentrum seines Schädels pochte unaufhörlich ein stechender Kopfschmerz, und jedes einzelne seiner Glieder schmerzte. Das Glas Wasser vom Nachttisch zu nehmen fiel ihm so schwer, wie eine Bowlingkugel hochzuheben. Er war so schwach, dass selbst neugeborene Kätzchen ihn mitleidig angesehen hätten. Außerdem war da dieses saure Grummeln in seinem Bauch, aus dem er folgerte, dass ihm bald auch noch übel werden würde.

Doch all diese physischen Symptome, so entsetzlich sie auch sein mochten, waren nichts im Vergleich zu den metaphysischen Symptomen seines Katers, die ihn mit ihrem vollen Gewicht überrollten, als die Erinnerung an die Details der letzten Nacht mit aller Klarheit und voller Grauen zurückkehrte: Er, inmitten seines Arbeitszimmers, die Hände an der Hosennaht zu Fäusten geballt. Der feste Griff um seine Hüfte, die saugende Wärme, das feuchte Schmatzen. Er schüttelte den Kopf, um das Bild loszuwerden, und kam dabei zu der qualvollen Erkenntnis, dass sein Kopfschmerz Kräfte zu entfesseln vermochte, die er bisher nur angedeutet hatte. *Und dann auch noch in deinen eigenen vier Wänden.* Er würde sein Arbeitszimmer abfackeln müssen. Scheiße, sie würden *umziehen* müssen. Metaphysisch? Dieser Kater konnte nur dann noch metaphysischer werden, wenn John Donne ihm persönlich in den Arsch gekrochen wäre und aus Alans Rektum heraus Verse rezitiert hätte. Unweigerlich, mit grotesk perfektem Timing, begann sein Smartphone zu klingeln. Er kroch zum Fußende des Bettes, schob die Hand in die Tasche seiner zusammengeknüllten Hose und zog es heraus.

Wie konnte es anders sein: »KATIE MOBIL.«

Alan ließ sie auf die Mailbox sprechen und legte sich noch einmal für zwei Stunden schlafen.

* * *

Kurz vor zwölf quälte er sich schließlich aus dem Bett und wagte sich im Morgenmantel die Treppe hinunter. Er fühlte sich immer noch entsetzlich schlapp, war aber zumindest imstande zu laufen – eine Leistung, die er sich, als er zum ersten Mal aufgewacht war, noch nicht zugetraut hatte. Beim Öffnen der Küchentür schlug ihm der Gestank von kaltem Zigarettenqualm entgegen. Jesus, Maria und Josef! Überall standen überquellende Aschenbecher herum, an der Spüle prangte eine Skyline aus schmutzigen Gläsern, im ganzen Raum waren geöffnete, halb ausgetrunkene Weinflaschen verteilt. Auf dem Küchentisch lagen zwei CD-Hüllen mit einem hauchdünnen Koksfilm darauf. Die entsorgte er zuerst, indem er sie einfach in den Abfalleimer warf. Gott sei Dank war heute kein Petra-Tag.

Obwohl er sehr langsam arbeitete und sich zwischendurch immer wieder hinsetzte, um mehrere Tassen schwachen, stark gesüßten Tee mit viel Milch zu trinken, schaffte er es Schritt für Schritt, erst die Spülmaschine einzuräumen, dann den angebrochenen Wein wegzuschütten und die leeren Flaschen nach draußen in die blaue Tonne zu bringen. Während er mit seiner Familie in Cornwall war, würde die Müllabfuhr alle Beweise entsorgen. Er schrubbte den Küchentisch, putzte den Boden und legte nur eine kleine Pause ein, um sich zu übergeben. Er überprüfte in der Cocktail-Bar und im Weinregal, was aufgefüllt werden musste (»O Gott, o Gott, o Gott …«), und ließ sich schließlich gegen halb zwei mit einer Schüssel Müsli in einen Sessel sinken. Kurz darauf hörte er Schritte auf der Treppe, und Craig steckte seinen Kopf durch die Tür.

»Alles klar?«, fragte er.

»Nicht so richtig, nein.«

»Aye, was für 'ne Nacht.«

»Das kannst du laut sagen. Ich fühl mich halb tot. Was ist passiert? Wann sind die alle abgehauen?«

»Weiß der Geier, gegen fünf? Oder sechs? Es war noch nicht richtig hell, als sie weg sind. Und was hast du gemacht?«

»Ich? Ich war plötzlich tierisch im Sack. Hab mich davongeschlichen und ins Bett gelegt.«

»Konntest du pennen?«

»Ein bisschen ...«

»Ich war die ganze Nacht auf hundertachtzig.«

»Wie sind wir bloß auf die Schnapsidee gekommen, uns Koks reinzupfeifen?«

»Schien mir zu dem Zeitpunkt kein schlechter Gedanke zu sein. Jetzt mach dich nicht fertig deshalb.«

Aber genau das tat er. Und wie er das tat. Er dachte an Katie und die Kinder – am Strand, nicht weit von St. Ives. Wie sie sich mit Eiscreme oder Fish & Chips vollstopften, in der Brandung herumtobten und ... eine Sekunde lang befürchtete Alan, er könnte in Tränen ausbrechen. Er wollte allein sein. War das nicht eine der gängigen Definitionen der Hölle? Dass man dort gezwungen war, seine Zeit in der Gesellschaft der Menschen zu verbringen, an denen man seine größten Sünden begangen hatte? Dass man ihnen auf ewig von Schuld geplagt in die brennenden Augen sehen musste?

»Geht's dir gut, Alan?«

»Ja, ja. Ich bin nur total kaputt. Ist lange her, dass ich so was gemacht hab.«

»So was?« Craig sah ihn fragend an.

»Du weißt schon … gekokst halt.« Alan schluckte. »Bis in die Puppen gefeiert.«

»Verstehe. Die gute Nachricht ist: Ich kenne die Lösung für dein Problem.« Craig hielt die Fernbedienung und einen Prospekt in die Höhe. Domino's. »Wir schauen Sky Movies und bestellen was beim Pizza-Service.«

Alan starrte ihn an. »Echt jetzt? Den ganzen Tag auf der faulen Haut liegen, Pizza von Domino's essen und Filme glotzen?«

»Hast du 'ne bessere Idee?«

»Ich glaube … nein.«

»Na also, dann überlass das mal dem guten alten Craig. Ein paar Schmerztabletten, 'ne extragroße Peperoni-Pizza, ein paar Chicken Wings und reichlich Cola werden uns bis sechs Uhr bei Kräften halten. Dann gibt's ein paar Gläschen Rotwein, und alles ist wieder in Butter.«

O Mann, dachte Alan, *wir könnten auch gleich in Unterwäsche herumlungern und so einen Trash wie die Talkshow von Jeremy Kyle gucken.* Dass Craig mit der Situation besser zurechtkam als er, war irgendwie logisch. Immerhin hatte sein alter Freund lange Zeit auf der Straße gelebt. Er war es vermutlich gewohnt, sich zu fühlen, als hätte ihn ein Bus angefahren.

»Na gut«, sagte Alan. »Du bestellst die Pizza und guckst nach, was im Fernsehen kommt. Ich rufe in der Zwischenzeit bei Katie an …«

Langsam und schwerfällig rappelte er sich auf und humpelte zur Tür. Auf der Schwelle drehte er sich zu Craig um und sagte: »Ach übrigens, es versteht sich von selbst, dass nichts davon je passiert ist. Wir sind ausgegangen, haben ein paar Bierchen getrunken, daraus wurde ein nettes Besäufnis … und das war's.«

»Klar doch, Kumpel. Auf mich kannst du dich verlassen.«

Alan ging nach oben und wählte dabei Katies Nummer.

Deine Frau belügen – leicht gemacht:

1) Gib zu, dass etwas passiert ist. So wie ein Hai einen Eierbecher voll Blut im Umkreis von hundert Quadratkilometern riecht, wird sie in deiner Stimme selbst den winzigsten Hinweis auf einen Kater erkennen. Versuch gar nicht erst, fröhlich und aufgeweckt zu klingen. Mit der »Gehen Sie bitte weiter, hier gibt es nichts zu sehen«-Taktik wirst du nicht durchkommen. Beichte ihr lieber, dass du ein bisschen was über den Durst getrunken und einen unangenehmen, aber verkraftbaren Kater hast.

2) Geh nicht zu sehr ins Detail. Es reicht völlig aus, ihr eine Handvoll Brotkrumen hinzuwerfen: Ihr seid ausgegangen, habt ein paar Bierchen getrunken, um zu feiern, dass Craig endlich sein Geld bekommt. Das Ganze ist zu einem kleinen Besäufnis ausgeartet. Anschließend seid ihr nach Hause gegangen und habt noch den Single Malt aufgemacht. Du warst um zwei im Bett. Craig hat in der Küchentür geraucht, es könnte also etwas hineingezogen sein. Es tut dir ehrlich leid.

3) Gib unter keinen Umständen dem Drang nach, ihr zu gestehen, dass dir ein weiblicher Fan in deinem Arbeitszimmer einen geblasen hat.

»Hallo, Schatz«, flötete Katie.

»Wie läuft's bei euch?«

»Oje! Bist du verkatert?«

Der Anruf verlief wie geplant.

Genau wie der Rest des Tages.

Sie zappten durchs Programm und schauten sich schließlich auf Sky Movies alte Lieblingsfilme an: *Wall Street* und *Der weiße Hai*. Sie schlemmten sich durch eine XL-Peperoni-Pizza mit Jalapeños, zwei Portionen Chicken Wings, scharf gewürzte Kartoffel-Wedges und einen Liter zuckriger Cola (Alan schätzte den Nährwert dieses Gelages zurückhaltend auf gut fünftausend Kalorien), bevor sie dann gegen sechs eine Flasche Rioja öffneten. Nach ein paar Gläsern fühlte sich Alan schon fast wieder wie ein Mensch.

Morgen würde er sich deutlich besser fühlen. Und am Tag darauf, wenn er nach Cornwall fuhr, sogar noch besser. Nicht mehr lange, dann würde Craig ausziehen, und die letzte Nacht wäre, wenn schon nicht vergessen, so doch zumindest zu einer erträglichen Schmach erodiert – zu einer tolerierbaren *Zumutung*, einer tief im Speicher seiner Erinnerung begrabenen, niemals zu wiederholenden Erfahrung.

Genau so würde es passieren.

22

Katie und Vanessa saßen in der großzügig geschnittenen Küche des gemieteten Hauses, schnippelten Gemüse und hatten bereits die zweite Flasche Sancerre geöffnet. Über ihren Köpfen rannten die jüngeren Kinder – Sophie sowie Vanessas Söhne Max und Dylan (vier und sechs) – wie bekloppt im Haus herum, während Melissa mit dem sechzehnjährigen Jamie, Vanessas und Jeremys Tinder nutzendem Sohn, Fernsehen schaute. Jeremy war unterwegs, um noch ein paar Einkäufe zu erledigen. (Sie hatten innerhalb weniger Tage eine gewaltige Menge an Lebensmitteln konsumiert.) Durch die Fenster sah man das Meer nördlich von St. Ives. In den Oster-, Herbst- und Sommerferien wurden Teile von Cornwall völlig überrannt. Hierher zog es offenbar jeden Nordwest-Londoner Schnösel, der das nötige Kleingeld und Kinder hatte, die noch klein genug waren, um am Flughafen zum Albtraum zu werden. Beim gestrigen Abendbummel durch die Stadt hatte es alle paar Meter »Hallo« und »Wie geht's euch?« geheißen. Es war, als würde man am Samstagnachmittag über die Regent's Park Road spazieren. Das Haus kostete sie für die zehn Tage Aufenthalt beinahe zehntausend Pfund. Was sie sich damit schönredeten, dass Flüge in die Sonne sie vermutlich sogar noch teurer zu stehen gekommen wären.

»Ordentliches Besäufnis, was?«, fragte Vanessa.

»Es klang zumindest danach …«

»Trinkt er viel?«

»Alan?«

»Nein! Euer Pennerfreund.«

»Oh, Craig? Nein, eigentlich nicht.«

»Ich dachte nur, weil er ja auf der Straße gelebt hat.«

»Ich glaube, er ist nie ein echter Alki gewesen.«

Vanessa leerte die zweite Flasche in ihre Gläser. »Mist, das war's dann wohl«, fluchte Katie. »Sag bitte, dass Jezza neuen Wein mitbringt.«

»Stand auf dem Einkaufszettel«, antwortete Vanessa, die gerade Mangold-Stängel kleinschnitt. Sie kochten eine ganze Lammkeule mit vielen Beilagen. »Und dieses Geld habt ihr also tatsächlich aufgetan?«

»Jep. Dreißigtausend und ein paar Zerquetschte. Kannst du das glauben?«

Vanessa überlegte. »Und er will davon wirklich eine Wohnung mieten, um wieder auf die Füße zu kommen?«

»Das ist der Plan.«

»Es ist so irre, dass er jetzt schon seit fast vier Monaten bei euch wohnt.«

»Wenn ich ehrlich bin, ist er uns kaum zur Last gefallen. Er war sogar eine echte Hilfe mit den Kindern.«

Sophie kam hereingerannt, die zwei kleineren Jungs im Schlepptau, zeigte auf ihre Mutter und brüllte: »DU BIST EIN KACKAKOPF!« Dann quietschte sie vor Vergnügen und rannte wieder davon. Ihre Anhänger folgten ihr kreischend, während sich Sophie über ihre geistreiche Bemerkung kaputtlachte.

»Und du denkst immer noch nicht daran, diese Erlebnisse in deiner Kolumne aufzugreifen? ›Meine Familie, der Penner und ich‹ oder so?«

»Na klar hab ich daran gedacht, aber ich hab dir schon mal gesagt: Alan würde das nicht gefallen.«

Vanessa nippte nachdenklich an ihrem Wein.

»Rück schon raus damit«, sagte Katie.

»Ich dachte bloß, es könnte eine richtig gute Story sein, jetzt wo das Ende absehbar ist. Wo es quasi einen dritten Akt gibt. Zwei alte Schulfreunde, einer wird ein erfolgreicher Autor, der andere endet als Obdachloser. Erfolgreicher Mann holt obdachlosen Mann von der Straße, hilft ihm, sein verlorenes Vermögen zurückzugewinnen und wieder auf die Füße zu kommen und all das. Ich dachte dabei zum Beispiel an den Familienteil der *Times.*«

»Hmmm, vielleicht.«

»Meinst du, er wäre interessiert?«

»Wer? Craig oder Alan?«

»Beide.«

»Könntest du mir bitte den Rosmarin reichen? Ich weiß nicht. Frag Alan, wenn er kommt.«

»Hättest *du* denn was dagegen, wenn ich das meinen Redakteuren anbieten würde?«

»Ganz und gar nicht. Ich glaube, du würdest das prima schreiben. An welchen Termin hast du dabei gedacht?«

»Keine Ahnung. Wann auch immer.«

»Demnächst erscheint die Taschenbuch-Ausgabe des zweiten Bandes von *Reiner Tisch.* Vielleicht wäre das ein passender Zeitpunkt …«

»Das wäre doch perfekt, oder? Ich spreche ihn darauf an, wenn er hier ist.«

Sie stießen miteinander an.

So lief das: Kolumnistin A hat eine Idee, die Promi-Buddy B involviert, und schlägt sie Redakteurin C vor. Redakteurin C gibt der Idee ihren Segen, Kolumnistin A kassiert ihr Honorar, ihr Promi-Buddy B bekommt Werbung für sein neues Projekt (Buch/Film/Fernsehshow), Redakteurin C bekommt (hoffentlich) ihre verkaufte Auflage, ihre Klickrate oder sonst irgendwas gesteigert, und der ganze glückliche Zirkus zieht von Stadt zu Stadt. Ein Spielchen, das mit Vorliebe in den schicken Küchen von Nord- und West-London und in den Privatclubs von Soho gespielt wurde – oder eben bei einem guten Tropfen in den geräumigen Ferienhäusern von Cornwall.

Sie hörten das Knirschen von Reifen auf dem Schotter. Einer der Jungs rief »Daddy!«, dann drehte sich der Schlüssel in der Tür. Schwer mit Einkäufen beladen, kam Jeremy durch den Flur in die Küche. »Bei Waitrose war die Hölle los«, schimpfte er. »Da ging's zu wie zur Sperrstunde im verdammten Groucho.« Jeremy war kräftig – wenn auch nicht der bullige Typ –, um die fünfzig und hatte dichtes graues Haar. Von Beruf Rechtsanwalt, war er inzwischen ein ziemlich hohes Tier in der Rechtsabteilung der BBC – was zu seinem Missfallen bedeutete, dass jeder im Internet sein Gehalt einsehen konnte. Katie hatte nachgeschaut, als Jeremy den Job angenommen hatte, und war damals ziemlich erstaunt gewesen, dass sein Einkommen nur 160 000 Pfund betrug. Vanessa verdiente wesentlich mehr. Jeremy argumentierte, dass sein Job zwar schlechter bezahlt, aber weit weniger stressig war, als in der Finanzbranche zu arbeiten – womit er vermutlich recht hatte.

»Schatz, hast du an den Wein gedacht?«, fragte Vanessa.

»Was für 'ne Frage! Im Auto ist noch haufenweise Zeugs«, erwiderte Jeremy und rief dann: »Jamie! Komm mal her und pack mit an!« In einem der vorderen Zimmer ertönte ein missmutiges Teenagerstöhnen. »Das ist SKY PLUS! Du kannst auf Pause drücken!«, informierte Jeremy seinen Sohn.

»Melissa, du hilfst auch mit«, rief Katie ihrer Tochter zu.

Erneutes Stöhnen war zu hören, bevor die beiden Teenager widerwillig zum Wagen stapften.

23

Im Zug nach Inverness betrachtete Alan sein Spiegelbild im trüben Licht des Erste-Klasse-Schlafwagenabteils. Er sah gut aus – gebräunt und erholt von der Woche am Meer, in der er viel Zeit mit den Kindern verbracht, gesund gegessen und ein wenig gesurft hatte. Er drehte sich um und musterte skeptisch das schmale Bett. Die Idee, im Schlafwagen zu reisen, war ihm vor ein paar Wochen noch extrem romantisch erschienen. Doch als er nun in dem Waggon stand, der schaukelnd den Bahnhof Euston verließ, fragte er sich, wie viel Schlaf er hier wohl tatsächlich finden würde.

Der Fotograf und sein Assistent waren bereits vor Ort.

Fergus Marks flog von Los Angeles nach London, um morgen einen Anschlussflug nach Edinburgh zu nehmen, von wo ihn dann ein Wagen direkt zum Hotel bringen würde.

Miles Warren machte ohnehin gerade Urlaub in Schottland und würde auf eigene Faust anreisen.

Andy Jacks hatte heute noch etwas in London »zu erledigen« und würde sich morgen, so unglaublich das klang, ans Steuer des Kleinflugzeugs eines Freundes setzen. »Nein, wirklich«, hatte Pandora gesagt, »er besitzt eine Pilotenlizenz und fliegt selbst.« Er wollte Pandora sogar im Flugzeug mitnehmen, was sie offenbar sehr aufregend fand.

Ein jeder nach seiner Fasson, dachte Alan. Eher hätte er seine Eier mit Hackfleisch bestrichen und ins Maul eines hungrigen Dobermanns gehängt, als in so ein winziges Sportflugzeug zu steigen, das noch dazu von einem Rockstar gesteuert wurde. Doch anscheinend hatte Andy Jacks einen Schlussstrich unter seine wilden Koks-Zeiten in den Neunzigern gezogen und war ein völlig neuer Mann geworden. Immerhin musste er sich um sechs Kinder und eine riesige Hühnerzucht kümmern. Dabei hielt er sich an den traditionellen Werdegang des geläuterten Rockstars: Statt wie früher um sechs Uhr ins Bett zu gehen, stand er jetzt um sechs Uhr auf und ernährte sich hauptsächlich makrobiotisch von Rinde, Blättern und Mineralwasser.

Alan blickte auf seine Uhr: Zeit fürs Abendessen und ein paar Drinks, bevor er sich bettfertig machte. Durch den schaukelnden Zug schwankte er bis zum Speisewagen der ersten Klasse. Das Restaurant war völlig leer, die einzelnen Tische wurden sanft von Spotstrahlern beleuchtet. Perfekt. Alan nahm Platz und bestellte einen Talisker mit Soda als Aperitif, bevor er seinen Laptop, sein Notizbuch und einen Roman auf den Tisch legte.

Neben der Tatsache, dass der Zug ihn direkt ins Herz der Highlands beförderte, war »die Ruhe zum Arbeiten« das entscheidende Argument für die Reise im Schlafwagen gewesen. Er musste immer noch den Fünftausend-Wörter-Essay über moderne Restaurantkultur für das Vorwort der Neuauflage von *Reiner Tisch* fertigschreiben. Wobei, was hieß hier »fertigschreiben«? Er hatte noch nicht einmal mit dem Text *angefangen*. Hauptsächlich, weil er zwar fest zugesagt hatte, den Essay zu schreiben (nachdem sein Lektor ihn ins Scott's eingeladen hatte, um ihn dort mit reichlich Chablis und einem fünfzig Pfund teuren Seezungenfilet abzufüllen), aber nach reiflicher Überlegung feststellen musste, dass ihm der Begriff »Fünftausend-Wörter-Essay über moderne Restaurantkultur« körperliche Übelkeit verursachte.

Er notierte ein paar Phrasen wie »Der Molekulargastronomie-Trend wollte die Sonne sein, entpuppte sich aber als Schwarzes Loch« und »Künftige Generationen werden sich angesichts des Phänomens Pop-up-Restaurant am Kopf kratzen«, dann klappte er das Notizbuch zu und tat, was man auf einer langen Zugreise eigentlich tun sollte: Er trank und blickte aus dem Fenster, wo der Sonnenuntergang von – wie er vermutete – Hertfordshire an ihm vorbeiflog. Der Kellner erschien und legte eine Speisekarte auf den Tisch. Während Alan sie studierte, bestellte er einen zweiten Whisky, wobei er das freudige Kribbeln eines Mannes verspürte, der in einem Haushalt mit drei Kindern lebt und sich anschickt, ungestört eine Mahlzeit und ein gutes Buch zu genießen – fraglos eine der meistunterschätzten Vergnügungen, die das Leben zu bieten hat.

Er bestellte – geräucherte Entenbrust, gefolgt von Highland-Rind und einem Gratin aus Docharty-Kartoffeln mit Saisongemüse, sowie eine Käseplatte und eine halbe Flasche Pinot Noir – und schlug mit einem zufriedenen Seufzen sein Buch auf.

Er hatte gerade das Hauptgericht verspeist (»verkochtes Rindfleisch in einer Soße, die dick genug war, um damit Schlachtschiffe zu kalfatern«) und den Tain Truckle Cheddar angeschnitten, als sein Smartphone vibrierte. Canters, seine Steuerkanzlei. Um acht Uhr abends? Das war seltsam. Hatten Katie und er etwa vergessen, die Umsatzsteuer für dieses Quartal zu bezahlen?

»Ja, bitte?«

»Alan? Bill hier. Tut mir leid, so spät noch anzurufen. Hast du einen kurzen Moment für mich?«

»Natürlich.«

»Tut mir wirklich leid, dich um diese Zeit zu stören, aber es ist etwas Eigenartiges passiert. Ich habe vorhin einen Anruf erhalten und wollte erst ein paar Dinge checken, bevor ich zurückrufe. Die Sache ist die: Du wirst geprüft.«

»Geprüft?«

»Vom Finanzamt. Die Steuerunterlagen vom letzten Jahr. Die, die wir im Januar abgegeben haben. So etwas kommt hin und wieder vor.«

»Gott. Warum das?«

»Sie sagen, es gibt keinen konkreten Anlass. Aber wer weiß das schon? Ist eine verdammt nervige Angelegenheit, wenn ich ehrlich bin. Wir müssen sämtliche Belege und Abrechnungen durchgehen.«

»Ist damit denn alles in Ordnung? Ich meine, wir haben doch nichts zu verbergen, oder?«

»Eigentlich nicht. Na ja, Kleinigkeiten gibt es immer zu mokieren. Etwa wenn du auf Dienstreise bist, im Hotel übernachtest und die kompletten Kosten als abzugsfähige Aufwendungen angibst, obwohl du in Wahrheit nur die Spesen absetzen kannst, also das Essen. Tee und Kaffee. Aber weder Alkohol noch Zigaretten oder so etwas.

Ich hatte schon Fälle, wo das Finanzamt sämtliche Quittungen meines Mandanten durchgegangen ist und uns am Ende jeden einzelnen Gin Tonic aus der Minibar und jede Packung Zigaretten vom Zimmerservice aufs Auge gedrückt hat.«

»Heilige Scheiße.« Alan starrte die Rechnung auf seinem Tisch an. £ 56,86 für Essen und Getränke. Eine Rechnung, die er gewöhnlich in seine Brieftasche gesteckt hätte, wo sie ein paar Tage verblieben wäre, um dann in die Schachtel in seinem Arbeitszimmer zu wandern, in der er seine Belege verwahrte. Alle drei Monate schickte er den ganzen Kram dann an Canters, damit seine Kanzlei die Umsatzsteuererklärung für ihn machen und die Belege für seine jährliche Steuererklärung ablegen konnte. »Muss ich irgendetwas tun?«

»Nein, zumindest im Augenblick noch nicht. Wir kümmern uns darum. Vermutlich wirst du irgendwann vorbeikommen müssen, damit wir ein paar Dinge gemeinsam durchgehen können. Aber ich wollte dich zumindest informieren.«

»Verstehe. Danke. Was für ein Mist aber auch.«

»Wie ich schon sagte, es ist zwar eine höllische Nerverei, aber wir haben das schon bei anderen Mandanten erlebt. Wir regeln das. Mach dir keine Sorgen, und genieß die Reise. Wo geht's hin?«

»In die Highlands. Wir produzieren einen Beitrag für die kulinarische Sonderbeilage des *Standard on Sunday*.«

»Klingt gut. Amüsier dich. Wir halten dich auf dem Laufenden.«

Alan legte auf. Scheiße, es stimmte, was alle sagten: In jungen Jahren war der Kerl von der Bank das Schreckgespenst in deinem Finanzleben. Sobald man aber richtig Geld verdiente, wurde er von einer noch viel beängstigenderen Gestalt abgelöst: dem Steuerbeamten.

Alan trank den letzten Rest Wein aus, strich ihn auf der Quittung durch und ging zurück zu seinem Abteil, wo er sich im schwankenden Bett noch eine ganze Weile hin und her wälzte, bevor er in den frühen Morgenstunden – irgendwo im Lake District – schließlich einschlief.

24

»Wie Alan in der Schule war? Tja, wie war Alan in der Schule?« Craig kratzte seinen Dreitagebart und dachte nach, während er die Frage wiederholte.

Sie hatten sich im Dean Street Townhouse zum Essen verabredet. Zwischen ihnen auf dem Tisch lag Vanessas iPhone und zeichnete das Gespräch auf, während Craig weiter sein Kinn kratzte und nach einer originellen, markigen Antwort suchte. Früher war er mal ganz gut in so was gewesen. Aber dass ihn zuletzt jemand interviewt hatte, war eine Ewigkeit her. Es musste in den späten Neunzigern gewesen sein, in einer Bar in Glasgow, mit einem Jungspund vom *M8* oder den *Tennents Live! News*, den angesagten schottischen Musikblättern jener Zeit. Anlässlich des zum Scheitern verurteilten Versuchs, sein letztes, auf einem Indie-Label veröffentlichtes Solo-Album unter die Leute zu bringen.

»Er war in Ordnung«, sagte Craig und lachte übertrieben bescheiden. »Tut mir leid, Vanessa, aber ich bin etwas aus der Übung. Ist 'ne Weile her, dass ich ein Diktiergerät vor mir hatte. Gott, das ist nicht mal mehr ein Diktiergerät. Ein iPhone also. Auch egal.«

Vanessa lachte auch. »Wie hast du ihn kennengelernt? Ich meine, wie seid ihr euch begegnet?«, fragte sie und goss ihm Wein nach. Sie hatten schon eine halbe Flasche zur Vorspeise getrunken, um ihn etwas aufzulockern. Craig starrte durch das Buntglasfenster auf die Straßen von Soho.

Noch vor ein paar Monaten hatte er dort einen ziemlich guten Schlafplatz gefunden. Gleich neben dem Guinness-Pub am Soho Square führte ein aufgesperrtes Tor zum Kellereingang eines leeren Büros. Dort hatte er ein paar ungestörte Nächte verbracht, bevor so ein Haufen beschissener Junkies aufgekreuzt war, um dort Crack zu rauchen. Und nun saß er hier und trank zehn Pfund teuren Weißwein, umgeben von lauter Arschlöchern. »Keine Ahnung. Er hing ständig mit uns rum, schon seit ich dreizehn oder vierzehn war.« Plötzlich fiel ihm etwas ein. Er erinnerte sich an das beschissene Armband. »Ja genau, in dem Alter waren wir alle auf dem Punk-Trip. Eines Tages kam er an und trug dieses Crass-Armband. Sah total kacke aus. Kennst du Crass?«

Vanessa schüttelte den Kopf.

»So 'ne durchgeknallte Anarcho-Punkband. Egal. Alan ist jedenfalls mit diesem total bescheuerten, selbst gebastelten Crass-Armband aufgetaucht. Ich glaube, seine Grandma hatte es für ihn gemacht. Ein paar der Jungs haben sich tierisch über ihn lustig gemacht, und er ist heulend nach Hause gegangen. Er war eher so'n kleiner Möchtegern.« Craig lachte, als er das Wort zum ersten Mal seit wer weiß wie vielen Jahren aussprach.

»Ein Möchtegern?«

»Du weißt schon: ein Plastikpunk.«

»Was soll das sein?«

»Na halt einer, der versucht mitzuziehen, aber dabei so'n bisschen am Ziel vorbeischießt, verstehst du?«

»So eine Art Trittbrettfahrer?«

»So ähnlich. Nur halt immer ein bisschen falsch angezogen und so. Damals jedenfalls fing er an, mit uns abzuhängen. Kam mit auf Konzerte und so. UK Subs im Ayr Pavilion, SLF in der Killie Town Hall, Anti-Pasti im Tiffany's.« Für Vanessa waren das alles böhmische Dörfer. Craig hätte ebenso gut Swahili sprechen können. »So gegen 1982, glaub ich, als wir dann alle Bands gegründet haben, hat er sich einen Bass gekauft – das Instrument, das kein Schwanz spielen will, verstehst du? Er wollte immer bei uns mitmachen, also hab ich mir irgendwann gedacht: *Scheiß drauf.* Und dann war er 'ne Weile bei mir in der Band.«

»Hatte er denn was drauf?«

Ihre Hauptgerichte wurden serviert: Mince & Tatties für Craig, Caesar Salad für Vanessa.

»Scheiße, nein. Er war 'ne absolute Null. Aber Alan war immer … organisiert. Wirklich gut organisiert. Manchmal braucht man so jemanden, weißt du? Aber letzten Endes konnte er einfach nicht wirklich spielen, was für 'ne Weile in Ordnung geht. Aber wenn es dann ernst wird …«

»War er überrascht damals, Anfang der Neunziger, als ihr es geschafft hattet? Mit der Band?«

»Woher soll ich das wissen? Da musst du ihn schon selber fragen.«

»Glaubst du, er war verbittert?«

»Verbittert? Das war nicht wie bei Pete Best. Wir haben ihn schließlich nicht rausgeschmissen, kurz bevor es richtig abging. Er war höchstens ein Jahr oder so in der Band, als wir sechzehn oder siebzehn waren, so Mitte der Achtziger. Zu der Zeit sind wir alle auf die Pastels, The Jesus and Mary Chain und das ganze Creation-Zeug abgefahren.« Wieder: böhmische Dörfer. »›Geschafft‹ – was immer das heißen soll – haben wir's erst Jahre später. Also nein, ich glaube, er hat sich einfach nur für uns gefreut. Das hat er zumindest gesagt. Aber wirklich wissen kann man so was nie.«

»Wie meinst du das?«

»Na ja, weißt du, schon Morrissey hat damals gesungen: ›We hate it when our friends become successful.‹«

Vanessa lachte. »Und wie ging es dir später mit ihm?«

»Wie meinst du das?«

»Als er Erfolg hatte.«

»Ach, das hab ich größtenteils gar nicht mitgekriegt. Da hatte ich ganz andere Sachen um die Ohren.« Über Craigs Abstieg in die Armut und den Alkoholismus am Anfang des Jahrtausends hatten sie bereits zu Beginn des Interviews gesprochen.

»Und wie sieht es jetzt aus? Wie stehst du heute dazu?«

»Was soll ich sagen? Er war mir eine verdammt große Hilfe.«

»Das ist aber nicht das, wonach ich gefragt habe, oder?«

Craig erwiderte Vanessas forschenden Blick. Nach kurzem Schweigen antwortete er: »Ist doch klar, dass ich mich für ihn freue. Er hat's wirklich zu was gebracht.«

»Prima. So, ich drücke mal eben auf Pause«, sagte Vanessa und griff nach dem iPhone. »Ich muss nur kurz für kleine Mädchen.«

Auf der Toilette überprüfte Vanessa ihr Make-up und wusch sich die Hände. Häufig wurde über den Tenor und die Stoßrichtung eines Artikels bereits entschieden, bevor er überhaupt geschrieben war. Wenn man zum Beispiel für Condé-Nast-Blätter schrieb, konnte sich der Befragte noch so abscheulich verhalten – der Interviewer würde trotzdem niemals nachtreten. Denn in solchen Lifestyle-Magazinen galt generell: »Sind wir nicht alle klasse? Ist das nicht toll hier? Wie schön doch alles ist, hier habt ihr ein paar schicke Anzeigen für Luxus-Uhren.« Selbst wenn der Interviewte versucht hätte, den Fragesteller zu vergewaltigen, wäre dies in solchen Magazinen nur in einem Nebensatz – womöglich sogar mit einer beschwichtigenden Beschreibung wie »überschäumendes Temperament« – erwähnt worden. Vanessas Artikel war für den Familienteil der *Sunday Times* bestimmt. Sie hatte ihrem Redakteur eine lebensbejahende Story versprochen, in der alte Freundschaftsbande über die Widrigkeiten des Lebens triumphieren und der Protagonist schwere Zeiten durchsteht, die Freundschaft aber letztendlich obsiegt. Weil es unangemessen war, würde sie deshalb nicht über das schreiben, was sie glaubte, gerade gesehen zu haben: die zusammengebissenen Zähne, diese gewisse Härte in Craigs Augen und der gepresste Ton in seiner Stimme, als er ihrem Blick begegnete und sagte: »Ist doch klar, dass ich mich für ihn freue. Er hat's wirklich zu was gebracht.« *Nein,* dachte Vanessa, *was immer da gerade passiert ist, ich behalte das besser für mich.*

Ihr Bedauern dürfte für jeden freien Journalisten, der seine Artikel regelmäßig kunstvoll so formuliert, dass sie möglichst vielen verschiedenen Publikationen gerecht werden, ein vertrautes Gefühl gewesen sein. Es entsprang der traurigen Erkenntnis, dass sich hinter ihrer Geschichte über die lebensbejahenden Kräfte der Freundschaft eine weitere, völlig andere und noch dazu sehr viel bessere

Story verbarg. Eine Story über die seltsamen Strömungen und dunklen Untiefen, die unter der Oberfläche so mancher lebenslangen Freundschaft lauern. Insbesondere solcher Freundschaften, bei denen sich das Blatt auf dramatische Weise gewendet hat. O ja, darüber ließe sich zweifellos so einiges schreiben …

25

Am Bahnhof von Inverness wartete ein Wagen auf Alan. Die Fahrt zu seinem Hotel nahe Grantown-on-Spey führte ihn am Loch Moy vorbei und dauerte eine Stunde.

Sie fuhren durch ein Tal, an dessen Flanken sich hoch über ihnen die grauen Felsen der Highland-Berge erhoben, kleine Wasserfälle stürzten die Klippen hinab, Nebelschwaden verbargen die Gipfel. Die Schönheit dieses Teils von Schottland begeisterte Alan immer wieder, auch wenn er Schwierigkeiten damit hatte, die Landschaft vor seinen Augen mit dem Wort »Heimat« zu verbinden. Fasziniert beobachtete er, wie die Sonne die Felsen zwischen zwei Berggipfeln spaltete. Ein Anblick, der mit der Betonwüste, in der Craig und er aufgewachsen waren, in etwa so viel gemein hatte wie ein Rembrandt in einem goldenen Rahmen mit dem Foto einer Tennisspielerin, die sich am Arsch kratzt. Er seufzte zufrieden und war kurz davor, das verbliebene Körnchen Sorge über die Nachrichten von gestern Abend unter einen Teppich in seinem Kopf zu fegen. Eine Steuerprüfung, na und? Er hatte schließlich nichts Illegales getan. Natürlich hatte er gelegentlich versucht, ein paar Steuern zu vermeiden, aber stets im Rahmen des Gesetzes, und nichts davon grenzte auch nur annähernd an Steuerhinterziehung. Wie immer, wenn man gerade seinen Frieden gemacht hatte, rief irgendein Mistkerl an und musste unbedingt alles kaputt machen.

Er schaute auf das Display seines Smartphones: »PANDORA MOBIL.« Vermutlich wollte sie ihm bloß unter die Nase reiben, wie großartig es war, im Privatflugzeug zu reisen.

»Pands«, sagte er. »Wie läuft's bei dir? Wie ist das Hotel? Ich brauche noch …«

»Hallo, Alan.« Er wusste sofort, dass etwas nicht in Ordnung war. »Wir sind noch nicht da. Sitzt du gerade?«

»O Gott …«

»Es geht um Andy Jacks.«

»Was zum Teufel ist passiert?«

Passiert war Folgendes:

Wie verabredet, war Pandora um sechs Uhr an der Rezeption des Groucho Club erschienen, um Andy abzuholen, der im Anschluss an eine Reihe von Promo-Interviews für sein neues Buch dort übernachtet hatte. Der Plan sah vor, dass die beiden in die wartende Limousine stiegen und zu dem eineinhalb Fahrstunden entfernten, privaten Flugfeld in Essex gebracht wurden. Von dort aus sollte Andy sie mit der Cessna eines Freundes – des Pink-Floyd-Drummers Nick Mason – nach Inverness fliegen, wo sie dann gegen zehn Uhr landen würden. So weit, so simpel.

Eine erste üble Vorahnung ereilte Pandora bereits, als der Rezeptionist des Clubs Andy telefonisch nicht erreichen konnte. Sie überredete den Mann am Empfang, sie hinaufgehen und klopfen zu lassen. Noch konnte sie Witze darüber machen, dass diese verdammten Rockstars nicht eben dafür bekannt waren, besonders früh aufzustehen. Sie nahm den kleinen Fahrstuhl in den ersten Stock und ging über den schmalen Flur zu Andys Zimmer. Als sie hinter der Tür laut und deutlich Musik hörte, klangen Pandoras Befürchtungen ein wenig ab. Immerhin war er wach. Wahrscheinlich hatte er wegen der Musik das Telefon nicht gehört. Sie klopfte bestimmt und vernehmlich, worauf sich nach wenigen Sekunden die Tür öffnete und Pandoras Befürchtungen auf der Stelle durch die Decke katapultiert wurden.

Andy stand nackt bis auf seine Boxershorts vor ihr, ein volles Glas in der Hand und eine Zigarette im Mund. Die Luft im Zimmer war so verqualmt, als hätte jemand die Tür zu einem Dampfbad geöffnet. Von drinnen plärrte ihr Discomusik entgegen. »Zimmerservice?«, fragte Andy überaus freundlich.

»Nein, Andy. Ich bin's, Pandora, von Food Quarterly? Die …?«

»Komm rein, na los, komm schon rein!«

Pandora hatte zögernd das kleine Zimmer betreten. Die Vorhänge waren zugezogen und sperrten das schwache Licht des über der Dean Street anbrechenden Tages aus. Andy trat zurück, um sie einzulassen, stolperte dabei über einen kleinen Hocker und stürzte zu Boden. Sein Glas flog quer durchs Zimmer. »Hi …«, sagte Pandora – nun leicht panisch – zu den drei Gestalten im Bett. Die beiden Mädchen starrten sie bloß an, während ein dünner Kerl, der etwas von einem Eichhörnchen hatte, lediglich »Alles klar, Schätzchen?« murmelte, ohne dabei von dem riesigen Berg Kokain aufzublicken, den er gerade auf einem von der Wand gerissenen Bild in mehrere Lines aufteilte. Bei genauerer Betrachtung waren alle glatten Flächen in dem Zimmer – die Fernsehkonsole, die Nachttische, der Couchtisch – mit einer dünnen Schicht aus weißem Pulver bedeckt. Es sah aus wie ein Tatort, an dem jemand Fingerabdrücke nehmen wollte. Jede freie Fläche, die nicht mit weißem Pulver bedeckt war, war übersät mit Gläsern oder Flaschen: halb oder ganz ausgetrunkene Bier-, Wein-, Champagner-, Whisky- und Wodkaflaschen.

Andy hatte eindeutig einen »Rückfall« erlitten.

Lachend kam er wieder auf die Beine. »Hab meinen blöden Drink verschüttet. Pandora, kann ich dir was anbieten? Wodka und Tonic?« Das Angebot erfolgte so charmant und liebenswürdig, als hätte er ihr nachmittags um vier Tee und Kekse angeboten. Nur dass es halb sieben am Morgen war.

»Du, Andy«, sagte Pandora so behutsam, als würde sie mit einem Verrückten sprechen, mit Colonel Kurtz in dessen Dschungelhöhle, »wir wollen nach Schottland. Weißt du noch? Für den Artikel?«

»Was? Welchen Artikel?«

Gottverdammt.

Eins der Mädchen stieg aus dem Bett, wankte durchs Zimmer, stieß dabei ein paar Gläser zu Boden, torkelte ins Bad und kotzte lautstark in die Toilette. Der Typ mit dem Koks lachte und rief: »Tara, du Schlappschwanz.«

Andy, weiterhin ein Vorbild an gutem Benehmen, schloss mit einem verlegenen Grinsen die Tür.

»Du wolltest uns dorthin fliegen?«, sagte Pandora fragend. »Mit dem Flugzeug eines Freundes?«

»Ist das … haben wir …« In Andys Augen flackerte etwas auf. »Fuck, ich dachte, das wäre *nächste* Woche.«

»Aber …«

»Hier«, sagte der Typ auf dem Bett, als er Andy den Spiegel und einen zusammengerollten Geldschein reichte. Dieser nahm beides entgegen, beugte sich vor und schniefte gekonnt eine Line. Dann bot er den Spiegel Pandora an.

»Nicht für mich, danke«, lehnte sie ab.

»Ich bin mir ehrlich gesagt nicht ganz sicher, ob ich heute fliegen sollte«, lallte Andy. *Ach was,* dachte Pandora. Sie bezweifelte, dass man ihn in diesem Zustand überhaupt auf einen Flugplatz lassen würde, geschweige denn ins Cockpit eines Flugzeugs. »Tja, weißt du, gestern Abend hat sich spontan 'ne kleine Feier ergeben. War schon lang nicht mehr in der Stadt und bin um die Häuser gezogen. Also – wie sieht Plan B aus?«

Während Alan Pandoras Bericht verdaute, presste er die zitternde Hand gegen die Stirn. »Was für eine Scheiße! Wo steckst du jetzt?«

»Auf der M4. Der Limo-Service bringt uns nach Heathrow. Ich hab uns noch auf den Elf-Uhr-Flug von British Airways nach Inverness buchen können. Andy liegt auf der Rückbank und schläft tief und fest. Er hat eine Handvoll Valium genommen und ist eingepennt, kaum dass er im Wagen saß.«

»Fuck! Die Jagd ist für heute Nachmittag geplant. Er muss unbedingt einen verdammten Fasan oder ein Kaninchen abknallen.«

»Alan, ich kann gar nicht genug betonen, was für eine schlechte Idee es wäre, einem Mann in Andys Zustand eine Schusswaffe in die Hand zu geben.«

»Vielleicht können wir's ja so drehen, dass einer der anderen das Schießen übernimmt, und er macht stattdessen die Angel- oder Veggie-Nummer. Fuck! FUCK! Wie spät wird es bei euch?«

»Wir sollten so um halb zwei am Hotel sein.«

»Alles klar. Ich erzähl den anderen irgendeinen Scheiß. Wir müssen etwas später starten als geplant. Sag mir Bescheid, wie es ihm geht, wenn er aufwacht. Fuck! Entschuldige, Pandora.«

»Kein Ding, Alan … Rock 'n' Roll!«

Er legte auf. *Arbeite niemals mit Kindern, Tieren oder Rockstars, die im Grunde eine Kombination der beiden Erstgenannten darstellen.*

Der Wagen hielt vor dem Hotel, einem viktorianischen Fünf-Sterne-Schlösschen aus hellem Sandstein, das inmitten ausgedehnter Ländereien lag. Als Alan ausstieg, sah er Archie, den Fotografen, und Danny, einen der Online-Fuzzis, der für die Website filmen würde. Die beiden standen rauchend auf der vorderen Terrasse und unterhielten sich mit einem älteren Herrn mit Tweed-Anzug und Sherlock-Holmes-Mütze.

»Wie geht's dir?«, rief Archie, als Alan die Stufen heraufkam. »Was für ein Plätzchen! Sensationell!« Mit einer exaltierten Handbewegung deutete er auf die Umgebung. Der Mann in Tweed musterte Archie skeptisch, während Alan abzuschätzen versuchte, wie weit der Zeiger auf der persönlichen Schwulenskala des Fotografen gerade ausschlug: Augenblicklich tippte er auf eine Sechs. Zwei Drinks, und er würde erzählen, wie er letztes Jahr auf einer Party im Beverly Hilton einem von DiCaprios Assistenten erlaubt hatte, ihm einen zu blasen.

»Hi, Archie. Allerdings. Dein erstes Mal in den Highlands?«

»Nicht doch, Süßer. Ich war vor zehn Jahren schon mal hier. Ein Shooting mit Kate. Kann mich selbstverständlich an nichts mehr erinnern. Schau mal«, sagte er und legte den Arm um den Tweed-Heini. »Das hier ist Fintan, unser

Wildhüter! Ist er nicht anbetungswürdig?« Archie klatschte in die Hände, als würde er einen süßen kleinen Welpen auf einer Hundeshow vorführen. Fintan, dem Wildhüter, stieg die Schamesröte ins Gesicht, als er mit niedergeschlagenen Augen auf Alan zutrat.

»Hallo, Fintan. Freut mich«, sagte Alan und reichte dem Mann die Hand. »Ich bin Alan, der Redakteur.«

»Ayeschöntachauchunschönsekennzulern.« Die Worte wurden so schnell ausgespuckt, dass sogar Alan Schwierigkeiten hatte, das Ganze als »Aye, schönen Tag auch, und schön, Sie kennenzulernen« zu entschlüsseln.

»Bear spricht in den höchsten Tönen von Ihnen«, sagte Alan.

»Achderhattochvontutenunblasenkeineahnung.«

»Miles ist in der Bar, und Fergus macht ein Nickerchen«, erklärte Archie. »Ich nehme an, du stehst mit Pandora in Kontakt?«

»Ja. Die beiden haben ein wenig Verspätung. So eine Überraschung aber auch!«

Archie verdrehte die Augen.

»Also gut«, sagte Alan und klatschte in die Hände, um deutlich zu machen, dass er nun das Ruder übernehmen würde. »Ich sage kurz den anderen Hallo, dann können wir zu Mittag essen und alles besprechen ...«

Miles Warren war tatsächlich in der Bar. »Hi, Alan«, sagte er, während er sich eine Tasse Tee einschenkte. Grünen Tee, wie Alan bemerkte.

»Miles ... schön, dich wiederzusehen. Tausend Dank, dass du dabei bist.«

»Keine Ursache. Aber sag mir doch bitte eins: Was machen wir heute eigentlich genau?«

Oha.

»Es gibt eine kleine Planänderung. Ich glaube, du solltest eigentlich Lachse fischen, aber was hältst du stattdessen von jagen?«

»Du meinst schießen?«

»Genau, wie wär's mit ein paar Kaninchen?«

»Von mir aus gern, aber was glaubst du, wann wir hier fertig sind?«

»Na ja, sieht ganz so aus, als würde es etwas später werden.«

»Andy?«

»Leider. Ich fürchte, da gibt's eine kleine Verzögerung.«

»Schon gehört. Ich würde nur wirklich gerne heute Abend wieder in London sein.«

»Tatsächlich? Ich dachte, du machst hier oben Urlaub?«

»Das Wetter war saumäßig. Jane ist mit den Kindern gestern wieder nach Hause gefahren.«

»So wie es momentan aussieht, werden wir wohl nicht fertig, bevor es dunkel ist. Und das passiert hier um wie viel Uhr? So um acht? Ich hab mir gedacht, wir würden noch alle gemeinsam zu Abend essen und ein bisschen was trinken.«

»Tut mir leid, aber ich trinke gerade keinen Alkohol …« Als wollte er damit das Gesagte unterstreichen, goss sich Miles grünen Tee nach.

»Ach wirklich? Gut. Ich sage Pandora, sie soll dir für heute Abend einen Flug ab Inverness buchen.«

»Danke. Muss ich eigentlich wirklich diesen albernen Tweed-Anzug tragen, den mir jemand ins Zimmer gelegt hat?«

»Das ist Teil des Konzepts. Schottischer Wildhüter-Look, so was in der Art.«

»O Gott.«

»Hast du Hunger? Ich dachte, ich bestell uns mal was zu essen. Die anderen sollten bald hier sein, und dann können wir den Ablaufplan besprechen. Ich hab gehört, hier im Haus gibt es exzellente Wildgerichte.«

»Bin im Moment leider auf Diät.«

Herr im Himmel! Das kann ja heiter werden, dachte Alan.

»Tag zusammen!« Erfrischt von seinem Mittagsschläfchen, betrat Fergus Marks den Raum. Er umarmte erst Alan, dann Miles. Man kannte sich. Regelmäßig liefen sie sich in Talkshows, auf Partys, in Green Rooms oder sonst wo über den Weg. »Wo ist denn Bear abgeblieben?«, fragte Fergus.

»Bergwandern mit Obama. Mal wieder.«

»Dieser Arsch«, sagte Miles, wobei unklar blieb, ob er damit Bear Grylls oder den ehemaligen US-Präsidenten meinte.

Sie bestellten Sandwiches, Suppe und was die Karte sonst noch so hergab. Archie kam dazu und machte ein paar Schnappschüsse von ihnen, bis schließlich Pandora hereinkam – einen betreten grinsenden Andy Jacks im Schlepptau. »Tut mir leid, dass wir zu spät sind!«, entschuldigte sich Andy. »Alles meine Schuld.«

Alans erster Gedanke war, wie außerordentlich gut der Mann aussah. Nach jener schändlichen Nacht, in der er selbst (wenn er Pandoras Bericht glauben konnte) höchstens ein Viertel von dem konsumiert hatte, was Andy noch vor ein paar Stunden durch die Nasenlöcher gerauscht war, hatte Alan geschlagene achtundvierzig Stunden in Embryo-Haltung verharrt. Andy dagegen schüttelte lachend Hände, umarmte Fergus und Miles, bestellte eine

Bloody Mary und war das blühende Leben in Person. Alan zog Pandora zur Seite. »Verdammt, Pan. Ich hab 'ne lebende Leiche erwartet.«

»Unglaublich, oder? Es war völlig irre. Er hat sich das Valium reingeknallt, die ganze Fahrt bis Heathrow durchgeschlafen, ist wie ein Schlafwandler durch die Sicherheitskontrolle marschiert, hat uns beide in die Concorde-Lounge geschleust, dort weitergeschlafen, bis wir an Bord gingen, und auch noch den gesamten Flug hindurch und dann die komplette Autofahrt hierher tief und fest gepennt. Ich schätze, er hat jetzt seine sieben Stunden Schlaf zusammen. Ihm geht es bestens.«

»Verdammt. Ich würde aus dem letzten Loch pfeifen.«

»Ich kann's auch kaum glauben.«

Alan blickte auf seine Uhr. Es war kurz nach eins. Sie hätten schon vor Stunden aufbrechen sollen. »Also gut, Leute«, sagte er, ging wieder zu den anderen und setzte sich auf einen Stuhl. »Das ist der Plan ...«

Der Plan war folgender: Sie würden mit dem Land Rover ans Ufer des Loch Moy chauffiert. Dort würde der Wildhüter Fergus zum Fliegenfischen in einem der besten Lachs-Reviere absetzen. Miles würden sie noch ein Stück weiter das Ufer hinaufbringen, wo er auf Kaninchenjagd gehen sollte, während Andy von April, der Kräuterfrau, tief in den Wald geführt würde, um dort Pilze, Sauerampfer, essbare Blumen und Ähnliches zu sammeln. »Na gut«, kommentierte Andy sein Schicksal mit breitem Grinsen, »ich hab's wohl auch nicht anders verdient.« Archies Assistent würde Fotos von Miles machen, wie der die Schrotflinte abfeuerte, und ein paar von Andy beim Kräutersammeln, während Archie selbst die meiste

Zeit bei Fergus bleiben sollte, da sie Momentaufnahmen von ihm brauchten, wie er eigenhändig einen Lachs an Land zog.

Aber auch für den Notfall war vorgesorgt. Sollte einer der Promi-Waldläufer mit leeren Händen zurückkehren, lagen im Land Rover ein paar Kaninchen und ein ganzer Lachs (alle noch am selben Morgen von Fintan gefangen) auf Eis. Auch April hatte schon einen Korb voller Pilze und Kräuter gesammelt, falls der Wald seine Geheimnisse nicht preisgeben wollte. Tomas, der Koch des Hotels, hatte eine Reihe von Rezepten vorbereitet, mit denen er – je nachdem, wie die Ausbeute des Tages ausfallen würde – für alle Eventualitäten gerüstet war. Immerhin war es ja möglich, dass er am Ende auf Forelle statt Lachs und Ringeltaube statt Kaninchen zurückgreifen musste. Er hatte einen Gaskocher, Töpfe, Pfannen, Besteck und Gewürze in den zweiten Land Rover gepackt. Dort fand sich auch eine ziemlich beeindruckende Auswahl an Weinen. Wenn alles gut lief, würden sie heute Abend kurz vor der Dämmerung am Ufer des Loch Moy sitzen, kochen und essen. Archie würde ein paar Fotos machen, während die Sonne unterging, und die beiden Online-Kids, die in einem günstigen Bed & Breakfast unweit des Hotels untergebracht waren, würden alles filmen.

Nachdem Andy eine zweite Bloody Mary getrunken, Fergus ein dringendes Telefonat mit New York beendet und Miles in zähen Verhandlungen durchgesetzt hatte, nur das Tweed-Jackett zur Jeans tragen zu müssen, stiegen sie mit Sack und Pack in die Fahrzeuge, um zum Loch Moy aufzubrechen. Die Stimmung hatte zu diesem Zeitpunkt unbestreitbar etwas von einem Schulausflug.

26

Am späten Nachmittag, der Himmel über London färbte sich bleigrau, verließ Craig das Dean Street Townhouse, schlenderte noch ein klein wenig unschlüssig über die Straße und bog dann nach links in die Old Compton Street ab. Nachdem das Interview zu Ende und die zweite Flasche Wein geleert gewesen war, hatte er Vanessa im Gespräch mit Freunden an der Bar zurückgelassen. Keine Frage, die Frau war trinkfest.

Mehr oder weniger unbewusst schlug er den Weg zur Denmark Street ein, dem Londoner Mekka der Gitarrenläden. In seiner Zeit als Obdachloser war er so oft hier gewesen, dass es sich seltsam, fast schon verstörend anfühlte, nun tatsächlich die Möglichkeit zu haben, hier etwas zu kaufen. Craig hatte zwar noch keine Kreditkarte, aber zum ersten Mal seit über zehn Jahren besaß er eine EC-Karte. Auf seinem Konto befanden sich knapp dreißigtausend Pfund: das Geld, das übrig geblieben war, nachdem er seinen Anwalt bezahlt und Alan das kurzfristige Darlehen zurückgezahlt hatte. Er zog sein Handy – Katies altes Handy – aus der Tasche und rief Katie an.

»Hi, Craig«, sagte sie. »Wie lief es mit Vanessa?«

»Prima. Sie ist großartig. War natürlich schon ein bisschen komisch, nach so vielen Jahren wieder ein Interview zu geben. Hör mal, Katie, ich komme heute Abend nicht nach Hause. Muss mir später noch Wohnungen ansehen und dann gleich morgen früh noch ein paar. Also dachte ich mir, dass ich einen Spaziergang nach Bloomsbury mache und mir für die Nacht ein kleines Hotel suche. In Ordnung?«

»Na klar.«

»Ich wollte dir nur Bescheid sagen, falls du vorhast, was zu kochen.«

»Kein Problem.«

»Hast du was von unserem Freund in Schottland gehört?«

»Nur eine kurze SMS. Offenbar gab's ein paar Probleme, weil Andy Jacks zu spät war.«

»Oha. Wer auch sonst? Na gut. Schätze, wir sehen uns dann morgen Nachmittag. Tschüss.«

»Tschüss.«

Craig bummelte die Denmark Street entlang und betrachtete die Auslagen in den Schaufenstern. Gitarrenläden und ihre Schätze – der Stoff, aus dem die Träume sind. Ja, es war definitiv ein sonderbares Gefühl zu wissen, dass er durch eine dieser Türen gehen und sich so ziemlich alles leisten konnte, was da drinnen an der Wand hing. Auf Toms Telecaster-Kopie zu spielen, hatte ihm großen Spaß gemacht. Es war lange her, dass er zuletzt eine Gitarre in der Hand gehalten hatte. Dieses Gefühl, das körperliche Empfinden beim Spielen einer elektrischen Gitarre – das war unvergleichlich. Nichts anderes vermittelte einem dieses Feeling. Ihm war gar nicht bewusst gewesen, dass er es vermisst hatte, bis er wieder eine E-Gitarre in der Hand hielt. So wie einem erst klar war, dass man Urlaub in den Tropen vermisst hatte, wenn man wieder hinfuhr.

Von der Denmark Street führte ihn sein Weg erst nach Norden über die Tottenham Court Road und dann rechts ab zum Tavistock Square. Das Tavistock Hotel war eines dieser alten, ein wenig heruntergekommenen Londoner Hotels, die vor allem bei preisbewussten Touristen beliebt sind. Er hielt einen kurzen Plausch mit dem Mädchen an der Rezeption. Ja, sie hätten noch Zimmer für die Nacht, sagte sie. Es wären zwar nur noch Doppelzimmer frei, aber sie könnte ihm eins zum Einzelzimmerpreis von 83 Pfund ohne Frühstück geben. Das ginge in Ordnung.

Wenige Minuten später stellte er seinen Rucksack, der frische Socken, ein T-Shirt, sein Tagebuch und seinen neuen Laptop enthielt, auf einem der Betten ab und legte sich dann auf das andere. Es war ruhig. Es war schön.

Es schien eine Ewigkeit her, dass er zuletzt ganz für sich alleine gewesen war. Er brauchte Zeit zum Nachdenken. Zum Planen. Er blätterte durch seine Aufzeichnungen und sah sich auf dem Laptop die Internetseiten an, die er mit Lesezeichen markiert hatte.

27

»Scheiße noch mal, ist das kompliziert«, schimpfte Fergus Marks.

Er schwang die lange, dünne Fliegenrute über dem Kopf und versuchte die Leine möglichst weit auf das dunkle, wirbelnde Wasser hinauszuwerfen. Ganz so, wie Fintan es ihm zuvor demonstriert hatte. (»Immerschönaussemhandgelenkjunge.«) Fergus trug eine olivgrüne Anglerhose und stand bis zu den Hüften im Fluss. Archie hockte auf einem Felsen und knipste drauflos. »Sieht super aus, Darling«, sagte er alle paar Sekunden. Flussabwärts ertönte zweimal hintereinander ein kurzer, scharfer Knall – *krack-krack* –, als Miles auf herumhüpfende Kaninchen ballerte. Andy war irgendwo tief im Wald. Alan saß auf einem Stein am Flussufer und zog Fergus hin und wieder ein paar Informationen für die Story aus der Nase. »Ja, wir essen viel Fisch … wenn du in L. A. wohnst, kriegst du an Lebensmitteln eigentlich alles. Es gibt nichts, was du dort nicht bekommst … ich koche für mein Leben gern … allerdings hab ich nicht sonderlich viel Erfahrung damit, mein Essen selber zu erlegen …«

Auf der Lichtung hinter Alan, vor der pittoresken Kulisse aus Fluss und heidebewachsener Moorlandschaft, hatte Tomas, der Küchenchef, ein Feuer entzündet und seinen tragbaren Gasherd aufgestellt. »Ich bin in Buckinghamshire aufgewachsen«, erzählte Fergus. »Weiter weg von der Küste geht's eigentlich nicht.«

Alan blinzelte nervös in den Himmel. Sie hatten nur noch wenige Stunden Tageslicht, um das Abendessen zu fangen, auszunehmen, zu kochen und zu verzehren. Und dabei alles möglichst ansprechend zu fotografieren. »Zu Tisch!«, schallte es plötzlich vom Waldrand herüber, als Andy und April aus dem Unterholz traten. Andy schwenkte ein Weidenkörbchen. »Na ja, sagen wir's mal lieber so: Wir werden zumindest nicht verhungern. Schon was gefangen, Fergus?«

»Nicht mal 'nen ausgelatschten Schuh!«

Alan und Archie inspizierten den Inhalt des Korbs: reichlich Pilze, wilder Knoblauch, Sauerampfer, wilder Thymian und Rosmarin sowie ein paar bläuliche Blumen, die Alan nicht zuordnen konnte. Völlig erschöpft ließ sich Andy zu Boden plumpsen und wischte sich den Schweiß von der Stirn.

»Gut gemacht«, sagte Alan. »Was meinst du, Tomas?«

»Das reicht für ein kleines Pilz-Stroganoff mit Kräutern als Beilage. Vielleicht können wir es sogar zum Hauptgericht aufblasen, wenn wir müssen …«, antwortete der Koch mit einem Seitenblick auf den immer noch glücklosen Fergus am Flussufer.

»Das hab ich gehört«, erwiderte dieser und warf erneut die Angel aus. Einer der beiden Online-Kids filmte ihn vom anderen Ufer.

»Sieh mal an«, sagte Andy. Er hatte die Kühltasche voller Wein entdeckt und wühlte bereits darin herum. »Ich finde, als Einziger, der bisher tatsächlich was zu essen besorgt hat, hab ich mir das verdient …«

Ach, was soll's, dachte Alan. Es war ja schon nach fünf. »Nur zu, Andy, schenk uns allen was ein.«

»Oh, Chablis«, freute sich Andy.

»Der muss wirklich zum Lachs getrunken werden«, sagte Tomas.

»Was denn fürn Lachs?«, feixte Andy.

»Sehr komisch! Hah ...«, wollte Fergus gerade erwidern. Doch bevor er das zweite »Ha« beenden konnte, rutschte ihm ein erschrockenes »Heilige ... SCHEISSE!« heraus, und plötzlich begann die Angelrute in seinen Händen zu zucken. »Ich hab ... holt sofort diesen Waldschrat, diesen ... wieheißternoch?«

Kaum dass sie sich nach Fergus umdrehten, sprang auch schon ein riesiger Fisch aus dem Wasser und stürzte mit lautem Klatschen zurück in den Fluss.

»FUCK!«, schrie Archie, schnappte sich seine Kamera und rannte zum Ufer.

»Du da, film weiter, und du da hinten, du läufst los und holst Fintan!«, rief Alan den Online-Kids am anderen Ufer zu, bevor er sich wieder Fergus widmete. »Ganz ruhig, zieh nicht zu fest, gib ein bisschen Leine«, forderte er ihn auf.

»Gottverdammt«, zeterte Fergus. Archie war jetzt bei ihm und fotografierte wie ein Wilder. Der Ausdruck auf Fergus' Gesicht war pures Adrenalin, pure Aufregung. *O ja, das ist Gold wert,* dachte Alan. Der Fisch durchbrach abermals die Wasseroberfläche, um dann sofort wieder abzutauchen. Alan konnte seinen milchig-weißen Bauch sehen. Er war *groß*. Andy kraxelte auf den Felsen hinter Archie, wo er abwechselnd fluchte, Fergus anfeuerte und Chablis aus der Flasche soff. Die Kurbel der Angel surrte, als Fergus die Leine laufen ließ.

»Pass auf, dass du genug Leine hast!«, rief Andy.
»Hol ihn wieder ein bisschen ein!«, forderte Alan.
»LECKT MICH!«, brüllte Fergus.

Schritte näherten sich, und als sie aufblickten, sahen sie, wie Fintan mit einem für sein hohes Alter geradezu halsbrecherischen Tempo auf die Lichtung stürmte. Miles folgte ihm auf dem Fuß, völlig außer Atem, in der einen Hand die Schrotflinte, in der anderen zwei tote Kaninchen, die er fachmännisch an den Ohren hielt.

»Miles!«, rief Alan. »Jeder Schuss ein Treffer!«

Miles hob als Antwort bloß die Hand, er war zu erschöpft, um zu sprechen. Fintan hatte sich bereits den Kescher geschnappt und watete ungeachtet des Umstandes, dass er keine Anglerstiefel trug, in den Fluss. Das Wasser stand ihm bis zur Hüfte, als er Fergus dabei half, etwas Spannung von der Rute zu nehmen. »Hierjungemachzu!«, sagte er und schloss den Schnurfangbügel.

»Scheiße, ist der stark«, sagte Fergus.

»Ayesiehtsoausalswärsnhübscheskleinesbürschchen«, nuschelte Fintan.

»Kleines Bürschchen?«, fragte Fergus.

Mit dem prüfenden Blick eines geübten Lachsanglers starrte Fintan ins Wasser. »Ayesoandievierbisfünfkilowürdichsagen.«

»Fünf Kilo?«, sagte Fergus. »Was war der größte, den Sie gefangen haben?«

»Vleichtsozwölfbisfünfzehnkilo.«

»Alter Schwede.«

»Vorsichtjungchensonstwird ...«

Erneut sprang der Fisch ganz aus dem Wasser, diesmal vielleicht einen Meter hoch. Glitzernde Wassertropfen flogen durch die Luft, als er den Kopf wild hin und her schüttelte und versuchte, in einem letzten verzweifelten Kampf um seine Freiheit den Haken in seinem Kiefer loszuwerden.

Alle – Andy, Miles, Fergus, Alan, Tomas, Pandora, die Online-Jungs – schauten mit offenem Mund zu, wie der Fisch zurück ins Wasser stürzte. Alle außer dem alten Fintan, der bereits den Kescher unter den Lachs hielt, ihn einfing, aus dem Wasser zog und – alles in einer einzigen, eleganten Bewegung – den im grünen Netz zappelnden Fisch ans sichere Ufer bugsierte.

Die ganze Truppe applaudierte, als Fergus triumphierend die Hände in die Luft riss – in herrlichen Bildern festgehalten von Archie, der die ganze Zeit weitergeknipst hatte.

Hinter sich hörte Alan einen Korken ploppen: Pandora, die eine Flasche Bollinger öffnete. Alle drängten sich um die zappelnde Beute. Der hochgewachsene Andy kam kurz ins Wanken, als er sich über den Lachs beugte und ihn eingehend betrachtete: An der eindrucksvoll gesprenkelten Haut des Fisches, die im Licht des frühen Abends grün, blau, schwarz und silbern glänzte, klebten vereinzelt ein paar Piniennadeln und trockene Blätter. Alan sah, wie Miles ein Glas Champagner entgegennahm, während Fergus sich von Archie aus dem Wasser und ans Ufer helfen ließ.

Die allgemeine Feierstimmung wurde jäh unterbrochen, als Fintan über den Tumult hinweg erklärte: »Ohdasisjanjammeraberdermusszurückinswasser.«

»Was?«, fragte Alan.

»Wie bitte?« Erschöpft ließ sich Fergus zu Boden sinken. »Zurück ins Wasser? Warum?«

»Außengehakt …« Fintan drehte den Kopf des Lachses und hielt ihn fest, sodass sie das lange, geschwungene Maul genau sehen konnten. Und da war sie, die schwarzrot gefleckte Fliege von Fergus: außen am Kiefer des Fisches, nicht innen.

»Wie jetzt?«, fragte Pandora. »Was ist daran nicht korrekt?«

»Wenn der Haken außen ist, bedeutet das, dass der Fisch den Köder nicht angenommen hat. Der Haken hat sich bloß in seinem Maul verfangen, als er vorbeigeschwommen ist«, erklärte Tomas.

»Ja und?«, sagte Archie.

»Nichlegal«, verkündete Fintan.

»Ach, jetzt stellen Sie sich mal nicht so an«, drängte Alan. »Wer soll denn davon erfahren?« Fintan starrte ihn bloß wortlos an. Ein Mann, der fest an Anstand, Werte und Regeln glaubte, umgeben von einer Meute angetrunkener Londoner Medientypen.

»Schwachsinn«, schimpfte Fergus, der keuchend rücklings im Gras lag.

»Fintan ist hier der Wildhüter«, erwiderte Alan. »Sein Wort gilt …«

Betrübt schauten sie zu, wie Fintan den Haken vorsichtig aus dem Maul löste. Er erlaubte Archie, ein paar Fotos von Fergus mit dessen Beute zu machen, trug den Fisch dann zurück zum Ufer, hockte sich in den Fluss und entließ ihn ins dunkle Wasser. Der Lachs verharrte einen kurzen Moment knapp unter der Oberfläche. Dann, mit nur einem Schlag seiner kräftigen Schwanzflosse, war er verschwunden.

»Ich hol wohl besser mal Plan B aus der Kühlbox«, sagte Tomas.

»Scheiße, was soll's. Kommt, wir geben uns die Kante«, rief Miles und goss sich sein zweites Glas Champagner ein.

»Ich dachte, du trinkst nicht mehr?«, fragte Alan.

»Ich bin der Einzige hier, der wirklich was gefangen hat«, erwiderte Miles und deutete auf die beiden Kaninchen am Boden. »Ich finde, ich hab mir was zu trinken verdient.«

Nachdem weitere Flaschen geöffnet worden waren und alle miteinander angestoßen hatten, kam rund ums Lagerfeuer allmählich Partystimmung auf. Fintan zeigte Fergus, wie man den Lachs ausnahm, den Tomas aus dem Land Rover geholt hatte. Dann half er Miles dabei, die Kaninchen zu häuten. Andy hackte und briet den wilden Knoblauch, mit dem Tomas eine Soße für das Kaninchen-Ragout ansetzte.

Pandora nahm Alan zur Seite. »Wir haben da ein kleines ethisches Dilemma.«

»Wie meinst du das?«

»Na ja, wir haben reichlich Bilder von Fergus, wie er das Mistviech fängt. Kombinieren wir die einfach mit den Bildern vom Ausnehmen und Kochen und tun so, als würden sie denselben Fisch zeigen, den wir gefangen haben? Oder machen wir im Artikel reinen Tisch? So nach dem Motto ›Diesen Fisch haben wir vorher präpariert‹?«

»Das würde nur dann funktionieren, wenn alle Beteiligten dichthalten …«

»Na ja, das Ganze hat nun wirklich nicht das Zeug für ein zweites Watergate, oder?«

»Ich denk drüber nach. Reich mir mal den Chablis.«

Der Geruch von gedünstetem Knoblauch erfüllte die Lichtung, als die tief stehende Sonne allmählich im Loch Moy versank.

* * *

Dämmerung. Sie hatten den größten Teil der Weinkiste geleert. Andy warf einen neuen Holzscheit ins Feuer. Gott, hatten sie gut gegessen.

Nachdem Fergus, Miles und Andy die Kaninchen gehäutet (eigentlich hatte Fintan die Hauptarbeit erledigt, aber die Jungs hatten kräftig mit angepackt) und den Lachs ausgenommen hatten, waren alle drei beim Kochen behilflich gewesen. Tomas hatte den Lachs mit einer Handvoll Kräuter im eigens mitgebrachten Fischtopf gedünstet. Die Kaninchenstücke wurden gewürzt und meliert, in Butter gebraten und dann in Rotwein und Knoblauch geschmort. Dazu gab es Pilz-Frikassee und Sauerampfer-Salat. Archie hatte im goldenen Licht der untergehenden Sonne alles fotografiert. Aus der geöffneten Tür des Land Rovers schallte Musik herüber – eine von Pandora zusammengestellte Playlist. Fintan und Tomas saßen etwas abseits und tauschten den neuesten Klatsch rund um Hotel und Anwesen aus, während die drei Promis ihrer Version der gleichen Tätigkeit nachgingen: Sie erzählten sich niederträchtige Geschichten darüber, wer die schlimmsten Menschen waren, mit denen sie jemals zusammenarbeiten mussten, wer schlimme Alkohol- und Drogenprobleme hatte und wer es mit wem trieb. Wie üblich setzte Archie dem Ganzen die Krone auf, indem er eine wahrhaft erschütternde Anekdote zum Besten gab, in der neben Gianni Versace und einem Viertelkilo Kokain auch diverse Strichjungen ihren Auftritt hatten.

Miles hatte offenbar völlig vergessen, dass er eigentlich den letzten Flug ab Inverness nehmen wollte. Also würden sie in Kürze alle gemeinsam zum Hotel zurückkehren und dann morgen früh abreisen.

Es war definitiv eine einigermaßen bizarre Szenerie, erst recht hier draußen in den Highlands. »Wir machen uns besser auf den Rückweg, bevor es richtig dunkel wird«, sagte Alan zu Pandora, die es sich neben ihm am Feuer gemütlich gemacht hatte. »Möchtest du schon mal mit den Jungs zum Hotel fahren? Dann bleibe ich hier und helfe beim Aufräumen.«

»Gerne. Das haben wir übrigens prima hingekriegt. Das wird eine tolle Story.« Hinter Pandora saß einer der Online-Kids und filmte munter weiter. Vermutlich, um noch ein paar stimmungsvolle Bilder von der entspannten Atmosphäre am Lagerfeuer einzufangen.

»HE! VORSICHT DAMIT!«, blaffte Fintan völlig unvermittelt. Alan hörte in der Stimme des Wildhüters eine Dringlichkeit, die er von ihm den ganzen Tag noch nicht vernommen hatte. Alarmiert drehte er sich um und sah, wie Andy den Gewehrkolben gegen die Schulter presste und auf etwas in den Bäumen zielte. »Die triffst du nie«, sagte Fergus zu ihm. Auf einem Ast in etwa fünfzehn Meter Entfernung saß eine Ringeltaube. Alan ging gerade der Satz »Mach bloß keinen Scheiß, Andy« durch den Kopf, als drei Dinge auf einmal passierten.

Die Taube flatterte auf.

Andy stolperte über einen Ast.

Ein Schuss löste sich.

Es folgte ein Schrei, alle rannten und brüllten durcheinander. Die Worte »Ruft einen Krankenwagen« hallten über die Lichtung, an deren entgegengesetztem Ende für einen kurzen Moment Miles gestanden hatte, der zum Pissen im Wald gewesen war. Alan brauchte einen Augenblick, bis ihm das ganze Grauen der Situation bewusst wurde.

Andy Jacks hatte soeben auf Miles Warren geschossen.

* * *

Als Craig in den frühen Morgenstunden mit seinem Laptop auf dem Bett seines Hotelzimmers saß, bekam er mit, wie die Nachricht sich verbreitete. Kein Wunder, schließlich durchforstete er die sozialen Medien wie besessen nach allem, was irgendwie mit Alan zu tun hatte. Es war beeindruckend, wie schnell er zur Welt des Internets aufgeschlossen hatte. Die Kinder der Graingers waren ihm dabei eine große Hilfe gewesen. Vor allem Melissa und Tom. Doch sogar die Kleine kannte sich besser aus als er. Schon beim Lesen der ersten Schlagzeilen – »ANGESCHOSSEN ... MIT DEM HELIKOPTER ... TRAGÖDIE ...« – wurde ihm klar, dass der Zeitpunkt kaum besser sein konnte. *Stifte Chaos im Chaos.* Gott, das war wirklich zu schön, um wahr zu sein. Er hatte beinahe Mitleid mit ihm. Beinahe. Aus dem, was er las, folgerte er, dass die jüngsten Ereignisse den armen Kerl erst einmal da oben festhalten würden. Morgen. Morgen früh.

28

Katie bereitete gerade das Frühstück zu, als ein helles »Ping« ihr eine neue E-Mail ankündigte. Sie wechselte von Word zu Safari und öffnete ihren Gmail-Account. Da war sie, in ihrem Spam-Ordner. Die schwarzen, gefetteten Buchstaben der Betreffzeile formten die Worte »KATIE DAS SOLLTEST DU DIR ANSEHEN.« Die Mail besaß einen Anhang. Die Absenderadresse flibbertigibbet@mac.com sagte ihr nichts.

Katie zögerte. Es konnte klassischer Spam sein. Ein Virus. Der Anhang sah nach einem Video aus. Sie war zwischen Neugierde und Vorsicht hin- und hergerissen. Nach ein paar Schlucken Tee und einem halbherzigen Versuch, einen neuen Absatz ihrer Kolumne anzufangen, gewann schließlich die Neugierde die Oberhand. Sie klickte auf »Öffnen« und dann auf »Play«.

Das Video war nur dreißig Sekunden lang. Ihr gefror das Blut in den Adern. Trotzdem schaute sie es sich zweimal an, nur um ganz sicher zu sein.

Dann ging sie von der Küche in den Hauswirtschaftsraum.

Sie wollte nicht, dass die Kinder sie weinen hörten.

29

Wie schnell sind eigentlich die modernen Medien? Das war eine Frage, die Alan immer wieder ins Grübeln brachte, in Talkshows oder bei Diskussionen auf Literaturfestivals und ähnlichen Veranstaltungen. Auch jetzt gerade dachte er darüber nach, als er in sich zusammengesunken und mit glasigem Blick im Taxi nach Hause saß. Der Himmel war so grau wie die gesichtslose Landschaft, die rechts und links der M40 an ihm vorbeizog. Alle paar Sekunden vibrierte das Smartphone in seiner Tasche, wenn eine weitere Zeitung, ein weiterer Radio- oder Fernsehsender einen Kommentar von ihm haben wollte.

Die Antwort auf die Frage lautete: irrsinnig schnell.

Wie sich herausstellte, hatte einer der Online-Kids nicht nur die ganze Zeit mitgefilmt, sondern war dämlich genug gewesen, den Videoclip an einen Kumpel zu schicken. Der hatte ihn wiederum einem Kumpel geschickt, der ihn dann ebenfalls einem Kumpel geschickt hatte … überflüssig zu erwähnen, dass der Clip »ANDY JACKS SCHIESST AUF MILES WARREN« in den letzten achtundvierzig Stunden bei YouTube rund 3,8 Millionen Mal angesehen worden war, bevor es der Zeitung schließlich gelang, ihn offline zu stellen. Der Vorfall war das Hauptthema im Frühstücksfernsehen, egal, auf welchem Sender, und jede einzelne britische Tageszeitung hievte ihn auf die Titelseite. Das Foto war fast überall dasselbe: ein kreidebleicher Andy Jacks, der in Handschellen ins Polizeirevier von Inverness geführt wurde.

Alan hatte die letzten achtundvierzig Stunden nacheinander im Kreiskrankenhaus von Inverness, im Polizeipräsidium von Inverness, am Flughafen von Inverness, im Büro der Zeitung, im Anwaltsbüro der Zeitung in Bloomsbury und schließlich im Royal Free Hospital in Hampstead verbracht. Während der ganzen Zeit hatte er vielleicht drei Stunden geschlafen.

Die Polizei hatte Andy zunächst wegen versuchten Mordes verhaftet. Nach zähem Ringen war die Anklage auf »vorsätzliche Gefährdung« reduziert und Andy auf Kaution freigelassen worden. Er hatte die Nacht in Polizeigewahrsam verbracht, wo man ihm Blut zur Analyse abnahm. Gott allein wusste, was der toxikologische Bericht aufzeigen würde.

Miles war zuerst nach Inverness ins Kreiskrankenhaus gebracht worden, wo man ihn sofort operiert hatte, bevor er am darauffolgenden Morgen ins Royal Free Hospital verlegt worden war. Der Schuss hatte ihn in die linke Schulter getroffen, das Schlüsselbein zertrümmert und seinen Körper vom rechten Nippel bis zum Hals mit Schrotkugeln durchsiebt, glücklicherweise jedoch die Lunge verfehlt. Man konnte davon ausgehen, dass Miles nicht unbedingt bester Stimmung war, und bei der Zeitung rechneten alle damit, bald von seinen Anwälten zu hören.

Zusammen mit den anderen war Fergus Marks von der Polizei in Inverness so lange zur Befragung festgehalten worden, dass er seinen Rückflug nach L. A. und in der

Folge den Filmstart verpasst hatte. Die Anwälte des Studios rasselten bereits mit den Säbeln.

Alan war gerade zwei Stunden lang vom Herausgeber, dem Vorstandsvorsitzenden sowie dem Leiter der Rechtsabteilung in die Mangel genommen worden. Im Grunde ließ ihre Standpauke sich auf einen Satz reduzieren: »Welcher Vollpfosten lässt einen Haufen betrunkener Promis im Dunkeln mit geladenen Waffen herumlaufen?«

Sie hatten ihn darauf eingeschworen, keinesfalls mit der Presse zu sprechen, bevor die Zeitung nicht eine klare rechtliche Linie ausgearbeitet hatte. Neben ihm auf dem Rücksitz des Taxis lag ein heuballengroßer Stapel Sonntagszeitungen. Um sich von seiner eigenen Tragödie abzulenken, blätterte er durch die Wirtschafts-, Sport- und Kulturteile, bis ihn vom Familienteil der *Sunday Times* plötzlich sein eigenes Gesicht anblickte. Das Foto, Mitte der Achtziger aufgenommen, zeigte Craig und ihn – zwei Teenager, die betont lässig an der Waschbetonwand eines schäbigen Reihenhauses lehnten –, und es gehörte zu Vanessas Story über Craigs unglaublichen Werdegang vom Rockstar zum Obdachlosen und zurück ins Leben. Alan überflog den Artikel. Er begann mit einer kurzen biografischen Zusammenfassung ihrer beider Leben – Craigs früher Erfolg, wie Alan sich abstrampelte (etwas übertrieben), Craigs tiefer Fall und Alans Aufstieg – und endete mit ihrer Begegnung in Soho.

Ein paar von Craigs Aussagen waren durchaus schmerzhaft. Zitate wie »Alan? Das war nur so ’n Kerlchen, der ’ne Klasse unter uns war und unbedingt dazugehören wollte« oder »Musikalisch? Nee, er war kacke!«. Doch im weiteren Verlauf sagte er: »Er hat mir wirklich geholfen, mein

Leben wieder auf die Reihe zu kriegen. Ich hoffe, dass ich ihm das mit gleicher Münze zurückzahlen kann.«

Ganz am Ende des Artikels fand Alan eine Information, die völlig neu für ihn war: nämlich, dass sein Freund offenbar plante, in London ein Solokonzert zu geben. Nachdem Craig begonnen hatte, die sozialen Medien zu nutzen, war er zu der Überzeugung gelangt, dass es immer noch ein gewisses Interesse an seiner Band gab. Ein Interesse, das sich ob der jüngsten Wendungen und Ereignisse in seinem Leben womöglich weiter schüren ließ. Der Artikel endete mit einem Zitat von Craig: »Ich hab richtig üble Zeiten durchlebt. Doch jetzt geht's mir gut. Ich hab das Gefühl, ich sehe endlich Licht am Ende des Tunnels.«

Schon interessant, dachte Alan, als das Taxi die geschotterte Einfahrt seines Hauses hinaufrollte. Sein Freund Craig berichtete im hinteren Teil der Sonntagszeitung freudig vom Licht am Ende des Tunnels, während er selbst auf sämtlichen Titelseiten als Beteiligter am sogenannten »Promi-Schusswaffen-Fiasko« in ein ganz und gar nicht erfreuliches Licht gezerrt wurde.

Als er die Haustür hinter sich schloss und seine Tasche im Flur abstellte, fiel ihm sofort auf, wie ungewöhnlich still es war. An einem Sonntagnachmittag herrschte normalerweise das denkbar größte Chaos: Auf dem Herd kochte das Essen, Sophie tobte durchs Haus, und der Fernseher plärrte. Er ging in die Küche.

Am Tisch saß Katie wie immer vor ihrem Laptop.

»Wo sind die Kinder? Und Craig?«, fragte Alan.

»Alle weg. Wie geht's dir?«

Mit einem bitteren Lachen setzte Alan sich zu ihr. »Beschissen. Ich bin völlig im Arsch. Ich ... diese ganze Sache ist eine einzige Horror-Show. Keine Ahnung, was als Nächstes passiert. Ich glaube, Miles verklagt Andy. Vielleicht verklagt er uns auch noch. Das alles ist einfach …«

»Also gut«, sagte Katie. »Tut mir leid wegen dem Timing, aber ich fürchte, es lässt sich nicht ändern …«

»Was meinst du? Welches Timing?«

Katie drehte den Laptop so, dass er den Videoclip auf dem Bildschirm sehen konnte, und drückte auf »Play«.

Alan schaute.

Seine Kopfhaut stand in Flammen.

Seine Organe verflüssigten sich.

Schweißperlen traten ihm auf die Stirn.

In einer grobkörnigen Handykamera-Aufnahme sah er sich selbst, wie er in seinem Arbeitszimmer stand. Die Augen geschlossen und die Hände im dunklen Haar einer Frau, deren Kopf sich rhythmisch auf und ab bewegte. Da war ein Lichtreflex, als wäre der Clip durch eine Fensterscheibe gefilmt worden.

Alan versuchte zu sprechen, bekam aber kein Wort heraus. Mit einem lauten Stöhnen vergrub er das Gesicht in den Händen.

Er hörte, wie ein Stuhl gerückt wurde. Als er den Blick hob, kam Katie gerade zum Tisch zurück und zog etwas hinter sich her. Einen Rollkoffer.

Seinen Rollkoffer.

30

Es war gar nicht so schlimm. Jedenfalls verkraftete er es einigermaßen, wenn er sich ausgiebig betrank.

So wie jetzt, ausgestreckt auf seinem Bett, in der Hand das Plastikglas aus dem Badezimmer, randvoll mit Whisky vom Kiosk. Umfangen vom Happy-Hour-Glühen seines zweiten Drinks, empfand er beinahe so etwas wie Gelassenheit. Fast alles hier drin schien aus Plastik zu sein. Alan musterte die inzwischen vertrauten Gegenstände (im Nebenzimmer standen noch ein kleines Sofa und ein Couchtisch, dennoch war es verdammt vermessen, dass das Hotel diesen Raum als »Suite« anpries): die Plastik-Fernbedienung, den Plastik-Wasserkocher, die kleinen Plastikdöschen mit Kondensmilch. Das Licht im Badezimmer sah aus wie Plastiklicht. Sein Herz fühlte sich an, als wäre es aus Plastik. Etwas Künstliches, Unwirkliches, das in seiner Brust mehr oder weniger seinen Job erledigte, pumpte, ihn am Leben erhielt – mehr aber auch nicht. Er fühlte sich, als wäre er nicht mehr fähig zu *fühlen*.

Drüben auf dem kleinen Klappständer lag sein Koffer. An der Wand neben der Tür befand sich, wie konnte es anders sein, der obligatorische Hosenbügler. (Alan fragte sich, wie viele verlassene Männer das platte braune Gerät schon durch einsam durchwachte Nächte begleitet hatte. Wie viele von Tränen versalzene Whiskys, wie viele verheulte Selbstbefriedigungen hatte es erlebt?) Sein Laptop stand auf einem Schreibtisch unter dem Fenster. Durch die Scheibe konnte er die obere Ecke eines mintgrünen Plastik-»H« sehen – der erste Buchstabe des Schriftzugs »HOLIDAY INN«. Dahinter leuchteten die Lichter der Autobahn im Dunkel der Nacht. Es war nur eine fünfminütige Fahrt auf dieser Autobahn, eine Abfahrt weiter, bis zu dem Zuhause, das er nicht mehr hatte.

Er war jetzt seit einer Woche hier und kannte die meisten Angestellten vom Grüßen. Jeden Abend zwischen sechs und sieben, wenn er für seinen Aperitif nach unten ging, goss ihm Dennis, der Barkeeper, kommentarlos einen Glenfiddich ein. Es war der einzige Single Malt, den es dort gab.

Die Woche war nicht unbedingt arm an Ereignissen gewesen.

Der Miles-Warren-Fall nahm seinen Lauf. Miles war so weit genesen, dass man ihn aus dem Krankenhaus entlassen hatte. Er würde eine Reihe von Narben zurückbehalten. Seine Anwälte feilten noch immer daran, »ihren Standpunkt zu formulieren«, aber es sprach alles dafür, dass sie Andy Jacks und die Zeitung verklagen würden. Andys Anwälte ließen derweil durchblicken, dass sie ebenfalls damit liebäugelten, die Zeitung zu verklagen – und zwar dafür, dass man ihren Klienten, der erkennbar unzurechnungsfähig gewesen war, in die Nähe einer geladenen Schusswaffe gelassen hatte.

Alan setzte sich auf und nahm sein Smartphone vom Nachttisch. Beim Wählen von Craigs Nummer realisierte er, dass er diese Woche bereits zum sechzehnten Mal versuchte, ihn zu erreichen. Was sollte der Scheiß? Er musste mit Craig dringend über diesen Abend sprechen, über seine Schandtat und darüber, wer ihn dabei gefilmt haben konnte.

Den anderen naheliegenden Weg, um den Täter zu finden, hatte Alan bereits beschritten: Er hatte sämtliche Pubs der Stadt abgeklappert, um möglichst viele von den Leuten zu finden, die in jener Nacht in seinem Haus gewesen waren. Mit Katie in Kontakt zu treten war kein großes Kunststück: Ihre berufliche E-Mail-Adresse und ihr Twitter-Account standen unter ihrer wöchentlichen Kolumne. Der Clip war eindeutig durch das seitliche Fenster des Arbeitszimmers aufgenommen worden, von jemandem, der sich in den Garten geschlichen hatte. Dummerweise konnte Alan sich nicht an den Namen der Frau erinnern, geschweige denn daran, wie die anderen Partygäste hießen. Vielleicht wusste Craig ja mehr. Denn Drogen und Schnaps vertrug er offensichtlich besser als Alan.

Doch auch diesmal klingelte das Handy so lange, bis schließlich Craigs ziemlich kurz angebundene Mailbox-Ansage ertönte: »Nachricht nach dem Piep!« Wo zum Teufel steckte er nur? Was ging hier verdammt noch mal vor? Alan erhob sich und legte auf. Seufzend blickte er auf die Uhr unter dem Fernseher. Fast sieben. Zeit für Sophie, in die Wanne zu steigen. Er stellte sich vor, wie Katie den Flur entlang zum Bad ging, im Hintergrund das Plätschern des laufenden Wassers. Sophie konnte sich nicht von ihren Spielsachen losreißen, und Katie rief: »Los jetzt, Sophie!« Vermutlich hatte sie sich eine Flasche Wein aufgemacht. Irgendwo auf der Treppe lag garantiert Sophies winziges Unterhemd oder Höschen.

Mit einem Mal wurde dieses Bild – diese Manifestation von allem, was ihm genommen worden war – zu lebhaft, zu plastisch, als dass er es noch länger ertragen konnte. Alan musste sich wieder hinsetzen. Verzweifelt presste er Daumen und Zeigefinger in seine Augenhöhlen, um das Bild loszuwerden. Doch es funktionierte nicht, und bevor er wusste, was er tat, hatte er zu Hause angerufen. Er ließ es so lange klingeln, bis Sophie schließlich völlig außer Atem ans Telefon ging. »Hallo, Daddy!«, rief sie fröhlich.

»Hey, Soph«, sagte Alan und tat sein Bestes, um möglichst unbeschwert zu klingen. »Was treibst du so?«

»Ich spiele Minecraft! Ich hab mir ein neues Kinderzimmer gebaut!«

»Toll. Warst du noch nicht in der Wanne?«

»Nein, Cleo lässt gerade Wasser ein.«

»Cleo? Wo ist Mami?«

»Aus. In London.«

»Oh. Verstehe. Ich wusste nicht … in Ordnung. Geht's euch gut, Schatz? Wo steckt Melissa?«

»Sie ist in ihrem Zimmer und macht Hausaufgaben. Musst du arbeiten, Daddy?«

»Ich … ja, muss ich. Daddy muss arbeiten. Hör zu, Soph, ich muss jetzt los, okay?« Am anderen Ende ertönte ein winziges Schluchzen, dann sagte Sophie: »Bitte komm nach Hause, Daddy. Wir vermissen dich.« Alan hielt sein Smartphone fest umklammert und riss sich zusammen. »Bald, mein Schatz. Wir sehen uns in ein paar Tagen nach der Schule. Dann gehen wir Sushi essen.«

»JAAA! SUSHI!«

»Sag Mami, dass ich angerufen hab, in Ordnung? Ich liebe dich, mein Schatz.«

»Tschüss, Daddy!«

Er legte auf und leerte sein Glas.

»Ich ertrage im Moment nicht einmal deinen Anblick«, hatte Katie in ihrer letzten E-Mail geschrieben. Sie waren übereingekommen, Sophie und Melissa so lange nichts zu sagen, bis Katie wusste, was sie wollte. Den Mädchen hatten sie erzählt, dass »Daddy eine Weile beruflich viel unterwegs« sein würde. Er konnte sie ein- bis zweimal die Woche sehen, sie von der Schule abholen und mit ihnen essen gehen. Deshalb hatte er sich ein Zimmer im nächstgelegenen Holiday Inn genommen. Bei Tom, der alt genug war, lagen die Dinge anders. Wenn nächste Woche die Semesterferien begannen, würde er herkommen, und Katie hatte verfügt, dass Alan derjenige war, der den Jungen darüber informieren würde, dass seine Eltern sich für »eine Trennung auf Probe« entschieden hatten. Wie weit er Tom gegenüber ins Detail gehen wollte, überließ sie ihm. Alan versuchte ein ums andere Mal, dieses Gespräch in seinem Kopf durchzuspielen, kam allerdings nie besonders weit, bevor er zur Whiskyflasche griff. Wenn es so weit war, musste er nur betrunken genug sein. *Kein Problem,* dachte er. Er hatte Geschichten wie diese schon gehört. Er kannte sie aus Büchern und aus dem täglichen Leben: Ein Mann geht fremd und landet in einem traurigen Hotel, einer möblierten Absteige, einer Ein-Zimmer-Wohnung. Er hatte sie gehört, und nun lebte er mitten in einer. Erneut blickte er auf die Uhr. Es war jetzt kurz nach sieben. Ach ja, zumindest einen Menschen gab es, der ihn vermisste und sich vermutlich gerade fragte, wo er blieb.

Er nahm sein Jackett von der Stuhllehne und machte sich auf den Weg runter zur Bar, zu Dennis und seinem Glenfiddich.

31

Katie hatte ihren Kriegsrat auf der winzigen Raucherterrasse im oberen Stock des Quo Vadis einberufen. In Gesellschaft von Vanessa, Camilla und Emily rauchte sie eine Zigarette nach der anderen. Ihre Longdrink-Gläser mit Wodka und Tonic erhoben sich wie vier Türme an den Ecken des kleinen Tisches.

»Ach herrje, wie schrecklich. Wie furchtbar für dich, Katie«, sagte Emily.

»Dieser miese Dreckskerl«, schimpfte Camilla.

»Ihr habt ja recht. Aber irgendwie ergibt das alles keinen richtigen Sinn, oder?«, überlegte Vanessa.

»Wie meinst du das?«, fragte Katie.

»Wie *fürchterlich*«, wiederholte sich Emily und brachte diesmal sogar einen kleinen Schluchzer zustande.

»Ja, das ist es. Und jetzt halt die Klappe, Emily. Lass die Erwachsenen reden«, sagte Vanessa und wandte sich dann wieder an Katie. »Du hast also keine Ahnung, wer dir das Video geschickt hat?«

»Nicht die geringste. Außer, dass es jemand gewesen sein muss, der in dieser Nacht dort war, oder nicht?«

»Nicht unbedingt«, antwortete Vanessa und drückte ihre Marlboro Light aus. »Gefilmt hat es definitiv jemand, der dort war. Er könnte es allerdings an jemand anders weitergegeben haben, und dieser Jemand hat sich dann gedacht: ›Aha!‹«

»Und du bist dir ganz sicher, dass es Alan ist?«, fragte Camilla.

»Natürlich. Das ist sonnenklar.«

»Was mich total verwundert«, sagte Vanessa.

»Warum das?«

»Na ja, Alan ist weiß Gott kein Benedict Cumberbatch oder Wayne Rooney. Aber er war immerhin gelegentlich im Fernsehen. Die Leute kennen ihn als Ehemann und treu sorgenden Familienvater mit drei Kindern …«

»Du meinst …« Emily zögerte. *»Erpressung?«*

»Echt jetzt?«, sagte Camilla.

»Die Möglichkeit ist mir in den Sinn gekommen«, antwortete Katie. »Aber …«

»Warum schon vorher den Trumpf aus der Hand geben? Warum dir das Video schicken, wenn Alan sehr wahrscheinlich gutes Geld dafür gezahlt hätte, dass du es *niemals* zu sehen kriegst?«

»Genau«, sagte Camilla und ließ ihren hoch erhobenen Zeigefinger kreisen, um dem Kellner, der gerade den Kopf durch die Tür steckte, zu signalisieren, er möge »das Gleiche noch mal« bringen.

»Wie sieht denn Alans Version der Ereignisse dieses Abends aus?«, fragte Vanessa.

»Er war mit Craig im Pub, und sie haben sich richtig die Kante gegeben. Dann hat ihnen jemand Koks zugesteckt, und Alan hat alle zu uns nach Hause eingeladen. Es gab mehr Alkohol, mehr Koks … und so kam es halt, dass er … na ja, so viel dazu.«

»Mmmh. Klingt schlüssig.«

»Vanessa!«, echauffierte sich Emily. »Das ist schrecklich!«

»Schon klar, aber lasst uns die Sache bitte nüchtern betrachten. Es ist ja schließlich nicht so, als hätte Alan schon öfter mit derartigem Benehmen geglänzt. Und es gab, na ja … gewisse Einflussfaktoren.«

»Meinst du damit etwa Craig?«, fragte Katie. »Eigentlich war Craig ziemlich zerknirscht wegen der ganzen Angelegenheit. Und du kannst ihm nicht Alans Verhalten zum Vorwurf machen. Alan ist ein erwachsener Mann.«

»Mag sein. Ich sag ja bloß, dass es zuletzt bestimmt nicht ganz einfach und sicher eine sehr spezielle Zeit war. Dadurch, dass Craig bei euch gewohnt hat.«

»Da hast du wohl recht.«

»Ist er nicht inzwischen ausgezogen?«, fragte Emily.

»Erst vor Kurzem«, erwiderte Katie. »Er hat eine Wohnung in Hackney gemietet.«

»Hackney?«, sagte Camilla. »Nicht ganz billig.«

»Auch nicht wirklich seinem Alter angemessen«, fügte Vanessa hinzu. »Er ist schließlich keine dreiundzwanzig mehr.«

»Ich glaube, er braucht das jetzt ein bisschen. So nach dem Motto ›Hallo, Großstadtleben, ich bin wieder da!‹«, sagte Katie. In der Woche seit dem Erscheinen von Vanessas Artikel war das Interesse an Craig neu entfacht. Es gab zahlreiche weitere Interviewanfragen, und es wurde sogar ein Konzert angekündigt.

»Gehen wir alle zu seiner Show?«, wollte Camilla wissen. »Sie ist im XOYO in Shoreditch. Craig ist ziemlich angesagt.«

»Wirklich?«, fragte Emily.

»Angesagt ist vielleicht etwas übertrieben«, antwortete Camilla, »aber es herrscht definitiv ein gewisses nostalgisches Interesse.«

»Gott, Camilla«, sagte Vanessa. »Es ist echt verstörend, wenn jemand in deinem Alter immer noch alle diese Läden kennt.«

»Ich sehe halt nicht aus wie jemand in meinem Alter«, erwiderte Camilla. »Außerdem war es dein Artikel, der das alles losgetreten hat.«

»O ja, gescheiterte Karrieren wiederzubeleben ist meine Spezialität«, sagte Vanessa, wurde dann wieder ernster und wandte sich Katie zu. »Süße, ich sag's ja nur ... du solltest keine dreiundzwanzig Jahre währende Beziehung in die Tonne hauen, nur weil einer von euch im Suff Mist gebaut hat.«

»Ich bin einfach noch zu wütend, um das so nüchtern zu sehen.«

»Und sonst kam nichts mehr?«, fragte Camilla, während sie auf dem Tisch Platz für die neuen Drinks schaffte, die gerade gebracht wurden. »Keine weiteren E-Mails vom Absender des Videos?«

»Nein, nichts.«

»Das ist schon alles ziemlich schräg.«

»So kann man es auch ausdrücken.«

»Armer Alan«, seufzte Emily. »In einem Holiday Inn an einem scheußlichen Kreisverkehr zu wohnen.«

»Armer Alan?«, sagte Katie. »Eben hast du aber noch ein anderes Lied gesungen.«

»Nein, nein. Ich finde, er ist ein echter Arsch«, sagte Emily. »Aber trotzdem ...«

»Er hat definitiv eine Abreibung verdient«, erklärte Vanessa. »Da sind wir uns wohl alle einig. Aber denk doch mal weiter, Katie. Wie sieht's denn wirklich aus: Ist Alan jetzt ein gestörter, ernsthaft treuloser Drecksack? Oder ist er bloß der gute alte Alan, der unter dem Einfluss von Drogen, Alkohol und einem Geist aus der Vergangenheit genau das hatte, was wir aus der Klatschpresse zur Genüge kennen: einen Moment der Unzurechnungsfähigkeit?«

»Mmmh«, überlegte Katie und rührte in ihrem Longdrink.

»Es ist einfach schrecklich«, jammerte Emily.

»Na gut«, sagte Vanessa. »Wie schon einer dieser alten Griechen gesagt hat: Bevor wir ein Beweisstück zur Verhandlung zulassen, hinterfragen wir erst einmal die Motive desjenigen, der es vorbringt.« Sie kramte in ihrer roten, zehntausend Pfund teuren Birkin-Bag herum. »Wir müssen herausfinden, wer dahintersteckt. Hier, dieser Kerl ist ziemlich gut. Ich hab ihn bei meiner zweiten Scheidung angeheuert«, fügte sie hinzu und reichte Katie eine Visitenkarte.

»Ernsthaft?«, fragte Katie.

»Ernsthaft«, antwortete Vanessa.

32

Ost-London. Alan war schon lange nicht mehr hier gewesen. Mitte der Neunziger, als er gerade in die britische Hauptstadt gezogen war, wäre man eher in einer Ku-Klux-Klan-Kutte durch Brixton marschiert, hätte seinen Schwanz gezeigt und ein Schild mit dem Spruch »Lutscht das, ihr Nigger!« drangeklebt, als sich nachts in Hackney rumzutreiben. Damals hatte es für Alan nur einen plausiblen Grund gegeben, nach Hackney zu fahren: um Drogen zu kaufen. Im Idealfall, ohne dabei das sichere Taxi zu verlassen. Und jetzt sah sich das mal einer an: Im Café gab es Flat Whites, im Hipster-Schuhladen handgenähte Brogues und drüben beim Bio-Bäcker uriges Bauernbrot. Der Wegbeschreibung zu der Adresse folgend, die er auf seinem iPhone bei Maps eingegeben hatte, ging er die Hackney Road entlang bis zu einem großen Block aus offenbar kürzlich renovierten, georgianischen Häusern, die nun in einzelne Wohnungen aufgeteilt waren.

Am Ende war es ihm doch noch gelungen, Craig zu erreichen. »Kacke. Tut mir echt leid, Alan«, hatte sein Freund gesagt. »Mein altes Handy ist tot. Ich hab ein neues iPhone und konnte die alte Nummer von dem Handy, das du mir gegeben hast – wie sagt man? –, nicht mitnehmen. Sorry. Ich dachte, ich hätte Katie meine neue

Nummer gegeben. Warum kommst du mich nicht in meiner neuen Bude besuchen?«

Merkwürdigerweise und offenbar völlig grundlos machte Alan die Aussicht auf das Treffen reichlich nervös. Einerseits hatte er Craig seit ein paar Wochen nicht gesehen. Andererseits, dachte er, konnte es auch einfach dieses namenlose Grauen davor sein, dass es fast achtzehn Uhr war und er entgegen seiner jüngsten Gewohnheit noch nichts getrunken hatte.

Ihm blieben noch ein paar Minuten. Drauf geschissen. Er kehrte zurück zu dem Pub, an dem er gerade vorbeigelaufen war, und der ungewöhnlich warme Aprilabend trieb ihn wie von selbst ins Halbdunkel der Kneipe. Er kämpfte sich zum Tresen durch und bestellte ein Stella Artois. Zum Teufel. Ein Stella und einen Whisky. Alan reichte dem Barkeeper seine Kreditkarte, drehte dem Tresen den Rücken zu, um die Gäste zu begutachten, und schlürfte sein Bier. Am Ende der Theke saß ein Grüppchen von bärtigen Hipstern, die aussahen wie Amish People. An einem Tisch gleich neben ihm hatte ein schwules Pärchen eine hitzige Auseinandersetzung – einer der beiden trug Hosen, bei denen es sich offenbar um Knickerbocker handelte, dazu eine gepunktete Fliege, Hosenträger und einen gewachsten und gezwirbelten Schnurrbart. Ein von Kopf bis Fuß tätowiertes Mädchen in einem nahezu durchsichtigen Body führte auf seinem iPad lautstark ein Skype-Telefonat. Aus den Boxen dröhnte ohrenbetäubende Technomusik. Alan fand, dass er im Allgemeinen eigentlich eine ganz »coole« Figur machte. Er sah sich selbst nicht als einen »alten« 48-Jährigen. Aber hier drin hätte er ebenso gut eine militärische

Paradeuniform oder eine Richterrobe mit gepuderter Perücke tragen können. Sein Blick wanderte in die hinterste Ecke des Raums und begegnete dem eines ungefähr achtzigjährigen Mannes, der vermutlich seit 1950 hierherkam und mutterseelenallein sein Bier schlürfte. Alan nickte ihm zu, eine Geste, die wohl so etwas wie Solidarität unter Trinkern ausdrücken sollte. Der Alte schaute bloß weg. Er hielt Alan zweifellos für einen schwulen Aufreißer mit einer Vorliebe für greise Säufer.

»Tut mir leid, Sir«, sagte der Barkeeper. Als Alan sich zu ihm umdrehte, hielt der Typ, der ebenfalls wie ein Mitglied der Amish-Gemeinde aussah, ihm das Kartenlesegerät mit seiner Karte darin entgegen. »Haben Sie eine andere Karte? Diese hier wird nicht akzeptiert.«

»Nicht akzeptiert? Das ist unmöglich.« Alan spürte, wie er errötete. Wann hatte er das zuletzt erlebt? Sofort fühlte er sich in seine Studentenzeit oder seine ersten Jahre in London zurückversetzt, als es ihm jeden Monat, ach was, jede Woche passiert war, dass seine Karte abgelehnt wurde. »Können Sie es noch mal probieren … liegt es vielleicht an Ihrem Gerät?«

»Ich denke nicht. Und ich hab's bereits zweimal probiert.«

»Ach, verdammter Mist … Augenblick …« Alan kramte in seinen Taschen herum, fand erst eine Zehn-, dann eine Zwanzig-Pfund-Note und reichte dem Barkeeper den Zehner. »Hier, behalten Sie den Rest.« Was war das nun wieder für eine Teufelei? Sein Konto war mehr als gedeckt. Hatte er die Karte zu häufig benutzt oder irgendeine Deadline übersehen? Vielleicht hatte es mit dem Hotel zu tun? Das war die Karte, die er dem Concierge vor mehr als einer Woche beim Einchecken gegeben hatte. Konnte es das sein? Er würde gleich morgen früh die verdammte Bank anrufen. Er trank sein Bier aus, kippte den Whisky runter, trat raus auf den Bürgersteig, blinzelte in die Sonne und überquerte die Straße. »Wohnung im obersten Stock, 248 Hackney Road.« Er war richtig, das Klingelschild war sogar schon beschriftet: »C. Carmichael.« Alan läutete, und ein paar Sekunden später ertönte Craigs Stimme: »Alan. Komm doch rauf.« Die Tür wurde geöffnet, und Alan stieg die Treppe hinauf.

Als er aus dem Dunkel des Treppenhauses kam, brauchte er einen Moment, um seine Augen an das Licht zu gewöhnen und sich zu vergewissern, dass er auch wirklich sah, was er sah.

Craig stand im Türrahmen. Von hinten in helles sommerliches Licht getaucht, hielt er ein Glas mit Eiswürfeln und einer klaren Flüssigkeit in der linken Hand, während er mit der rechten die Wohnungstür aufhielt. Es war inzwischen fast drei Wochen her, seit sie sich zuletzt gesehen hatten, aber das ... *heilige Scheiße.* Craig trug eine Jeans und ein frisches weißes T-Shirt. Irgendetwas stimmte nicht, irgendetwas ... was genau, konnte Alan nicht sagen. Noch während er Craigs Hand ergriff, suchte er nach Worten. Craig hatte Farbe bekommen, war richtiggehend gebräunt. Er war glatt rasiert und hatte einen neuen, teuer aussehenden Haarschnitt. Aber nein, das war es nicht. Da war noch etwas anderes. Irgendetwas mitten in seinem ... Mit breitem Grinsen sagte Craig: »Du hast es gefunden. Komm rein.« Endlich fiel der Groschen.

»Du hast deine Zähne machen lassen.«

»Oh ... ja.« Craig lächelte verlegen, und dabei blitzte eine Reihe blendend weißer Schneidezähne auf, wo vorher nur dunkle Stümpfe gewesen waren. Sämtliche Zähne drum herum waren offenbar poliert und gebleicht worden, bis sie genauso strahlten. »Vor ein paar Wochen.«

Das surreale Schauspiel setzte sich fort, als Alan seinem alten Freund in dessen Wohnung folgte. Das Wohnzimmer war mit etwa fünfzig Quadratmetern ziemlich groß und dank dreier bodentiefer Fenster von Licht durchflutet. Vor einem schicken Sofa stand ein gläserner Couchtisch. Die weißen Dielen trugen noch zum Eindruck strahlender Helligkeit bei. Am hinteren Ende gab es einen Essbereich – gleich vor dem Kamin. Überall fanden sich Stapel von Büchern, außerdem ein paar dekorative Kissen und Gemälde sowie ein dicker Teppich in gedecktem Orange. Auf einem Ständer thronte eine funkelnde Martin-Akustikgitarre.

»Willst du was trinken?«, fragte Craig.

»Ich nehme das Gleiche wie du«, antwortete Alan. »Heilige Scheiße. Was blätterst du dafür an Miete hin?«

»Der Typ wollte zweitausend im Monat, möbliert«, sagte Craig und machte sich an der Bar am Ende des Zimmers zu schaffen. »Aber der andere Raum ist winzig. Prost …« Craig reichte ihm ein Glas mit Eis und Zitrone.

»Prost«, entgegnete Alan, bevor er an seinem Drink schlürfte. »Buähhhhh – was zum Teufel ist das?«

»Mineralwasser. Entschuldige, aber du wolltest das Gleiche wie ich … das hast du zumindest gesagt. Ich trinke im Augenblick keinen Alkohol.«

Was zum Geier geht hier vor?, fragte sich Alan. In einer Ecke erblickte er etwas, das ihm bekannt vorkam. Ein limettengrüner Drehsessel. »So einen Loungesessel hatte ich auch mal.«

»Das ist eurer. Er stand in der Garage. Katie meinte, ich könnte … du weißt schon.«

»Oh, klar.« Die Katze war aus dem Sack.

»Hey, wenn du willst, können wir irgendwo was trinken gehen.«

»Gern«, sagte Alan und gab der sonderbaren Erscheinung, die einmal Craig gewesen war, sein Glas.

Sie gingen in eine Bar auf der Columbia Road, direkt neben dem Blumenmarkt. Der Laden war eine etwas dezentere, geschmackvollere Version des Pubs, in dem Alan vorher gewesen war. Craig trank weiterhin Mineralwasser mit Eis. Da er nicht als völliger Alki erscheinen wollte und um dem warmen Frühlingsabend Rechnung zu tragen, beschränkte sich Alan auf die eine oder andere Weißweinschorle. Er würde später immer noch etwas Richtiges trinken können. Nachdem Alan seinem Freund die neuesten Entwicklungen bezüglich der Prozesse und Probleme wegen des Promi-Jagdunfalls geschildert hatte, kamen sie schließlich zum eigentlichen Thema.

»Verdammt, Alan, ich war in der Nacht genauso dicht wie du. Ich kann mich kaum an irgendjemanden erinnern. Aber die Sache liegt doch auf der Hand. Einer von denen hat entweder mitbekommen, dass ihr beiden euch gemeinsam verdrückt habt, oder er ist zufällig draußen gewesen, um eine zu rauchen oder um zu pissen oder was weiß ich, und hat euch in deinem Arbeitszimmer dabei beobachtet, wie ihr … du weißt schon. Dann hat er sein Handy gezückt, und das war's.«

»Das erklärt immer noch nicht, warum er den Film an Katie geschickt hat.«

»Findest du? Meiner Meinung nach ist das noch der leichteste Teil: Er oder sie hat den Clip auf dem Handy. Irgendwann geben sich im Pub mal wieder alle richtig die Kante. Katie hat eine Kolumne geschrieben, von der sich einer von ihnen tierisch ans Bein gepisst fühlt. Ihre E-Mail-Adresse steht direkt unter dem Text. Irgendjemand sagt: ›Lass uns der blöden Kuh 'ne ordentliche Lektion erteilen und ihr das Video schicken, auf dem sich ihr Mann einen blasen lässt.‹«

Alan nickte, inzwischen einigermaßen angetrunken. Das klang plausibel.

»Wie stehen die Dinge zwischen dir und Katie?«, fragte Craig.

»Ich wohne im Holiday Inn, an der M40, Abfahrt 4.«

»Scheiße. Sie wird schon wieder zur Vernunft kommen, Alan. Du hast Mist gebaut. Ist zwar ein Albtraum, aber das wird schon wieder.«

»Ich vermisse die Kinder«, sagte Alan verzweifelt.

»Oh, verdammt, na klar.«

»Egal, ich hol uns …«

»Tut mir leid, ich muss los und noch ein paar Songs üben. Muss morgen früh aus den Federn.«

»Echt?«

»Ich bin im Radio. BBC6 Music? Die Sendung von Shaun Keaveny? Um ein bisschen Werbung für das Konzert zu machen. Muss um acht da sein.«

»Verstehe. Na gut, dann reden wir ein andermal weiter.«

»Aye. Klar. Tut mir echt leid.«

Sie standen auf und umarmten sich umständlich. »Ich bleib noch, bis ich das hier ausgetrunken habe …«, erklärte Alan und deutete auf sein Glas.

»Alan, geht's dir … bist du in Ordnung? Du siehst gar nicht gut aus, Kumpel.«

»Ach, weißt du, die letzten Wochen hatten es ziemlich in sich, da kam eins zum anderen. Vielleicht hab ich ein bisschen zu viel getrunken.«

»Hör zu, nimm das nicht so schwer. Katie wird sich schon wieder beruhigen.«

»Ja, klar.«

»Okay. Wir sehen uns.«

»Hey, um wie viel Uhr bist du morgen dran?«

»So gegen neun.«

»Ich schalte ein.«

»Klasse«, sagte Craig und wandte sich ab, um zu gehen.

»Ach, Mist. Warte mal kurz.« Craig drehte sich wieder zu Alan um. »Meine Kreditkarte ist vorhin nicht akzeptiert worden. Muss ein Missverständnis mit der Bank sein. Hast du vielleicht …«

Craig griff bereits in seine Tasche. Fast so, als hätte er damit gerechnet, dass ihm genau diese Frage gestellt würde. »Hier«, sagte er. »Das sind hundert, reicht das?«

»Ja, das ist mehr als genug. Danke. Ich geb's dir in ein paar Tagen zurück.«

»Erzähl keinen Quatsch – ich bin dir was schuldig.«

»Danke, und viel Erfolg morgen.«

»Schönen Abend noch, Alan. Du solltest auch heimgehen.«

Alan blickte Craig nach, wie dieser sich in seinem strahlend weißen T-Shirt durch den Pulk der Feierabendtrinker schob und auf die Straße trat, um dann pfeifend die Columbia Road entlangzuschlendern. Er starrte auf das Geld in seiner Hand, dann auf seine Uhr – halb acht an einem April-Abend in Ost-London. Wenn er jetzt ging, konnte er um Viertel nach acht den Zug ab Marylebone nehmen und zum Hotel zurückfahren. Er dachte an sein tristes Plastikzimmer und daran, wie der Hosenbügler ihn dumpf anstarrte. Ehe er sich's versah, schob er dem Barkeeper einen Zwanziger zu und sagte: »Einen doppelten Jameson auf Eis, bitte.«

33

Er brauchte ein paar Minuten, bis ihm klar wurde, wo er war – immer noch im selben deprimierenden Zimmer im Holiday Inn, das von der Sonne aufgeheizt und vom gedämpften Lärm der Autobahn erfüllt war. Er setzte sich auf, und sofort machte sich die schiere, rachsüchtige Kraft seines Katers bemerkbar. *Grundgütiger.* Er löschte seinen Durst mit dem schalen Wasser vom Nachttisch und versuchte, die Ereignisse der vergangenen Nacht zu rekonstruieren. Er war zum Shoreditch House gelaufen, hatte Whisky Sour getrunken und darauf gehofft, dort irgendjemanden zu treffen, bis ihm allmählich bewusst geworden war, dass es im gesamten Club kaum einen Menschen über dreißig gab und er offenbar die Hauptrolle in einer Hipsterversion von *Flucht ins 23. Jahrhundert* spielte. Er war mit dem Taxi nach Soho gefahren und hatte das Bermudadreieck abgeklappert – die Dean Street rauf vom Groucho über die obere Bar des Quo Vadis bis zum Soho House – in der Hoffnung, dort jemandem zu begegnen, den er kannte. Doch er war nur auf fremde Gesichter und noch mehr Alkohol gestoßen. Im Soho House war ihm schließlich das Geld ausgegangen, aber er hatte die perfekte Lösung gefunden: Er hinterlegte seine Kreditkarte an der Bar, setzte sich in den Innenhof, rauchte und trank bis Mitternacht einen doppelten Scotch nach dem anderen, und als er dann die Rechnung erhielt, gab er sich völlig perplex, dass seine Karte nicht funktionierte. Wie es sich fürs Soho House gehörte, gab man sich dort natürlich überaus verständnisvoll, und Alan versprach, er würde am nächsten Tag mit einer anderen Karte vorbeikommen, um seine Rechnung zu begleichen.

Anschließend war er bis Marylebone gelaufen, hatte gerade noch den letzten Zug erwischt, war gegen zwei Uhr ins Bett gefallen und mit der Flasche Talisker in der Hand eingeschlafen.

Alan nahm an, dass derartige Dinge wohl öfter passierten, wenn man keine Arbeit zu erledigen oder keine Kinder hatte, um die man sich kümmern musste. Dinge, die ein Heidenspaß waren, wenn man auf die dreißig zuging, aber nur noch traurig und tragisch, wenn man sich seinem fünfzigsten Geburtstag näherte.

Gottverdammt. Der Kopfschmerz ließ ihn zusammenzucken, als er vorsichtig die Füße über die Bettkante schwang. Er schaute auf sein Smartphone und stellte besorgt fest, dass er sieben Anrufe verpasst hatte, alle in den letzten beiden Stunden: einen von Katie, zwei von der Zeitung und nicht weniger als vier von seinem Steuerberater.

Er versuchte es zuerst bei Katie, aber da war besetzt. Er rief bei Canters an und fragte nach Bill. Das Tempo, mit dem Bill ans Telefon ging, ließ bei Alan auf der Stelle die Alarmglocken schrillen. »Alan«, sagte der Steuerberater. »Ich fürchte, ich habe schlechte Nachrichten.«

»Was?«

»Ich muss zugeben, dass ich genauso überrascht davon war, wie du es wohl sein wirst. Es …«

DIE NEUEN
BÜCHER
HEYNE
ENCORE
HEYNE
HARD
CORE

© Ramie Liddle

Als bei Miss Norma 2015 im Alter von 90 Jahren Gebärmutterkrebs diagnostiziert wurde, riet man ihr zu einer Operation, zu Bestrahlung und Chemotherapie. Doch Norma dachte nicht daran, ihrem Ende in einem Krankenhausbett entgegenzudämmern. Sie richtete sich zu ihrer vollen Größe von eineinhalb Metern auf und sagte ihrem Arzt: »Ich bin 90 Jahre alt, ich gehe auf Reisen!«

Sie packte das Nötigste und begab sich zusammen mit drei Vollzeitnomaden – ihrem pensionierten Sohn Tim, seiner Frau Ramie und ihrem Pudel Ringo – in einem zehn Meter langen Wohnmobil auf eine unvergessliche Reise. Die früher so ängstliche Frau, die im Angesicht des Todes »Ja« zum Leben sagte, probierte zum ersten Mal regionale Spezialitäten, rutschte auf einem Seil in den Garten eines Wildfremden und griff in einem Heißluftballon nach den Wolken. Auf ihrer Reise quer durch das Land lernte sie unzählige Menschen mit ihrem ganz persönlichen Schicksal kennen. Dieses reich bebilderte Buch voller Mut, Großzügigkeit und der Weisheit von einundneunzig Lebensjahren erinnert uns daran, wie schön und wertvoll das Leben sein kann.

Auch als E-Book und als Hörbuch

Paperback, ca. 304 Seiten · € 18,– (D) / € 18,50 (A) / CHF 24,50* · August 2017

Die Geschichte einer besonderen Freundschaft

»Um Himmels willen, jetzt sag schon, was ist los?«

»Die Steuerbehörde ermittelt gegen dich wegen des Verdachts auf Steuerhinterziehung.«

»WIE BITTE?«

»Ich weiß, ich weiß. Wir wurden gestern erst informiert. Sie haben deine Bankkonten gesperrt, solange die Untersuchung läuft.«

Die nicht akzeptierte Kreditkarte. Alan spürte, wie sich alles in ihm verkrampfte. »Das können die einfach so machen?«

»Ich fürchte, ja.«

»Aber warum? Haben wir irgendwas Illegales getan?«

»Nein! Also zumindest nichts, was wirklich illegal ist. Wie du weißt, haben wir es hier und da nicht so ganz genau damit genommen, was man wirklich über die Firma abrechnen kann, und wenn die mit harten Bandagen kämpfen wollen, dann können sie das tun. Aber ich möchte dich nicht unnötig beunruhigen, denn …«

»Wer … was ist der Grund dafür?« Alan klang den Tränen nahe.

»Ich weiß es wirklich nicht.«

»Herr im Himmel! Und das dürfen die? Meine Konten sperren? Wie … ich meine, wovon soll ich denn bitte leben?«

»Wenn du bei uns im Büro vorbeikommst, kann ich dir alle paar Tage einen Vorschuss aus der Portokasse geben. Das sollte dir zumindest über das Gröbste hinweghelfen, bis die Sache ausgestanden ist. Aber ich muss dich warnen – das wird ein bisschen was kosten.«

»Heilige Scheiße, Bill. Das ist ein absoluter Albtraum. Was kann mir schlimmstenfalls passieren? Ich meine, könnte ich in den Knast wandern?«

»Nein, nein. Das denke ich nicht.«

»Das denkst du n…«

»Hör zu, lass mich der Sache nachgehen und versuchen, Genaueres zu erfahren, in Ordnung? Ich melde mich dann sofort.«

Alan legte auf und starrte aus dem Fenster auf den brutzelnden Asphalt der M40. Was war passiert? Eben noch hatte er eine wundervolle Frau, eine wundervolle Familie und ein wundervolles Zuhause, und nur eine Minute später war er mittellos und hauste in einem beschissenen Billighotel. Sein Leben war wie eines dieser GIFs auf *Hold My Beer*: Er war der Typ, der im Lagerhaus einen Gabelstapler wendet. Erst ist alles bestens, aber dann stößt er gegen ein Regal, und zwei Sekunden später sieht es aus, als hätte jemand eine Bombe gezündet. Wie Ground Zero.

Könnte ich in den Knast wandern? Nein, nein.

Er fühlte sich von Bills Worten nicht sonderlich beruhigt. Als Kind – und Kinder sind per Definition inkompetent – hatte Alan immer angenommen, dass diejenigen, die es erst einmal geschafft hatten, erwachsen zu werden, auf ewig in den sonnendurchfluteten Hainen der Kompetenz wandeln würden. Der kleine Alan war überzeugt davon gewesen, dass die Welt voller Erwachsener war, die alles wussten und noch mehr konnten. War man allerdings selbst erwachsen, fiel es einem wie Schuppen von den Augen, und man erkannte, dass die Welt der Erwachsenen von Stümpern, Hochstaplern und Blödmännern besiedelt war. Dem Automechaniker, der den Motor im Kofferraum suchte. Dem Zahnarzt, der einem das Gebiss ruinierte. Dem Gastechniker, der dein Haus in die Luft jagte und dir fröhlich eine Rechnung über mehrere Tausend Pfund überreichte. *Dem Steuerberater, der so lange alles schönredete, bis du im Knast gelandet warst.*

Alan wurde klar, dass er dringend eine zweite Meinung einholen musste. Er brauchte Fachwissen. Er musste mit einem Erwachsenen sprechen. Aber im Grunde kannte er nur einen wirklich erwachsenen Menschen, und Katie weigerte sich momentan, mit ihm zu sprechen.

Es klopfte an der Tür. Er wickelte sich in die Bettdecke und stolperte durch das demolierte Zimmer, um nachzuschauen. »Tut mir leid, Sie zu stören, Mr. Grainger.« Der Kerl vor ihm, wohl so eine Art Assistent der Hoteldirektion, gab sich alle Mühe, angesichts von Alans Aussehen und dessen zweifellos heftiger Fahne nicht zu erschrocken zu wirken. »Aber wie Sie wissen, müssen wir einmal in der Woche Ihre Rechnung checken, und da gibt es ein kleines Pro…«

»Problem mit meiner Kreditkarte?«

»Oh. Sie wissen Bescheid?«

»Ja, tut mir leid. Ich werde mich bis heute Abend darum kümmern.«

»Großartig. Ich danke Ihnen. Nochmals Entschuldigung für die Stör…«

Alan schloss die Tür.

Kaum saß er wieder auf dem Bett, piepte das Smartphone: der Klingelton, der einen anstehenden Termin ankündigte. Vor lauter Angst, was ihn als Nächstes erwartete, graute ihm inzwischen regelrecht davor, aufs Display zu schauen. Widerstrebend griff er trotzdem nach dem Handy. Um die Mittagszeit war er zum »ESSEN MIT TOM« verabredet.

Na spitze, dachte er. *Perfekt. Genau das, was ich jetzt brauche. Nichts würde ich lieber tun, als mit meinem Sohn etwas essen zu gehen und ihm mitzuteilen, dass ich seiner Mutter untreu gewesen bin. Dass ich aus dem Haus ausziehen musste und wir uns vielleicht scheiden lassen werden. Oh, und übrigens, ich bin pleite. Könntest du mir Geld leihen, um das Essen zu bezahlen?*

Alan warf sein Smartphone aufs Bett und sah auf die Uhr unterm Fernseher: 9:30 Uhr. Sein Blick wanderte zur Scotch-Flasche und wieder zur Uhr, bevor er abermals zur Flasche zurückkehrte und in Alans Kopf ein Dialog begann: *Kein Bier vor vier … eigentlich ist es ja schon nach vier … und überhaupt … irgendwo auf der Welt ist es immer vier Uhr.* Unter größter Willensanstrengung fasste er schließlich den folgenden Gedanken: *Nein. So tief bin ich noch nicht gesunken.* Er stand auf, ging an der Whiskyflasche vorbei ins Bad und drehte die Dusche auf. Als er nackt ins Zimmer zurückkehrte, um zu warten, bis das Wasser warm war, fiel ihm etwas ein.

Alan schaltete das Digitalradio an, das auf dem Schreibtisch stand, stellte den richtigen Sender ein und empfing schließlich verebbendes Gelächter. Männliches und weibliches Lachen, das einander fröhlich umgarnte.

»O Gott! Haha!«, sagte Shaun Keaveny. »Vielen Dank, Craig. Liebe Zuhörer, das war Craig Carmichael, der heute Morgen bei uns ist. Er war früher Frontmann bei The Rakes und macht jetzt wieder Musik. Nach einer sehr langen und, wie ihr sicher gehört habt, ziemlich abenteuerlichen Auszeit. Craig, du spielst in London im XOYO, und zwar am …«

»Am zwanzigsten. Das ist am Freitag.«

»Am Freitag. Ich glaube, die Show ist bereits ausverkauft, hab ich recht?«

»So ist es, Shaun. Aye.«

»Ist das nicht ein komisches Gefühl, dass all diese Dinge – Radio-Interviews, ausverkaufte Konzerte – plötzlich passieren? Nachdem du – ich denke, in deinem Fall kann man das wohl so formulieren – einige Jahre völlig weg vom Fenster warst?«

»Doch, das ist es. Das ist es allerdings. Gerade auf dem Weg hierher hab ich noch darüber nachgedacht. Ich bin über die Regent Street gelaufen und dachte: ›Unfassbar, noch letzten Sommer hab ich da drüben geschlafen.‹« Craig klang routiniert und professionell, als wäre er gerade von einer sechsmonatigen Promotion-Tour in den USA zurückgekehrt. »Also, natürlich, es war schon ziemlich verrückt und fantastisch und … keine Ahnung … ich versuche immer noch, das alles irgendwie zu begreifen.«

»Wir wünschen dir jedenfalls alles Gute, Craig. So, wie heißt das letzte Stück, das du heute für uns spielen wirst?«

»Einige deiner älteren Hörer werden sich vielleicht an diesen Song erinnern. Er heißt ›Daybreak‹.«

»Ich kann mich auf jeden Fall daran erinnern, und ich bin gar nicht *so* alt. Na ja, darüber lässt sich wohl streiten. Es war jedenfalls toll, dich in der Sendung zu haben. Liebe Hörer, Craig Carmichael mit ›Daybreak‹.«

Der Klang von Craigs Akustikgitarre erfüllte das kleine Hotelzimmer. Er hörte sich gut an. »Na dann«, sagte Alan.

Er griff nach der Whiskyflasche.

34

»Verdammte Scheiße, Dad ...«

Er hatte sich mit Tom zum Mittagessen im The Cottage verabredet, das erschreckend nah am Dragon lag – jenem Pub, in dem die Katastrophe ihren Anfang genommen hatte. Mit gesenkten Köpfen saßen sie in der Ecke vor ihrem Bier, während um sie herum Pommes, Pies und Lasagne zu den Tischen gebracht wurden. Wie mit Katie besprochen, hatte er seinem Sohn die Situation in groben Zügen erläutert: Alan war Katie untreu gewesen, und das hatte zu ihrer augenblicklichen Trennung geführt. Katie hatte angedeutet, dass auch Melissa, die ja nicht auf den Kopf gefallen war, bereits komische Fragen stellte. »Ich mein, echt, was machst du für 'ne Scheiße, Dad?«, sagte Tom, dabei hatte Alan ihm nicht einmal von dem Video erzählt.

»Ich weiß.« Was sollte er auch sonst sagen? Es war nicht einfach, sich so etwas von seinem inzwischen zwanzigjährigen Sohn anhören zu müssen. Aber Alan wusste, dass er das einstecken musste. Er hatte keine andere Wahl.

»Was zum Geier hast du dir dabei gedacht?«

»Gar nichts. Ich war betrunken, Tom. Es war das Dümmste, was ich je in meinem Leben getan habe.« Alan seufzte und massierte sich die Schläfen. Er hatte auf dem Weg hierher ein paar Minzdragees gekaut, um die Whiskyfahne zu kaschieren, und nun vermischte sich der Pfefferminzgeschmack mit dem Bier in seinem Mund zu einer grässlichen, chemisch schmeckenden Brühe. Gott, ihm ging es total beschissen.

Als könnte er Alans Gedanken lesen, sagte Tom: »Dad, du siehst echt kacke aus.«

Alan nickte. Er hatte gerade genug Geld dabei, um das Essen zu bezahlen. Er würde wohl morgen aus dem Hotel ausziehen müssen. Er musste sich was anderes suchen. *Herrgott noch mal.* Alle seine Freunde waren verheiratet, hatten Kinder. Konnte es etwas Trostloseres geben? *»Onkel Alan wohnt eine Weile in unserem Gästezimmer.«* Vor seinem inneren Auge sah er die frisch geschrubbten Gesichter der Kinder, die morgens ihre Cornflakes aßen, während er stinkend und verkatert in die Küche gestolpert kam. »Wie geht's deiner Mum?«, fragte er seinen Sohn.

»Sie ist wütend. Nicht, dass sie herumsitzt und flennt oder so. Sie ist öfter mal in London gewesen und um die Häuser gezogen. Aber ich glaube, neulich abends hab ich sie weinen gehört.«

Alan dachte darüber nach, was er da losgetreten hatte. Daran, wie die Kinder im Bett lagen, in dem Zuhause, das er ihnen gegeben hatte, und wie sie ihre Mutter weinen hörten wegen dem, was er ihr angetan hatte. Seine Schultern fielen nach vorn, und es kostete ihn eine fast übermenschliche Willenskraft, nicht zu schluchzen. Vor den Augen der eigenen Kinder weinen – das muss man erst mal bringen. Natürlich war Alan das auch vorher schon passiert: vor dem Fernseher oder im Kino, wo bei ihm meistens die Tränen kamen, sogar oder vielmehr insbesondere bei Kinderfilmen. Er konnte sich noch an sein unterdrücktes Schluchzen bei *Alles steht Kopf* erinnern, oder sein schweres Atmen, als Jessie in *Toy Story 2* »When She Loved Me« sang. Tom, der nun neben ihm saß und mit seiner riesigen Pranke ein Bierglas umklammerte, war damals vier gewesen, hatte an seiner Cola genuckelt, Alans Hand getätschelt und gesagt: »Alles ist gut, Daddy.«

Alan dachte an all die Male, die seine Kinder vor ihm geweint hatten, an ihre Tränen, die aus vielen verschiedenen Gründen geflossen waren: vor Schmerz wegen einer Schürfwunde am Knie oder einem Schnitt in den Finger, aus Frustration über ein gebrochenes Versprechen. Tränen der Angst, der Müdigkeit und Verwirrung. Alan war immer der Tränentröster gewesen, es war sein Job, sie zu trocknen. Über viele, viele Jahre war es seine Aufgabe, das weinende Kind in den Arm zu nehmen und zu sagen: »Na, na. Ist doch nicht so schlimm. Alles wird gut. Alles wird wieder gut.« Und jetzt, hier in der hintersten Ecke des Pubs, kam es zu dieser merkwürdigen Umkehrung: Toms Arm legte sich um die Schulter seines Vaters, und er sagte: »Na komm, Dad. Das wird schon wieder. Alles wird wieder gut.«

»Tut mir leid, Tom.«

Zum ersten Mal spürte Alan die Gegenwart einer höheren Macht, einer Macht, die sich gegen ihn verschworen hatte. Ihn beschlich das ungute Gefühl, dass sein idiotischer Fehltritt nicht nur für Katies Entscheidung verantwortlich war, sondern auch für das Fiasko in den Highlands, für die Steuerprüfung, für überhaupt alles. »Es tut mir so schrecklich leid«, sagte er noch einmal zu Tom, das Gesicht in den Händen vergraben, unfähig, seinem Sohn in diesem Moment ins Gesicht zu schauen. *Reiß dich zusammen.* Er atmete tief durch, und es gelang ihm, die ansteigende, salzige Flut, die sich mit einem Röcheln in seinen Lungen ankündigte, wieder in ihre Schranken zu weisen. »O Gott, Tom, ich … die letzten Wochen waren einfach die Hölle für mich.«

»Das wird schon wieder, Dad. Ich … wir alle haben dich doch immer noch lieb.« Wie es sich für einen jungen Menschen geziemt, der gerade erst seinen Teenagerjahren entwachsen ist, musste Tom seine Stimme senken und zu Boden blicken, um diese letzten Worte überhaupt hervorzubringen. Er durchlebte gerade einen entscheidenden Erziehungsmoment, einen regelrechten Grenzstein zwischen Adoleszenz und Erwachsensein. Als Kinder glauben wir, dass alle Erwachsenen im besagten sonnendurchfluteten Hain des gesunden Menschenverstands wandeln. Doch irgendwann wird uns bewusst, wie schmal der Pfad durch diesen Hain ist und wie leicht es manchen Menschen fällt, in die Untiefen jenseits davon zu stolpern.

35

Montag: Konto vom Finanzamt gesperrt.

Dienstag: Nervenzusammenbruch vor dem eigenen Sohn.

Mittwoch: Offiziell obdachlos.

Donnerstag: Sitzung mit dem Vorstand der Zeitung.

Alan betrat den Sitzungssaal im Redaktionsgebäude, ohne den leisesten Hauch von Angst oder Panik zu verspüren. Teilweise, weil er augenfällig bereits leicht angetrunken war, hauptsächlich aber, weil Angst die Befürchtung ist, dass etwas Schreckliches passieren könnte. Und das hatte Alan längst hinter sich gelassen. Er lebte in einer Welt des Schreckens. Des grenzenlosen, unfassbaren Horrors. Um es mit einem Flugzeugabsturz zu vergleichen: Er war weit darüber hinaus, sich bei jedem neuen Rütteln und Schütteln an die Armlehne zu klammern und panisch auf das »Bitte anschnallen«-Zeichen zu starren. Er hatte längst den Punkt erreicht, an dem ein Teil des Rumpfes abgerissen war, die Maschine auf den Berg zuraste und er zusehen musste, wie alle anderen Passagiere aus den Sitzen gerissen und nacheinander ins flammende Inferno geschleudert wurden. An diesem Morgen erst hatte er sich gezwungen gesehen, aus dem Hotel auszuchecken, weil er keine funktionierende Kreditkarte mehr besaß. Immerhin: Offenbar gab es die Möglichkeit, so eine Art

Guthabenkarte zu kaufen und das Geld, das er von seinem Steuerberater bekam, auf diese Karte zu laden. Was ihm, ehrlich gesagt, arg umständlich vorkam. Zumindest lagerte das Hotel sein Gepäck so lange, bis er eine neue Bleibe gefunden hatte.

Er bog um die Ecke und blickte in den verglasten Konferenzraum, der bis vor Kurzem noch Schauplatz so vieler wunderbarer Redaktionssitzungen gewesen war. *Oh, Pandora! Rory! Warum habe ich mein Glück nicht gesehen, als es noch mit Händen greifbar war? Warum habe ich mich nicht daran erfreut, wie gut ich es hatte, statt mich darüber aufzuregen, dass Clarkson allen Ernstes ein englisches Frühstück auf der Motorhaube eines Sportwagens zubereiten wollte?* Wie in einem Gerichtssaal hatten sich sein Chefredakteur Greg, die leitende Redakteurin Rose, der gute alte Graham von der Rechtsabteilung – erkennbar bemüht, Alans Blick auszuweichen – und eine Frau, die er nicht kannte, um das hintere Ende des Konferenztisches versammelt.

»Alan, danke fürs Kommen«, begrüßte ihn Greg mit Handschlag. »Du kennst ja Rose, Graham … und das ist Fiona von der Personalabteilung.«

Aha.

Er setzte sich auf den freien Stuhl am anderen Ende des Tisches und stellte seinen Costa-Kaffee ab. Den Kaffee, in den er auf dem Weg von der U-Bahn-Station einen ordentlichen Schuss Whisky aus seinem Flachmann geschüttet hatte.

»Also gut«, begann Greg. »Die gute Nachricht ist, dass es ganz so aussieht, als wäre mit Miles alles geregelt. Er scheint sich beruhigt zu haben. Wir werden wohl die

Krankenhausrechnungen und einiges andere übernehmen müssen, und er wird ein paar Narben davontragen. Aber ich glaube, dass wir halbwegs aus dem Schneider sind. Das Gleiche gilt für diesen Andy-Jacks-Schwachsinn.«

»Großartig«, sagte Alan.

»Nur dieses amerikanische Filmstudio nervt immer noch saumäßig wegen Fergus Marks. Diese verfluchten Amis. Du weißt ja, wie prozessgeil die sind. Sieht leider ganz so aus, als würden wir uns auf einen Vergleich einlassen müssen.«

»Wie viel wird das …«, begann Alan.

»Siebenhunderttausend Pfund«, sagte Rose ungerührt.

»Heilige Scheiße.«

»Die wollten Millionen haben«, erklärte Greg. »Wir haben uns mit ihnen auf eine Kulanzzahlung geeinigt, du weißt schon, ohne Anerkennung einer Rechtspflicht und so weiter.«

»Aber …«, setzte Alan an.

»Aber irgendjemand wird dafür geradestehen müssen«, fiel ihm Rose ins Wort.

»Selbstverständlich«, sagte Alan ruhig und freundlich. Dieses Tribunal konnte ja nicht wissen, dass diese Schreckenswoche für ihn keine Schrecken mehr bereithielt. Sie würde vorübergehen. »Also werdet ihr mich feuern.«

»Nun, das … ja«, sagte Greg. Alle sahen ihn an.

»Sonst noch was?«, fragte Alan.

Verwunderte Blicke wurden untereinander ausgetauscht. Offenbar fanden sie seinen Gleichmut beunruhigender, als wenn er alles kurz und klein gehauen hätte.

»Möchten Sie diese Entscheidung vielleicht mit uns diskutieren?«, wollte Fiona aus der Personalabteilung wissen.

»Nein.«

»Du müsstest dann noch ein paar Papiere unterzeichnen, Alan«, sagte Graham.

»Klar. Pack sie in die Post. Hört zu, Leute, ich muss jetzt wirklich los.« Alan stand bereits auf. »Danke.«

Rose zuckte mit den Achseln und schob ihre Unterlagen zusammen. Fiona wirkte ein wenig enttäuscht, dass es keine Szene gegeben hatte. Greg erhob sich und reichte Alan die Hand. »Hör mal, vielleicht können wir ja in Zukunft, wenn sich alles gelegt hat und Gras über die Sache gewachsen ist, wieder …«

»Ja, ja. Gern. Danke, Greg. Bis dann.«

Mit zügigem Schritt ging Alan zum Fahrstuhl. Den Köpfen nach zu urteilen, die aus den Bürowaben auftauchten, hatte die Kunde vom Hauptereignis der heutigen Konferenz schon die Runde gemacht. Als er am Aufzug ankam, hörte er, wie hinter ihm jemand seinen Namen rief, und drehte sich um. Vor ihm, in Jeans und ihrem kurzen, schwarzen Cardigan, stand Pandora.

»Pan…«, sagte er und sah, dass ihr die Tränen schon in die Augen schossen, bevor sie ihn umarmen konnte. Außerdem verriet ihm ihr Gesichtsausdruck, welch entsetzlichen Anblick er offenbar bot.

»Es tut mir so leid«, sagte sie.

»Alles gut. Ist ja niemand gestorben. Na ja, Miles beinahe.«

Pandora rang sich ein Lächeln ab. »Ich hätte Andy in seinem Zustand niemals mitbringen dürfen.«

»Sag das nicht. Ich hab dich schließlich darum gebeten.«

»Möchtest du vielleicht später was trinken?« Sie wischte sich eine Träne von der Wange. Pandora, mit der er nicht geschlafen hatte, obwohl er es vermutlich gekonnt hätte. Vielleicht hätte er Katie davon erzählen sollen. Aber genau das war das Problem, wenn man *nicht* mit Leuten schlief: In einer Diskussion über Untreue war eine Liste der Menschen, die man nicht gevögelt hatte, ein denkbar ungeeignetes Argument. Genau wie ein fünfundzwanzig Zentimeter langer Penis oder ein Studienabschluss mit summa cum laude.

»Vielleicht. Schick mir eine SMS.« Er hörte, wie sich hinter ihm die Fahrstuhltüren öffneten. »Ich muss mich jetzt echt beeilen.«

Er drückte ihr einen flüchtigen Kuss auf die Stirn, und mit dem Duft ihres Parfüms in der Nase verschwand er im Aufzug.

»Ich muss wirklich los. Ich muss mich jetzt echt beeilen.«

Noch vor Kurzem war es die Wahrheit gewesen, wenn er so etwas sagte. Da hatte er noch einen Job – eigentlich sogar mehrere Jobs – und eine Familie. Es war immer etwas zu tun gewesen. Er musste irgendwo sein, jemanden abholen oder etwas erledigen. Jetzt nicht mehr. Fühlten sich so kinderlose Menschen, die in die mittleren Jahre kamen? Um einen herum erstreckten sich bis zum Horizont nichts als gewaltige Ozeane aus Zeit. Wurden Dinge wie Essen, Schlafen und Sport – alles nebensächlich, wenn man eine Familie und einen Job hatte – dann plötzlich zum Mittelpunkt des Lebens?

Wo musste Alan gerade so dringend hin? Nirgendwohin. In den Pub. Und das konnte er den Leuten schlecht unter die Nase reiben. *Ohne Frauen ist das Leben eine Kneipe.* Wo hatte er das gelesen?

Den Irish Coffee aus dem Costa-Pappbecher schlürfend, durchquerte er das sonnendurchflutete Atrium der Lobby, als er wieder jemanden seinen Namen rufen hörte. Es war Graham, der hinter ihm herlief und mit einem Umschlag wedelte. »Hier«, sagte er. »Die kannst du genauso gut gleich mitnehmen. Einfach an den gekennzeichneten Stellen unterschreiben und an mich zurückschicken. Das alles tut mir echt leid, mein Lieber. Rose war wirklich stinksauer.«

»Schon in Ordnung, Graham. Ich verstehe das.«

»Hör mal, ich hab das mit der Steuerprüfung mitbekommen.«

»O ja, ein beschissener Albtraum.«

»Hast du da mal nachgeforscht?«

»Mein Steuerberater kümmert sich um die Sache.«

»Kommt mir ziemlich suspekt vor. Ich meine, wenn so was passiert, dann …« Graham schaute sich um und senkte die Stimme, als würde er befürchten, dass das Finanzamt mithören könnte. »Meistens hat das Finanzamt einen Tipp erhalten.«

»Wirklich?«

»Wie schlecht läuft es gerade zwischen dir und Katie?«

»Oh, vergiss es. Keine Chance.«

»In Ordnung. Pass auf, ich kenn da ein paar Leute, die Erfahrung mit so was haben. Ich hör mich mal um.«

»Danke, Graham.«

»Kein Problem.« Graham legte seine Hand auf Alans Schulter. »Eine Sache noch, Alan. Rasier dich um Himmels willen und halt dich mit der Sauferei ein bisschen zurück.«

Alan grinste. »Geht klar.«

»Okay. Kopf hoch!«, sagte Graham, und weg war er.

Alan trat hinaus in den Sonnenschein. Es war jetzt richtig heiß. Er spazierte durch den kleinen Park neben dem Büro und suchte vergeblich nach einer freien Bank. Schließlich zog er seine Jacke aus, legte sie auf den Rasen und setzte sich darauf. Er trank den letzten Schluck Irish Coffee und stellte den Becher vor sich ab. Dabei bemerkte er einige gar nicht so kleine Kaffeeflecken auf seinem Hemd. Auch egal. Er sah sich um und musterte seine Mitbürger: ein Rentnerpärchen, ein schwules Pärchen, Büroangestellte, die sich ein Sandwich teilten, einen Fahrradkurier, irgendwelche Medienheinis.

Alan fiel ein, dass er keine Ahnung hatte, wo er die Nacht verbringen sollte. Das war ihm zum letzten Mal 1989 passiert, im zweiten Studienjahr, als er via Interrail durch Europa gereist war. Er besaß noch ein paar hundert Pfund in bar. King's Cross war gleich die Straße runter, da würde er wohl landen. Was für eine groteske Vorstellung: In einer Absteige nahe King's Cross zu wohnen, wo man das Zimmer täglich bar bezahlen musste. Fast hätte er gelacht, wäre dieser Albtraum nicht so real gewesen. Ein stumpfes »Plop« riss ihn aus seinen Gedanken, und als er aufblickte, sah er ein junges Mädchen vorbeigehen. Vielleicht eine Studentin, die sich noch einmal nach ihm umdrehte und ihn dabei seltsam anlächelte. Sie legte den Kopf so komisch schräg. Er starrte auf den leeren Pappbecher. Obwohl, ganz leer war er gar nicht mehr. Am Boden glitzerte etwas golden im Sonnenlicht: eine Ein-Pfund-Münze.

Jetzt lachte er wirklich.

Er steckte die Münze ein, holte den Flachmann aus der Tasche, nahm einen ordentlichen Schluck, stand auf und machte sich auf den Weg zur U-Bahn-Station. Er wusste, wo er hingehen würde. Irgendwie wusste er es schon, seit er heute Morgen das Hotel verlassen hatte. Es fühlte sich einfach richtig an. Es war von einer derart zwingenden Symmetrie, dass er gar nicht anders konnte.

36

»Scheiße, geht's dir gut?« Alan hatte Sturm geklingelt. Craig trat zur Seite, um ihn in die Wohnung zu lassen.

Alan ließ sich aufs Sofa plumpsen und erzählte Craig von den vergangenen zweiundsiebzig Stunden, von der Steuersache und von seiner Kündigung. Er erzählte ihm sogar von dem Mädchen, das eine Ein-Pfund-Münze in seinen Pappbecher geworfen hatte.

»Gott im Himmel«, sagte Craig und kaute an einem sauber manikürten Fingernagel herum. Wieder ein Fortschritt. Craig war wie der Terminal 5 in Heathrow. Jedes Mal, wenn man ihn besuchte, gab es kleine Fortschritte zu bestaunen. »Was für ein Albtraum. Weißt du was? Wenn ich wirklich dringend mal ein Pfund nötig hatte, hab ich manchmal stundenlang rumgesessen, und es ist nichts dabei rausgesprungen. Du musst ein gutes Gesicht dafür haben.«

»Ein gutes Gesicht zum Betteln?«

»Aye. Manche Menschen haben das einfach.«

»Tja. Vielleicht ist das meine Zukunft.«

Alan hatte Betteln nie als Tätigkeit betrachtet, die Talent oder gar eine natürliche Begabung erforderte. Aber vielleicht hatte er, wie bei so vielen anderen Dingen, auch damit falschgelegen. Vielleicht hatte er sein Leben damit verschwendet, etwas zu tun, was ihm gar nicht lag, wo ihm doch sein angeborenes Talent – das Betteln – ins Gesicht geschrieben stand.

»Erzähl keinen Quatsch«, sagte Craig vom anderen Ende des Raums, wo er gerade Tee aufsetzte. »Die Steuersache kriegst du schon geregelt, da bin ich mir sicher. Und du und Katie, ihr werdet eure Probleme garantiert lösen. Außerdem kannst du immer noch *schreiben*, richtig? Das kann dir verdammt noch mal niemand nehmen.«

»Danke«, sagte Alan und nahm die Teetasse entgegen. »Aber ich bin kein *Schriftsteller*. Ich schreibe Gourmetkritiken. Dafür braucht man jemanden, der sie veröffentlicht und der einen bezahlt. Was soll ich tun? Sie im Internet posten? Bei Yelp? Oder TripAdvisor? Die Kritiken selber ausdrucken und auf der Straße verteilen?« Einen Moment lang amüsierte Alan die Vorstellung, schmutzig und zerlumpt an der Kreuzung von Old Compton Street und Dean Street zu stehen – dort, wo stündlich Dutzende seiner Freunde und Bekannten auf ihrem Weg zum Groucho, Soho House, Quo Vadis oder dem Dean Street Townhouse vorbeikamen – und schmuddelige, in der Stadtbücherei kopierte DIN-A4-Blätter zu verteilen: THE ALAN TIMES, mit Kritiken und Besprechungen von ... ja, wovon eigentlich? McDonald's-Filialen? Essensresten aus der Mülltonne? Den überschüssigen Sandwiches, die Pret A Manger an die Obdachlosen verteilte? Alan und Craig schlürften ihren Tee.

»Gestern hab ich fast vor Tom geweint.« Er hatte noch immer keine Tränen vergossen. Es war merkwürdig. Es fühlte sich an ... als hätte er Verstopfung.

»Fuck. Wie geht's Tom?«

»Er ... es überfordert ihn völlig.«

»Aye, ich hab neulich kurz mit ihm gesprochen.«

»Hast du? Wie kommt's?«

»Er wollte Gästelistenplätze für morgen Abend, für sich und ein paar Kumpels.« Morgen Abend: Craigs Show. »Wissen die Mädchen über dich und Katie Bescheid?«

»Nein, aber Melissa ahnt wohl allmählich, dass etwas nicht stimmt. Katie will ihnen nichts sagen, solange sie nicht entschieden hat, was sie tun wird.« Alan dachte an Sophies süßes kleines Gesichtchen, so lieb und vertrauensselig, und wie die Nachricht darüber, was er ihrer Mutter angetan hatte, diese Unschuld zerstören und besudeln würde. Er verdrängte den Gedanken und verspürte dabei das nagende Verlangen nach einem starken Drink. Stattdessen schlürfte er seinen Tee und fragte: »Wie geht's dir denn eigentlich so? Morgen ist doch dein großer Abend.«

»Uns geht der Arsch auf Grundeis. Wir sind jetzt offiziell ausverkauft.«

Alan war schon ein paar Mal aufgefallen, dass Craig begonnen hatte, im Pluralis Majestatis von sich zu sprechen. *»Wir haben eine gute Kritik bekommen.« »Wir spielen dieses Konzert.«* Im besten Fall rührte es vielleicht bloß daher, dass er so viele Jahre in einer Band gespielt hatte.

»Das ist fantastisch. Wie viele Leute fasst der Laden?«

»Fünfhundert?« Craig zuckte mit den Schultern.

»Echt? Ich ... wow.«

»Du wirkst überrascht ...«

»Nein, ich ... wirklich nicht. Ich schätze, ich weiß gar nicht, was ich erwartet habe.« In seiner Vorstellung hatte Alan sich den Laden als winziges Pub-Hinterzimmer ausgemalt, wie einen dieser Schuppen, in denen Craig früher in Ayrshire gespielt hatte, bei seinen ersten Auftritten. Bei *ihren* ersten Auftritten. »Das ist echt toll, Craig. Ich freu mich wirklich für dich.« Das tat er auch, allerdings nicht uneingeschränkt. Das Credo »Es reicht nicht, wenn ich Erfolg habe, andere müssen scheitern« hatte er sich zwar nie zu eigen gemacht, und ebenso wenig gehörte er zu denen, die »Wir vergeben unseren Freunden alles außer Erfolg« predigten. Aber er war auch nicht dumm und schon gar nicht verrückt. Natürlich wäre es ihm lieber gewesen, wenn das Glück weiterhin ihn statt Craig bevorzugt hätte. Aber wenn Fortuna ihn schon eine Weile links liegen ließ, dann sollte sie ihre Gunst ruhig seinem alten Kumpel erweisen.

»Du kommst doch morgen, oder?«, fragte Craig.

»Keine Ahnung. Sieh mich doch an. In meiner Verfassung bin ich wohl kaum vorzeigbar. Außerdem wird Katie dort sein. Und Vanessa auch. Alle ihre Freundinnen, und sie werden mich ansehen wie das letzte Stück Dreck. Tom und seine Freunde sind auch da. Ist vermutlich besser, wenn ich nicht komme.«

»Ist doch Scheiße, ohne dich wäre das alles nicht möglich gewesen.«

»Ach komm.«

»Doch. Es ist dein Verdienst. Das alles hier.« Craig deutete auf die Wohnungseinrichtung.

»Ich überleg's mir.« Alan gähnte. Draußen auf der Hackney Road, vor den drei hohen Fenstern, wurden die Schatten allmählich länger. Wie lange hatte er in den letzten Tagen im Schnitt geschlafen? Zwei Stunden pro Nacht? Vielleicht drei? War doch nicht übel, angesichts der Umstände. »Hör mal, Craig. Entschuldige, aber ich bin fix und fertig. Würde es dich stören, wenn ich …«

»Nicht doch. Komm mit.« Craig öffnete die Tür. »Wie ich schon sagte, es ist nicht groß.«

Das Zimmer war eine Abstellkammer, etwa anderthalb mal drei Meter, so groß wie eine Gefängniszelle. Ein winziges Fenster mit einer dünnen Gardine ging auf die Ziegelwand des Nachbarhauses hinaus. In der Ecke standen ein paar Kartons und Craigs Gitarrenkoffer. Auf dem Boden lag eine einzelne Matratze ohne Bettzeug.

»Tut mir leid, ich hab keine zweite Bettdecke, aber hier …«, sagte Craig und reichte ihm ein blaues, zusammengerolltes Ding. »Ist nicht mehr benutzt worden, seit Katie ihn für mich gewaschen hat.«

»Prima. Danke. Wir sehen uns morgen früh.«

So geschah es, dass Alan sich in Craigs Gästezimmer aufs Ohr legte. Im selben Schlafsack, in dem Craig auf der Straße gepennt und den Katie gewaschen hatte, nachdem er bei ihnen eingezogen war. An jenem Tag, der nun ein ganzes Leben zurückzuliegen schien.

37

»Wann kommt Daddy endlich nach Hause?«, fragte Sophie zum achten Mal an diesem Morgen.

»Ja, wann denn eigentlich?«, erkundigte sich Melissa etwas zurückhaltender, aber auch skeptischer als ihre Schwester.

»Himmelherrgott, ich hab's euch doch gesagt: Daddy muss arbeiten, und ich hab heute keine Zeit für diesen Unsinn. Esst euer Müsli. Wo hab ich nur meine verflixte Handtasche hingetan?«

Sie saßen beim Frühstück – ein alltägliches Familienritual, das in dieser Küche schon tausendfach stattgefunden hatte. Nur dass einer der Hauptdarsteller fehlte. Ein weiterer Darsteller, Tom, lag oben in seinem Zimmer und schlief tief und fest. *Verdammte Semesterferien,* dachte Katie. *Der Kerl bringt Taschen voll schmutziger Wäsche nach Hause und verhält sich, als wäre er im Hotel. Packt so gut wie nie mit an. Schläft bis mittags. Wie viele Wochen geht das noch so? Warum sucht er sich keine Ferienarbeit? Was ist mit dem Job im Supermarkt, den er früher immer gemacht hat?* Oh nein. Sie riss sich am Riemen. Auf diesen dürren Ast würde sie sich nicht begeben. Sie würde sich nicht in ihre eigene Mutter verwandeln.

»Ich hab gesehen, dass seine Kolumne diese Woche nicht in der Zeitung war«, sagte Melissa. *Verdammt, das Kind ist wirklich nicht auf den Kopf gefallen,* dachte Katie. Und um sich ein paar Sekunden Zeit zum Nachdenken zu erkaufen, sagte sie: »Ach, tatsächlich? Das ist ganz normal bei Kolumnisten, wenn sie hin und wieder mal eine Woche aussetzen.«

»Daddy setzt nie eine Woche aus. Er schreibt sie sogar, wenn wir im Urlaub sind.«

»Ja, das stimmt. Aber Daddy ... Sophie, bitte setz dich und iss dein Frühstück. Daddy hatte in den letzten paar Wochen eine Menge um die Ohren, wegen all dem Ärger in Schottland.«

Melissa sagte nicht wirklich »hhhhhmmmpfff«, weil das noch kein Mensch jemals wirklich gesagt hat. Stattdessen erhob sie sich vom Tisch, ohne ihre Mutter dabei aus den Augen zu lassen, stolzierte aus dem Zimmer und brummelte: »Irgendwas ist im Busch.«

»Ach, nun sei nicht so melodramatisch, Melissa. Und bürste dir bitte die Haare. Wo ist das verfi… verflixte Ding?« Sie suchte immer noch nach ihrer Handtasche, inzwischen im Gemüsekorb.

»Mummy?«, sagte Sophie.

»Ja, mein Schatz?«, fragte Katie und schaffte es mit Mühe und Not, nicht allzu gereizt zu klingen.

»Was ist denn in dem Busch?«

»Keine Sorge, mein Schätzchen. Alles ist in Ordnung. Melissa redet nur dummes Zeug.« Katie wollte gerade nach Petra rufen – die Haushälterin war momentan aufgrund der Umstände fast täglich da und wie üblich beim Bügeln im Hauswirtschaftsraum – und sie nach der Handtasche fragen, als sie endlich fündig wurde. Die Tasche lugte unter einer Schuluniformjacke hervor, die Sophie achtlos auf den Küchentisch geworfen hatte. »Ah!« Sie holte ihr Smartphone raus. Ihr Twitter-Account war geöffnet. Der letzte Tweet an ihre 60 000 Follower war ein Retweet von Craigs Ankündigung seines Konzerts. Bei der Gelegenheit hatte sie bemerkt, dass Craig schon 9000 Follower hatte – nicht übel dafür, dass er höchstens einen Monat bei Twitter war.

»Aber was ist denn jetzt im Busch?«

»Was soll schon im Busch sein, Sophie? Nichts ist im Busch.«

»Aber du hast doch gar nicht nachgeguckt.«

»Was?« Katie blickte von ihrem Smartphone auf – ein verpasster Anruf –, jetzt definitiv verwirrt.

»Melissa hat was von einem Busch gesagt!«

Katie sah, dass Sophie ernsthaft verstört und den Tränen nahe war.

»Vor dem Haus ist ein Busch. Was ist, wenn da doch was drin ist?«

»Oh, verstehe. Aber das ist doch nur eine Redensart, Mäuschen. Es bedeutet, dass etwas vor sich geht.«

»Was geht denn vor sich?«

»NICHTS … nichts, Schatz. Bitte geh und putz dir die Zähne.«

Sophie stampfte davon, und Katie drückte die Rückruftaste. Sie malte sich aus, wie in dem sterilen Büro am Piccadilly Circus das Telefon klingelte und der kleine Mann mit den guten Umgangsformen den Hörer abnahm.

»Ah, Mrs. Grainger. Ich wollte mich ohnehin wieder bei Ihnen melden. Wie geht es Ihnen heute Morgen?«

»Gut, danke der Nachfrage. Gibt es in meinem ...« Katie brachte es nicht über sich, das Wort »Fall« zu benutzen. Stattdessen fragte sie: »Haben Sie vielleicht neue Informationen für mich?«

»Das habe ich in der Tat, Mrs. Grainger. Ich frage mich, ob es vielleicht opportun wäre, wenn wir uns noch mal treffen würden. Ich bemühe mich prinzipiell, die privaten Angelegenheiten meiner Klienten nicht am Telefon zu besprechen, und da ich ein gewisses Hin und Her in Form von Fragen und Antworten erwarte, halte ich es für das Beste, dieses Gespräch unter vier Augen zu führen. Ich kann gerne zu Ihnen kommen, wenn wir uns auf einen Termin einigen sollten, der für uns beide passt.«

»Ich bin heute ohnehin in London. Können wir uns vielleicht am frühen Abend treffen?«

Sophie kam in die Küche, um nach ihrem Strohhut zu suchen. Katie zeigte auf den Deckel des Brotkastens.

»Sehr gerne. Je früher, desto besser. Können Sie zu mir ins Büro kommen?«

»Ja, sicher.«

»Sagen wir 18:30 Uhr?«

»Gern. Also bis dann, Mr. ...«, sie musste einen kurzen Augenblick überlegen, »... Ames.«

»Sehr gut. Ich freue mich darauf.«

Katie legte auf. Wo um alles in der Welt hatte Vanessa diesen Kerl ausgegraben? »Sophie, Schatz, meinst du nicht, es wäre besser, wenn du deine Sachen in dein Zimmer bringst, statt sie überall dort liegen zu lassen, wo du sie ...« Sie verkniff es sich, »zufällig« zu sagen, weil es wie »eigentlich« und »irgendwie« auf ihrer Liste verbotener Wörter stand – Wörter, die von Melissa und ihren Freunden inflationär gebraucht wurden. »Lass sie bitte einfach nicht im ganzen Haus rumfliegen.«

»Wenn's sein muss«, quengelte Sophie.

»Und lass das Quengeln, Schatz. Das gehört sich nicht.«

38

Gott, wann hatte er eigentlich zum letzten Mal ein Konzert besucht? Vor einer Weile waren sie bei Springsteen im Emirates Stadium gewesen. Allerdings hatten sie einen Logenplatz gehabt – auf Einladung der Zeitung. Aber bei einer Club-Show wie dieser war er schon eine Ewigkeit nicht mehr gewesen. Schon beim Verlassen der U-Bahn-Station Old Street hatte er Menschen auf den Club zustreben sehen, meistens jünger als er – abgesehen von wenigen Ausnahmen, die Craig wohl eher aus dessen Band-Zeiten als durch den neu gewonnenen Ruhm kannten. Natürlich hatte er das Konzert ursprünglich gar nicht besuchen wollen. Auf keinen Fall. Und er war auch fest entschlossen gewesen, an diesem Abend keinen Tropfen Alkohol zu trinken …

Er hatte den lieben langen Tag auf der Couch gelegen und im Fernsehen Jeremy Kyle geschaut. Warum auch nicht? Warum das Klischee nicht einfach voll und ganz erfüllen? Normalerweise hätte er etwas geschrieben, doch leider war da gerade niemand, der etwas von ihm geschrieben haben wollte. Er hätte Sophie zur Schule gebracht, aber das gehörte nun nicht mehr zu seinen Aufgaben. Bei seiner Rückkehr wäre Katie mit dem Haushalt beschäftigt gewesen, was ihn leicht beschämt in sein Arbeitszimmer getrieben hätte, um *irgendwas* zu schreiben. Doch da war keine herumwerkelnde Katie. Nur er und der Tag, der sich leer und zwecklos vor ihm erstreckte. »Aber Steve«, sagte Jeremy, während das Publikum hinter ihm buhte und pfiff, »das warst *du*. Das geht auf *deine* Kappe! Übernimm *gefälligst* mal etwas Verantwortung …«

»Nein, Alter, jetzt pass mal auf …«, versuchte Steve abzuwiegeln. Er hatte eine Glatze, war mit Tattoos bedeckt und sah aus, als würde er locker hundertzwanzig Kilo wiegen. Wenn er den Mund aufmachte, klang er, als hätte er gerade erst sprechen gelernt. Soweit Alan es sich zusammenreimen konnte, hatte Steve mit den beiden Töchtern seiner Ex-Freundin (also quasi seinen Stieftöchtern) sowie mit einigen Nachbarstöchtern geschlafen. Offensichtlich gab es Gegenden auf dieser Welt, in denen Steve als gute Partie galt. Seine Ex und ihre beiden Töchter saßen ihm mit verschränkten Armen und finsteren Gesichtern gegenüber. »Du bist ein widerlicher Schweine …«, sagte die liebende Mutter zu Steve, wobei das letzte Wort mit einem schrillen »Piep« zensiert wurde. »Ich würde dich nur zurücknehmen, wenn …«

Alan hatte versucht, diese Szene auf sein familiäres Umfeld zu übertragen. Er versuchte sich vorzustellen, er wäre von seiner Frau bereits beim Sex mit zweien seiner Stieftöchter ertappt worden, und nun würde Katie nach Hause kommen und ihn bis zu den Eiern in Theresa von nebenan vorfinden. Dass es ihm irgendwie gelingen würde, die Situation zu beruhigen, nur um anschließend loszuziehen und auch noch Andrea, die andere Nachbarin, zu vögeln. Er musste zugeben, dass ihm angesichts der Bilder im Fernsehen der Gedanke kam, bei Katie anzurufen und zu sagen: »Allen Ernstes? Ich soll hier der Böse sein? Hast du diesen Steve gesehen?« Besonders beschäftigte Alan der Satz: »Ich würde dich nur zurücknehmen, wenn …« Steves Lage war also nicht aussichtslos. Sicher, es gab Vorbehalte, aber er hatte eine letzte Chance, seine Ex zurückzugewinnen – die, wie Alan auffiel, vielleicht sogar noch dicker als Steve selbst war. Steve musste sich nur ein wenig zusammenreißen und künftig darauf verzichten, die eigenen Stiefkinder und alles andere zu begatten, was nicht schnell genug auf den Bäumen war.

Alan hatte auf sein Smartphone geschaut: 10:45 Uhr, der Morgen war noch nicht einmal halb rum, ein paar Stunden konnten sich doch unmöglich so lange hinziehen. »Kannste nix gegen machen, in wen du dich verliebst«, sagte Steve im Fernsehen. »Ja, Steve, aber überleg doch mal. Überleg mal, was du dieser Familie angetan hast«, erwiderte Jeremy. Alan war zum Fenster gegangen und hatte zugesehen, wie ein Frühlingsschauer auf die Hackney Road niederging. Busse brausten durch spritzende Pfützen, auf denen ein Benzinfilm in den bunt schillernden Farben eines Taubenhalses schimmerte. Die gelb und grün leuchtende Reklame des Schnapsladens auf der anderen Straßenseite versprach bereits Trost für den Abend. Das Problem war unlösbar: Wenn er abends nichts trank, hatten ihn die Sorgen die ganze Nacht im Griff. Wenn er dagegen abends trank, stürzte ihm am nächsten Morgen unweigerlich die Decke auf den Kopf. Er sah nur eine einzige Lösung, nämlich, die ganze Zeit zu trinken. Aber wo würde das hinführen? Würde sich die grausame Symmetrie der Ereignisse bis zu dem Punkt zuspitzen, an dem Craig – in ein paar Jahren – in einer Seitengasse von Soho über Alan hinwegstieg und sagte: »Alan? Alan, bist du's? Alan Grainger?«

Die Hackney Road. Folge ihr westlich bis zur Euston Road, ganz runter bis zum Bahnhof Marylebone, dann fahr dreißig Minuten mit dem Zug und spring anschließend ins Taxi. Fünf Minuten später stehst du vor dem großen Haus und gehst die Auffahrt hinauf – alle sind in der Küche. Tom ist noch zu Hause, liegt auf dem Sofa, zweifellos mit dem Smartphone in der Hand. Melissa nörgelt vermutlich herum. Katie schreibt an ihrer Kolumne. Sophie sitzt am Tisch und trinkt ihren Tee. Die kleine Sophie. Das grotesk überdimensionierte Besteck in ihren winzigen Fäustchen. Die völlig übertriebene Präzision, mit der sie ihr Essen schneidet. Der Milchbart auf ihrer Oberlippe.

O Gott ... er hatte den Kopf kräftig hin und her geschüttelt, um dieses lebhafte Bild seiner Jüngsten wieder loszuwerden. Auf der anderen Straßenseite sah er einen Mann, schwarz, vielleicht Mitte dreißig, mit nacktem Oberkörper, der schimpfend und keifend Selbstgespräche führte, während er den Mülleimer neben der Bushaltestelle durchwühlte. Einer der therapeutischen Vorteile des Stadtlebens: Wann immer man sich fühlte, als würde man gleich verrückt werden, brauchte man sich bloß umzusehen.

Jedenfalls hatte er bis zum späten Nachmittag in der Wohnung rumgegammelt, Junkfood gegessen und Diätcola getrunken. Und dann, als der Nachmittag allmählich dem Abend wich, hatte er immer öfter zu der gelben und grünen Lichtreklame hinübergestarrt. Schließlich, gegen 18:30 Uhr, war er eingeknickt und hatte sich durch den Feierabendverkehr geschoben, um eine Flasche fiesen Billig-Chardonnay zu kaufen. Nur knapp über eine Stunde später hatte er schon wieder im Schnapsladen gestanden, um sich noch eine Flasche zu holen. Warum nuckelte man an einer Flasche Rotwein eigentlich den ganzen Abend, aß dazu ein Stück Käse und ging dann ins Bett, während man drei Flaschen Weißwein innerhalb von zwei Stunden trank, anschließend das Haus verwüstete und dann nach nebenan ging, um die Nachbarin zu vögeln? Von null auf Steve in 120 Minuten.

Um 20:30 Uhr hatte er sich im Pub die Straße runter ein Stella gegönnt. Eine der vielen Gelegenheiten, bei denen er sich an eine sinnlose deutsche Saufweisheit erinnerte: *Bier auf Wein, das lass sein. Wein auf Bier, das rat ich dir.* Sinnlos, denn wenn er sich an diesen Spruch erinnerte, war ihm längst egal, in welcher Reihenfolge er trank.

Nach endlosem gedanklichen Tauziehen hatte er sich um 21:00 Uhr schließlich gesagt: »Scheiß drauf!«

Und nun war er also doch hier.

Wie es bei diesem Job offenbar zum Anforderungsprofil gehörte, starrte der Typ mit der Gästeliste erst einmal eine Ewigkeit auf das Blatt Papier, um schließlich missmutig Alans Namen durchzustreichen. Alan bekam einen kleinen Stempel auf den Handrücken und einen Umschlag mit einem »Access All Areas«-Pass zum Umhängen darin, bevor er sich unter dem leicht belustigten Blick des Türstehers (oder war er bloß paranoid?) durch die Tür schob. Er folgte dem Klang der Musik einen Flur hinunter. Der Konzertraum war voll, und ein DJ legte irgendwelchen Mist auf. Die Bühne war leer, nur ein einziger Strahler beleuchtete ein Mikrofon und eine Akustikgitarre auf einem Ständer.

Alan schlängelte sich bis zur Bar durch und zwängte sich an den Tresen – dankbar für den Umstand, dass es in dem Raum so dunkel war und alle ziemlich angetrunken wirkten. Als er mit gezücktem Zwanziger auf sein Bier wartete, spürte er einen Blick in seinem Rücken: Vanessa, die nur wenige Meter weiter ebenfalls darauf wartete, bedient zu werden. Sie sahen sich an, und Vanessa lächelte zuerst. Alan gab seinen Platz auf und ging zu ihr rüber.

»Hallo, Alan«, begrüßte sie ihn. »Ist das nicht schrecklich?« Sie meinte die Leute, den Laden und die Tatsache, dass sie sich weiter östlich als Centre Point befand.

»Ja«, sagte Alan. »Kann ich dir einen Drink ausgeben?«

»Red keinen Quatsch, ich übernehme deinen. Ich wollte eh gerade eine Runde bestellen, für …« Sie deutete in die Menge auf Emily und Camilla, die sich mit ein paar anderen Frauen, die Alan nicht zuordnen konnte, um eine Säule scharten. Camilla rümpfte verächtlich die Nase, als sie ihn sah. Emily schaute bloß weg.

»Oje«, sagte Alan.

»So sieht's aus.«

»Ein Stella, bitte. Danke, V.«

»Alan, Darling, tut mir leid, das zu sagen, aber du siehst fürchterlich aus. Du fällst ja fast vom Fleisch.«

Das war ihm bewusst. Wie lange hatte er jetzt jeden Tag getrunken? Mehr als zwei Wochen? Trotzdem fragte er sich, wie viel länger er sich mit diesem Gesicht noch in die Öffentlichkeit wagen konnte.

»Ich schätze, du hältst mich für einen ziemlichen Arsch«, sagte Alan.

»Um es zurückhaltend auszudrücken«, antwortete Vanessa und wandte sich Richtung Bar. »Und ein Stella, bitte.« Dann drehte sie sich wieder zu Alan: »Einen ›verdammten Vollidioten‹ könnte man auch sagen.«

»Ist Katie bei euch?«

»Eigentlich schon. Aber sie hat mir eine SMS geschickt, dass sie etwas später kommt. Offenbar hat sie noch ein wichtiges Meeting. Also«, sagte sie und blickte Alan direkt in die Augen, »in welche Kategorie gehörte das denn jetzt?«

»Was meinst du?«

»Dein kleiner Seitensprung. Würdest du ihn vielleicht als ›Augenblick geistiger Umnachtung‹ bezeichnen?«

»Ja, vermutlich.« Er starrte zu Boden.

»Nur damit du Bescheid weißt«, sagte Vanessa und reichte ihm das Bier. »Ich hab mich für dich starkgemacht. Aber momentan stehe ich damit etwas allein auf weiter Flur.«

»Danke, Vanessa.«

»Möchtest du mit rüberkommen und Hallo sagen? Es hinter dich bringen? Emily wird dich vermutlich ignorieren.«

»Später vielleicht. Ich geh etwas weiter nach vorne, damit ich besser sehen kann.«

»Tu, was du nicht lassen kannst, Darling.« Sie hauchte ihm einen Kuss auf die Wange und drängelte sich mit vier Gläsern Wodka Tonic durch den Pulk zu ihrer Clique.

Alan kämpfte sich ebenfalls durch die Menge, bis er auf halber Strecke zur Bühne einfach nicht mehr vorwärtskam. Er trank von seinem Bier und beobachtete, wie die Staubpartikel durch die eisblauen Lichtkegel auf der Bühne schwebten. Zu seiner Zeit war es noch Zigarettenqualm gewesen. Alle hatten sie drinnen geraucht, fröhlich drauflos gequarzt, im festen Glauben, die Party würde niemals enden. Wie oft hatten sie im Gedränge vor der Bühne gestanden? Craig und er, damals, in ihrer Jugend. Auf den Konzerten im Tiffany's, dem Night Moves oder dem Barrowland in Glasgow. Dieses elektrisierende Kribbeln der Vorfreude. Er vermisste es. Wieder eines dieser Dinge, von denen man dachte, dass man gut auf sie verzichten kann, wenn man älter wird. Er fragte sich, wie es Craig wohl gerade ging, dort hinter der Bühne, in seiner kleinen Garderobe, wo er vermutlich vor lauter Aufregung ganz zappelig wurde, hin und her tigerte, mit den Armen schlenkerte, als müsste er die überschüssige Energie aus seinen Fingerspitzen schütteln, so wie Alan es ihn schon in ihrer Jugend hatte tun sehen. Gerade als er daran zurückdachte, bemerkte Alan, dass sich die Stimmung in der Menge änderte. Vor der Bühne brandete Jubel und schließlich Applaus auf, der schnell den ganzen Raum erfasste. Dort oben, in weißem T-Shirt und Samtsakko, die Gitarre bereits umgeschnallt, stand Craig und begab sich ans Mikrofon. Der halluzinogene Zauber der Bühne wirkte bereits. Er ließ ihn eindrucksvoller wirken, verlieh ihm Größe und Charme. »Guten Abend, London«, dröhnte Craigs Stimme durch die Lautsprecher. »Gott, mir ist gerade klargeworden, dass es über zwanzig Jahre her ist, seit ich das zuletzt gesagt habe ...« Das war eindeutig eingeübt, trotzdem wurde er mit noch mehr Applaus bedacht. »Ich bin Craig Carmichael. Schön, wieder hier oben zu stehen. An diese Nummer werden sich vielleicht ein paar von euch erinnern ...« Er spielte die Anfangsakkorde des ersten Songs vom Debüt-Album der Rakes. Alan kamen die Worte zu seiner eigenen Überraschung sofort wieder in den Sinn, obwohl er sie seit

Jahren nicht mehr gehört hatte. Er konnte sich sogar daran erinnern, wie Craig den Song geschrieben hatte. Daran, wie erstaunt er gewesen war, dass jemand in ihrem Alter so etwas vollbringen konnte. Er beobachtete Craig, der die Augen geschlossen und den Mund fest gegen das Mikro gepresst hatte, und sang lautlos mit: *»We were so young, so dumb …«* Craig hatte den Song mit neunzehn geschrieben, bewegt davon, wie naiv sie mit fünfzehn gewesen waren. Vier Jahre waren in diesem Alter eine Ewigkeit. Nicht wie jetzt: ein Nachmittag, eine Mittagspause. Verdammt, Craig war wirklich gut. Seine Stimme klang kräftig und klar, sein Gitarrenspiel fingerfertig und präzise. Wie in allen großen Popsongs schwangen in dieser Nummer eine Sehnsucht und ein Bedauern mit, die der Jugend ihres Schöpfers schon bei der Entstehung um Jahre voraus gewesen waren. O ja, spätestens in diesem Moment war es für Alan glasklar. Das Universum korrigierte bloß die eigenen Fehler: Craig war immer schon das wahre Talent gewesen. Er selbst hingegen war bloß ein durchschnittlicher Schreiberling – jemand, der Glück gehabt, vorteilhaft geheiratet und den Immobilienboom zu nutzen gewusst hatte. Der oberflächliche, sarkastische Kolumnen und Bücher schrieb, niemals einen Song verfasst und niemals wirklich seine ganze Seele in etwas hineingelegt hatte. Jetzt, wo er lauschte, wie die Stimme seines Kindheitsfreundes die Luft erfüllte und über Hunderte von Menschen hinweggetragen wurde, schien es ihm, als würde eine große, seit Langem überfällige Korrektur des Schicksals vollzogen. Er war noch nicht so betrunken, dass er sich seiner Trunkenheit nicht bewusst gewesen wäre. Doch Alan sah ein, dass diese Korrektur nur gerecht war, dass es ungebührlich von ihm wäre, sich ihr entgegenzustellen. Es schien ihm ein fairer Deal zu sein, dass Craigs Rückkehr in diese Welt mit seinem eigenen Absturz einherging. Alles würde seinen vorbestimmten Weg gehen. Er würde Insolvenz anmelden. Er würde irgendwie das Geld zusammenkratzen, um sich eine Wohnung oder sogar ein Zimmer zu mieten, möglichst nah bei Katie und den Kindern. Er würde das durchstehen. Er würde nie wieder so glücklich sein wie zuvor, aber es war nicht das Ende der Welt. Er würde das schaffen. Und schließlich, versunken in Craigs Musik, kamen ihm die Tränen. Es scherte ihn nicht. Sie rollten ihm übers Gesicht, benetzten seine Wangen. Völlig in seinen quälenden Gedanken verloren, merkte er zuerst gar nicht, dass jemand an seinem Ärmel zog. Er blickte sich um und stand plötzlich seiner Frau gegenüber. Wie wunderschön sie aussah. Es dauerte einen Augenblick, bis ihm auffiel, dass an Katies Gesicht irgendetwas ungewöhnlich war. Ihre Augen, die verschmierte Mascara: Sie hatte ebenfalls geweint. Sie zog ihn an sich, und er spürte, dass sie zitterte, als sie den Mund an sein Ohr führte und schrie, um die Musik zu übertönen. Drei Worte, die sie immer wieder wiederholte. Er blickte fassungslos zur Bühne hinauf, wandte sich dann wieder Katie zu, die ihn bloß mit offenem Mund ansah und nickte. Sofort stürzte er sich zurück in die Menge, drängelte und schob auf der Suche nach dem Ausgang, bis er ihn schließlich fand, einen Beton-Korridor hinunterrannte, auf die Tür am anderen Ende zu, wo ein Türsteher »He!« rief, aber beiseite trat, als Alan mit seinem Backstage-Pass wedelte. Hinter der Tür lief er durch einen weiteren, schmaleren Flur, vorbei an Flightcases, Bierkästen und anderem Zeug. Die Musik – Craig – wurde kurz leiser und dann wieder lauter, aber anders als vorher, deutlicher, klarer, und dann musste Alan, geblendet vom Licht der Scheinwerfer, die Augen zusammenkneifen, als er sich durch den schweren Vorhang schob und ganz am Rande ein weiteres scharfes »He, du!« vernahm, einen Arm spürte, der nach ihm griff, als er vorbeirannte, ein letzter verzweifelter Versuch, ihn aufzuhalten. Schlagartig spürte er Hunderte Blicke auf sich gerichtet, spürte – so wie manchmal, wenn er bei einer Buchmesse oder einem Literaturfestival die Bühne betrat – dieses merkwürdige Gefühl völliger Blöße. Craig drehte sich genau in dem Augenblick um, als Alan im vollen Lauf auf ihn zustürmte, während er noch immer in die Saiten griff. Ihre Blicke trafen sich für einen kurzen Augenblick, und Alan brüllte »DU BESCHISSENE DRECKSAU!«, bevor seine Faust Craigs Kiefer traf und er sich auf seinen Kontrahenten stürzte, sodass die Gitarre knirschend und krachend zwischen ihnen entzweiging. Obwohl Alan Hieb für Hieb landete, lachte Craig ihm ins Gesicht. Bis Alan ihm die Daumen in die Luftröhre bohrte und drückte, so fest er konnte. Bis Craigs Augen hervortraten und die Menschen vor der Bühne panisch schrien. Alan schäumte im wahrsten Sinne des Wortes vor Wut. Speichel tropfte ihm von den Lippen, als er schließlich hinter sich das Stapfen schwerer Stiefel hörte und mehrere Hände ihn packten. Er schlug um sich, versuchte, sich zu befreien und sich wieder auf Craig zu stürzen, wurde aber von ihm weggezerrt und schließlich fallen gelassen, wobei er mit dem Kopf auf der Bühne aufschlug und ihm schwarz vor Augen wurde.

39

Ihm wurde bewusst, dass er wach war. Er hatte die Augen geschlossen, doch anhand des Lichts, das durch seine Lider drang, konnte er sagen, dass es nicht mehr früh am Morgen war. Er drehte sich auf die Seite, und ein heftiger Schmerz detonierte in seinem Kopf. *Mein Gott* ... die Erinnerung kehrte zurück. Wie er auf der Bühne mit dem Kopf aufgeschlagen war. Der Kampf. Und erst jetzt kam ihm der Gedanke, sich zu fragen: *Wo bin ich?*

Alan schlug die Augen auf. Er lag im Bett, doch er wusste nicht, wo. Nicht in dem grauenhaften Hotel. Nicht in Craigs Rumpelkammer. Er hörte Stimmen. Eine sagte »Alan?« und eine andere »Daddy?«. Er wälzte sich vorsichtig herum und setzte sich auf. Katie, Melissa und Sophie waren im Zimmer – seine Töchter saßen am Bettende, Katie auf einem Stuhl gleich neben ihm. »Ich ... hallo«, sagte er, die Stimme brüchig und dünn wie Papier. Katie brachte ihm ein Glas Wasser, das er dankbar austrank.

»Geht's dir gut, Dad?«, fragte Melissa, und in ihrer Stimme lag etwas, das er seit Langem nicht gehört hatte: aufrichtige Sorge.

»Ja, ich glaub schon. Mein Schädel brummt.«

Sophie krabbelte zu ihm, rief »Daddy!« und warf sich in seine Arme. »Au!«, jaulte Alan, als ihn erneut ein bohrender Kopfschmerz durchfuhr.

»Na schön«, sagte Katie. »Das reicht jetzt, Mädels. Gönnt eurem Daddy ein wenig Ruhe.«

»Nein, schon gut«, sagte Alan, dem jetzt dämmerte, wo er war: im Krankenhaus.

»Melissa, geh bitte und sag Dr. Khan, dass dein Vater wach ist. Dann nimm Sophie mit und hol Tom aus der Cafeteria.«

»Na los, komm schon, Doofi«, neckte Melissa ihre kleine Schwester.

»Ich hoffe, es geht dir besser, Daddy«, sagte Sophie zu Alan.

»Hier, nur einen Schluck.« Katie setzte sich auf sein Bett und reichte ihm ein weiteres Glas Wasser. »Also, woran kannst du dich erinnern?«

»Daran … wie ich auf Craig einprügle. An die Hände, die mich packen. Was ist danach passiert?«

»Du hast das Bewusstsein verloren. Der Krankenwagen kam und hat dich hierhergebracht. Weißt du noch irgendwas davon?«

Eine vage Erinnerung: Er lag auf dem Rücken, rollte unter grellen Neonlampen entlang. »So gut wie nichts.«

»Du hast die ganze Nacht geschlafen. Sie haben dir Valium gegeben. Der Arzt hat gesagt, dass du knapp an einer Alkoholvergiftung vorbeigeschrammt bist und völlig entkräftet warst.«

»Es war … eine heftige Zeit.« Alan versuchte sich zu erinnern, wann er zum letzten Mal glücklich gewesen war. Im Zug nach Schottland, beim ersten Glas Wein vor dem Essen.

»Ich weiß«, sagte Katie. Sie rückte näher an ihn heran und strich sich das Haar aus den Augen. Menschlicher Kontakt – wie sehr er das vermisst hatte. Wie sehr unser Körper danach verlangt, so wie er nach Wasser und Nahrung verlangt. »Du bist übrigens 'ne große Nummer im Internet.«

»Was?«

»Was glaubst du, wie viele Leute auf dem Konzert ein Smartphone dabeihatten? Es gibt Videos von dir, wie du auf Craig einschlägst, die haben schon über zwanzigtausend Views.«

»Oh, verdammte Scheiße ...«

Sie lächelte ihn an. Hinter ihr öffnete sich die Tür, und ein junger, asiatisch aussehender Arzt trat ein.

»Guten Morgen. Und, wie fühlen Sie sich?«

»Ich habe Kopfschmerzen.«

»Das überrascht mich nicht. Sie haben eine beeindruckende Beule. Außerdem waren Sie völlig dehydriert, deshalb lassen wir Sie auch noch eine Zeit lang am Tropf.« Er zog Alans Lider zurück und leuchtete mit einer Lampe in die Pupillen. »Wir werden nachher noch ein paar Untersuchungen machen, und wenn alles in Ordnung ist, sollten Sie heute Nachmittag wieder nach Hause gehen können.«

»Nach Hause?«, fragte Alan, aber nicht an den Arzt gerichtet.

»Nach Hause«, wiederholte Katie und nahm seine Hand.

»Versuchen Sie, so viel Wasser wie möglich zu trinken«, sagte Dr. Khan. »Ich komme dann nachher noch mal mit dem behandelnden Arzt vorbei.«

»Danke, Doktor«, sagte Katie und stand auf, um die Tür hinter ihm zu schließen. »Also«, fragte sie dann Alan, »wie viel weißt du noch von dem, was ich dir erzählt habe? Auf dem Konzert?«

Diese drei Worte: *Es war Craig. Es war Craig.*

»Craig. Craig hat dir das Video geschickt.«

»Vanessa hat mir jemanden empfohlen. Er kennt sich mit elektronischer Spurensuche aus und konnte die E-Mail zu einer IP-Adresse nachverfolgen: Sie gehörte zu dem neuen Laptop, den Craig sich gekauft hatte. Da hab ich mich gefragt, ob die Steuersache vielleicht auch kein Zufall war. Mir kam es komisch vor, dass beides fast zeitgleich passiert war. Also ist der Detektiv in Craigs Wohnung eingebrochen und ...«

»Er ist in seine Wohnung eingebrochen?«

»O ja. So was machen die ständig. Wir können natürlich keine der Erkenntnisse, die wir dadurch gewonnen haben, vor Gericht nutzen, aber ich wollte es einfach wissen. Er ist also dort eingebrochen und hat sich in Craigs Laptop gehackt. Dabei hat er nicht nur das Video, sondern auch noch diverse E-Mails gefunden. An das Finanzamt ...«

»Du meinst ...«

»Craig hat dich angeschwärzt. Wegen Steuerhinterziehung.«

»Wie kommt er denn überhaupt auf so etwas?«

»Na ja«, sagte Katie, »das könnte mein Fehler gewesen sein. Ich erinnere mich, dass ich mich letztes Jahr, kurz nachdem er zu uns gekommen war, mit ihm in der Küche unterhalten habe, über deine Firma und solche Sachen. Das muss ihn auf die Idee gebracht haben.«

»Großer Gott«, stöhnte Alan.

»Ich hab diesen ganzen Finanzkram mit Daddys Leuten durchgeackert. Ich sag dir doch schon seit Jahren, dass dein Steuerberater zu nichts zu gebrauchen ist. Und siehe da: Wir haben tatsächlich ein bisschen zu wenig gezahlt, aber keineswegs im kriminellen Ausmaß. Wir werden dem Finanzamt einen Großteil des Geldes, das wir ›etwas übereifrig als Geschäftsausgaben geltend gemacht haben‹ – so haben wir es formuliert –, auf einen Schlag zurückzahlen, und die ganze Sache ist erledigt.«

»Wie viel ist ein Großteil?«

»Ach, fünfzig- oder sechzigtausend.« Eine Summe, die Katie mit einem Wink als Kinkerlitzchen abtat. Wie man es eben macht, wenn man von Haus aus im Geld schwimmt.

»Scheiße. Wo steckt Craig? Hab ich ihn ...?«

»Du hast ihn nicht allzu übel zugerichtet. Zwei blaue Augen. Die neuen Zähne rausgeschlagen. Er ist verschwunden. Hat sich auf der Stelle vom Acker gemacht. Seine Social-Media-Konten hat er alle gelöscht. Camilla ist noch am selben Abend zu seiner Wohnung gegangen, aber er war nicht da. Ich könnte mir vorstellen, dass er eine Zeit lang untertauchen wird.«

»Das ist alles so ... warum? Warum hat er das getan?«

»Ich weiß es nicht. Ich hab keinen blassen Schimmer. Du musst ihn irgendwie gegen dich aufgebracht haben.«

Alan lehnte sich zurück, um diese neuen Informationen zu verarbeiten. Wobei sie ihm eigentlich gar nicht so neu erschienen, denn auf eine gewisse Weise hatte er es längst gewusst. Dann ging die Tür auf, und seine Kinder kehrten zurück – alle drei, angeführt von Tom, der grinsend sein iPhone in die Höhe hielt, auf seinen Vater zeigte und »Du Legende!« rief.

* * *

Die Bilder waren spektakulär, das musste Alan zugeben. Man sah Craig, wie er mit geschlossenen Augen sang. Er trat gerade vom Mikrofon zurück, als plötzlich Alans zerzauste Gestalt im Licht der Scheinwerfer auftauchte. An dieser Stelle wurde die Kameraführung desjenigen, der die Szene mit seinem iPhone festgehalten hatte – laut YouTube ein gewisser Giggy1997 –, ein wenig wackelig, als ob er versucht hätte, das wild gewordene Monster einzufangen, das gerade Richtung Bühnenmitte stürmte. Kaum hatte Craig sich zu Alan umgedreht, war der auch schon über ihm und ließ die Fäuste fliegen. Die Akustikgitarre ging zu Bruch, und mit einem comicartigen *»Za-peng«* rissen die Saiten. Die Prügelei dauerte noch ein paar Sekunden, bevor es der Security gelang, Alan von Craig wegzuzerren. Man hörte Schreie und »O Gott«-Rufe aus dem Publikum, aber auch Gelächter von Zuschauern, die das Ganze wohl für einen Teil der Show hielten, vielleicht eine Performance in GG-Allin-Tradition. Alan konnte sich nicht mehr daran erinnern, dass er den Rausschmeißer, der ihn an den Schultern gehalten hatte, als »verficktes Arschloch« beschimpft hatte, bevor dieser ihn fallen ließ und sein Kopf auf die Bühne knallte. Ja, alles in allem hatte er einen ziemlich beeindruckenden Auftritt hingelegt. Das Video – mit dem zugegeben wenig schmeichelhaften Titel »Irrer stürmt Bühne« – hatte inzwischen 28 203 Views. Doch das Beste daran war, dass er es sich in seinem eigenen Bett ansah. Bei sich zu Hause.

Zu Hause.

Wie wundervoll dieser Begriff für ihn klang. Obwohl wir ihn ständig kleinreden. *»Ich hänge zu Hause ab.« »Oh, nichts Besonderes. Ich war zu Hause.« »Da kann ich genauso gut zu Hause bleiben.«* Wenn du eine Zeit lang keins hast, dann entwickelt ein Zuhause einen fast magischen Klang.

Der Arzt hatte ihm ein paar Tage Bettruhe verordnet, weniger wegen des Schlages auf den Kopf als wegen der Dinge, die er seinem Körper in den zwei Wochen der Heimatlosigkeit zugemutet hatte. Mit einer gewissen Verbundenheit zu ihnen hatte Alan auch einen völlig neuen Respekt vor den Menschen gewonnen, die ihr Leben auf der Straße fristeten. Wie schafften sie das nur? Diese Kondition, diese Hingabe, die es erforderte, ständig betrunken zu sein. Um jeden Tag aufzustehen und das alles immer wieder von Neuem durchzumachen. An diesem, seinem dritten nüchternen Morgen lag er bloß da und lauschte den Geräuschen seines Zuhauses: das Knallen der Hintertür, als Katie in den Garten ging. Das Murmeln eines Fernsehers im Erdgeschoss. Musik, irgendwo über ihm, vermutlich aus Melissas Zimmer. Gelegentlich russisch-englische Wortwechsel zwischen Petra und Katie. Eine Toilettenspülung. BBC Radio 4 in der Küche. Das Rauschen der Dusche. Dies alles klang in seinen Ohren lieblicher als die schönste Symphonie.

Auch sonst war einiges passiert. Katie hatte die einzige Waffe ihrer Familie aufgefahren, vor deren Einsatz sogar Alan zurückschreckte: ihren Vater.

Als er gestern zu Besuch vorbeigekommen war, hatte Alan ihm von seinem Rauswurf bei der Zeitung berichtet. »Für wen hält sich diese Rose?«, hatte sein Schwiegervater geschimpft. »Oh nein. So geht das nicht. Lass mich sehen, was ich tun kann.« Anschließend hatten sie noch etwas geplaudert und dabei einen kleinen Eiertanz um die vorübergehende Trennung von Katie aufgeführt. »Tja, so was kommt vor, nicht wahr? Das ist eine Sache zwischen Mann und Frau. Ich mische mich da nicht ein. Familie. Das ist das Einzige, was zählt. Seht einfach zu, dass ihr diesen Quatsch hinter euch lasst.« Als der alte Mann gerade gehen wollte und seine Hand schon auf dem Türgriff lag, hatte er sich noch einmal umgedreht und gesagt: »Nur eins noch, bevor ich mich um deinen Job kümmere.« Dann hatte er Alan direkt in die Augen gesehen und gefragt: »Du hast unsere verflixte Toilette kaputt gemacht, stimmt's?«

»Ich befürchte, ja«, hatte Alan ohne jegliches Schamgefühl geantwortet. Das war ihm spätestens auf der Bühne des XOYO abhanden gekommen.

»Ich *wusste* es!«, hatte der Duke gerufen.

Als Katies Vater gegangen war, hatte sich Alan an etwas erinnert. Ein ganz bestimmter Moment jenes Abends war ihm wieder vor Augen erschienen. Craig, wie er vor ihm ins Klo geschlüpft und mit einem jovialen »Hereinspaziert!« wieder herausgekommen war.

Der Duke hielt sein Wort. Mit einem kurzen Zücken seines Scheckbuchs nahm er sich der Steuerschuld an (sie würden das verrechnen, die Summe war ohnehin nur ein Bruchteil von Katies Erbe), und ein einziger Anruf von ihm sorgte dafür, dass Alan wieder eingestellt wurde.

Schon nächsten Monat konnte er wieder bei der Zeitung anfangen.

Und Alan selbst? Hatte er keine Probleme damit, sich so unverhohlen am Familientrog gütlich zu tun? Was empfand er angesichts seines eigenen Nepotismus? Nun, um ehrlich zu sein, ging es ihm bestens damit. Nein, im Augenblick hatte er überhaupt keine Probleme damit.

Blieben nur noch zwei offene Fragen.

Craig war einfach von der Bildfläche verschwunden. Katie hatte sich zusammen mit Vanessa zu seiner Wohnung in Hackney aufgemacht, um ihn zu suchen, aber nur ein junges Pärchen angetroffen. Die beiden waren am Tag zuvor dort eingezogen, nachdem sie einen Aushang im örtlichen Zeitschriftenladen gesehen hatten. Der kleine Mr. Ames ging der Sache bereits nach. Und was die zweite Frage betraf …

Es war nur eine einzige von den gut achttausend Nächten gewesen, die sie inzwischen zusammen waren. »Ein Augenblick geistiger Umnachtung«, wie Vanessa ihre Freundin Katie überzeugen konnte. Er würde sich sehr anstrengen müssen, um Katie dazu zu bringen, ihm zu verzeihen.

Und das tat er auch.

40

Fünf Monate später

Die flache Landschaft des nördlichen Ayrshire zog am Autofenster vorbei. Wie lange lag sein letzter Besuch hier inzwischen zurück? Es war kurz nach der Beerdigung seiner Mutter gewesen. Vor sieben Jahren. Oder sogar acht? So um den Dreh. Die Straße vor ihm war nun völlig frei, und Alan schaltete vom vierten in den fünften Gang hoch. Nach so langer Zeit mal wieder mit Schaltgetriebe zu fahren, war immer noch gewöhnungsbedürftig für ihn. Bei Avis am Flughafen von Glasgow hatten sie keinen Mietwagen mit Automatik im Angebot gehabt.

Es war Mitte September, und wie es das schottische Wetter um diese Jahreszeit gerne mal tut, spendierte es eine zweite Sommerwoche, nachdem die erste im Mai inzwischen fast vier Monate zurücklag. Er hatte das Fenster heruntergelassen, der Himmel war blau und wolkenlos. Unterhalb der Straße glitzerte der Firth of Clyde. Er näherte sich Ardgirvan, und ein vertrauter Anblick folgte auf den nächsten: das Entbindungsheim, in dem er das Licht der Welt erblickt hatte, und die alte Volvo-Fabrik am Stadtrand, wo die Väter vieler seiner Freunde gearbeitet hatten. Dann rechter Hand der Ravenscroft Golf Club.

Erst das achtzehnte Tee, das siebzehnte Tee, das sechzehnte Tee und das fünfzehnte Tee – die letzten vier Löcher lagen dicht beieinander. Dahinter, ebenfalls auf der rechten Seite, der Ardgirvan Golf Club, schließlich die Schule. Als sie hinter ihm lag, fuhr er über die Hauptverkehrsstraße Richtung Ortsmitte, vorbei an der Abzweigung zu seinem Elternhaus, wo er aufgewachsen war und seine Mutter noch bis zu ihrem Tod gelebt hatte. Die Tankstelle an der Ecke gab es noch immer. Nach bestandener Führerscheinprüfung hatte er dort zum ersten Mal das Auto seines Vaters aufgetankt – lang, lang war's her. Er fuhr an den großen viktorianischen Villen vorbei, den prächtigsten Häusern der Stadt, inzwischen größtenteils Hotels und Pflegeheime, bevor er an der Annick Bar (wo man im Hinterzimmer bekanntermaßen schon mit fünfzehn Alkohol ausgeschenkt bekam) den Kreisverkehr durchquerte und den Wagen parallel zur High Street parkte.

Er stellte den Motor ab und betrachtete noch einmal den Zettel mit Mr. Ames' kleinen, akkuraten Blockbuchstaben darauf. Er wusste genau, wo das war, mitten im Ortszentrum. Er kaufte ein Parkticket, legte es aufs Armaturenbrett und nahm die Abkürzung durch eine der Gassen zur High Street. Vor etwas mehr als dreißig Jahren war diese Straße der Mittelpunkt seiner Welt gewesen. Die Zeit war, gelinde gesagt, nicht unbedingt sanft mit ihr umgesprungen. Überall Sozialkaufhäuser, »Wir kaufen Ihr Gold«-Läden und Minimärkte mit Tiefkühlkost. Er kam am The Boot vorbei, noch so einer legendären Teenager-Absteige. Neben dem Pub sah Alan das einzige Anzeichen von Modernisierung, das er weit und breit erblicken konnte: eine große, nagelneue Costa-Coffee-Filiale. Er schaute auf sein Smartphone: 9:37 Uhr. Er ging hinein und bestellte einen großen Americano mit heißer Milch zum Mitnehmen. Unter seinem Arm klemmte die aktuelle Ausgabe des *Guardian*, die er sich am Flughafen gekauft hatte, damit sie ihm auf seinem Spähposten Gesellschaft leistete.

Dort, wo die vier wichtigsten Straßen des Ortes aufeinandertrafen, setzte er sich auf eine Bank, schlug die Zeitung auf seinen Oberschenkeln auf und schlürfte seinen Kaffee. Auf Katies SMS – »Wie läuft's?« – antwortete er mit »Bin da. Warte. Halte dich auf dem Laufenden. Xx« und beobachtete das Treiben in dieser kleinen schottischen Stadt, der er vor über dreißig Jahren den Rücken gekehrt hatte. Die Menschen waren in Hemd oder T-Shirt unterwegs und genossen die Sonne, die sie vermutlich zum letzten Mal mit ihren wärmenden Strahlen bedachte, bevor sie sich für viele Monate hinter den Wolken verkriechen würde. Für einen Schultag waren überraschend viele Kinder unterwegs. Dann erinnerte er sich daran, wie oft sie früher »blaugemacht« und sich den Morgen oder Nachmittag zu Hause bei Freunden um die Ohren geschlagen hatten, wenn deren Eltern bei der Arbeit gewesen waren. Wie sie dort süßen Tee getrunken, Kekse geknabbert und Horrorfilme – *Der schwarze Mann, Ich spuck auf dein Grab, Die Rache der Kannibalen* – auf VHS-Kassetten von Target Video geschaut hatten. Der Videothek, die, wie ihm nun auffiel, früher dort gewesen war, wo sich jetzt Costa befand. Hier und dort standen Grüppchen von Senioren zusammen. Die Männer vor den Wettbüros oder rauchend vor dem Bam, Ardgirvans härtestem Pub, und die Frauen vor dem Supermarkt. Eigentlich sah es so aus, als wären nur noch die ganz Jungen oder die ganz Alten in der Stadt. Vermutlich ein weiterer Grund dafür, dass das Ortszentrum so gut wie ausgestorben wirkte: Jeder, der alt genug war, um einen Führerschein zu haben, fuhr ins Einkaufszentrum unten am Hafen, wo all die bekannten Ketten und Marken vertreten waren: Starbucks, KFC, McDonald's, Frankie & Benny's, Tesco, Sainsbury's und Asda. Der High Street blieben die Ramschläden, die sich schon durch ihre Namen verrieten: eine Boutique namens JENNYS (ohne Apostroph), deren Auslage einer Frau wie Vanessa fraglos die Tränen in die Augen getrieben hätte, eine Kettenbäckerei namens KAFFEE-ZEIT, außerdem einer dieser Läden, die Fernseher und Kühlschränke an Menschen, die ihr Dasein auf der untersten Stufe der sozialen Kellertreppe fristen, zu Raten mit fast zweitausend Prozent Zinsen »verkauften«.

Völlig in Gedanken verloren, hätte er ihn fast übersehen. Angestrengt starrte er über den Rand seiner Zeitung auf die andere Straßenseite. Aber es gab keinen Zweifel, er war es. Unschwer zu erkennen an dem vertrauten, schluffenden Gang. Sonnenbrille, dunkler Kapuzenpulli, gesenkter Kopf, in den Händen eine Papiertüte und einen Costa-Becher. Sie mussten sich dort knapp verpasst haben. Als Alan von der Bank aufstand, spürte er, wie das Herz in seiner Brust pochte. Ihm wurde klar, dass er zwar keine Ahnung hatte, wohin das hier führen würde, dass er es aber einfach versuchen musste. *Za chto? Warum nur? Et tu, mein Freund?*

Alan eilte über die Straße und schloss zwischen Ronnies Friseursalon und JENNYS zu Craig auf. Der schien zu spüren, dass jemand hinter ihm stand, und drehte sich um.

»Craig«, sagte Alan.

Die Augen hinter der Sonnenbrille versteckt, musterte Craig ihn schweigend. Einen Herzschlag lang verharrte er mit der Hand am Schlüssel im Schloss, während die andere den Kaffee und die offene Papiertüte hielt, in der sich, wie Alan nun sah, frische Brötchen befanden. »Komm halt rein«, sagte er achselzuckend, trat in den düsteren Flur des Mietshauses und hielt Alan die Tür auf.

Die Wohnung lag im ersten Stock. Und »Wohnung« war ein Euphemismus. Es war ein Zimmer. Eine Spüle in der einen Ecke, ein schmales Bett in der anderen. Kein Bad. Es gab ein schmales Sofa und einen Sessel vor einem Couchtisch, einen minibargroßen Kühlschrank und die obligatorische Kochplatte. Sämtliche Möbel schienen aus dem Jahr 1985 zu stammen. Die Wände waren schmutzig, der Putz rissig, die Fenster zur High Street mit schmuddeligen Gardinen verhängt. Die Luft roch abgestanden wie feuchte Vollkornkekse. Craig warf die Brötchentüte auf den Couchtisch und setzte sich in den Sessel. Alan blieb im Türrahmen stehen.

»Ist was anderes als deine letzte Bude«, sagte er.

Craig antwortete nicht. Er sah Alan weder an, noch wich er dessen Blick aus. Alan war nicht unbedingt davon ausgegangen, dass Craig Angst vor ihm haben würde. Aber er hatte zumindest einen Hauch von Anspannung, Überraschung oder schlechtem Gewissen erwartet. *Irgendetwas.* Doch Craig blieb völlig cool. Er wirkte fast gelangweilt. Als würde Alan ihn von wichtigeren Dingen abhalten. Craig nahm die Sonnenbrille ab.

»Fragst du dich nicht, wie ich dich gefunden habe?«, wollte Alan wissen.

»Nö. Mit 'nem Privatdetektiv, nehm ich an.«

»Wie geht's deinem Gesicht?«

Craig zuckte mit den Schultern. Einen Moment herrschte Stille, dann sagte er: »Ich schätze, du willst wissen, warum ich dir das angetan hab.«

Alan setzte sich aufs Sofa. Craig blickte ihn lange an und schüttelte schließlich den Kopf. »Du bist so ein dämlicher *Arsch*, Alan. Du warst immer schon ein kleines Arschloch. Schon seit unserer ersten Begegnung.«

Die Wahrheit. Es war beinahe eine Erleichterung, sie endlich zu hören. Viele solcher Freundschaften währen ein Leben lang, ohne dass die Wahrheit je ihr müdes Haupt erheben muss.

»Sogar nach allem ...«, begann Alan, aber Craig schnitt ihm das Wort ab.

»Nach allem, was du für mich getan hast? Du und deine beschissene, gönnerhafte Art. Du wolltest mir doch nur unter die Nase reiben, was du Arsch für ein tolles Leben hast. Als ob ich das nicht längst gewusst hätte. Deine hässliche, blasierte Fresse, die einem ständig selbstzufrieden aus der Zeitung oder aus dem Fernseher entgegengrinst und von beschissenen Salaten und Rebhühnern und so 'nem Scheiß faselt. Weißt du, wie lang ich zugesehen hab, wie du deinen goldenen Arsch durch Soho getragen hast, bevor ich dich angesprochen hab? Ne verfickte Ewigkeit. Na klar – schleif den obdachlosen Typen ins Groucho und amüsier dich auf seine Kosten. Aber das hat dir ja nicht gereicht, oh nein. Du konntest es ja nicht dabei belassen, mir ein paar Biere auszugeben, mir ein bisschen Geld in die Hand zu drücken und dich zu verpissen. Du musstest mir dein großes Haus, deine Frau, deine Autos, die ganze beschissene Palette vorführen. Du warst *nichts*, als du mich kennengelernt hast, du kleiner Wichser.«

»Du hast das also alles geplant?«

»Zu einem gewissen Grad. Nachdem ihr damit geprahlt habt, wie ihr mit dieser Firmen-Kacke die Steuer bescheißt, dachte ich, dass ich euch daraus sicher 'nen hübschen Strick drehen könnte. Dann, in dieser Nacht, als wir aus dem Pub zurückkamen und du völlig zugekokst warst, wusste ich, du wirst die Finger nicht von den Bräuten lassen können. Und dass mir das die Chance geben würde, dich nicht nur finanziell zu ruinieren, sondern auch deine Ehe zu zerstören. Aber der ganze Schlamassel, in den du da geraten bist, als sich diese Idioten bei dem dämlichen Fotoshooting gegenseitig abgeknallt haben? Und dass du gefeuert wurdest? Das gab's quasi als Bonus obendrauf. Ich konnte mein Glück kaum fassen.«

»Eine Sache noch: die Toilette, auf der Party bei Katies ...«

Craig lachte. »Aye, das war der Knaller, oder? Hab ich spontan improvisiert. Hab eins und eins zusammengezählt. Ein Klo mit kaputten Leitungen und Unmengen an Abführpillen, die du dir ständig eingeklinkt hast. Ich hab gesehen, wie du auf deinem Stuhl rumgerutscht bist ...«

Alan stand auf, ging zum Fenster und blickte auf die High Street von Ardgirvan hinunter. »Warum hier?«, fragte er. »Warum bist du hierher zurückgekommen?«

»Weil ich nicht so bin wie du.«

»Was soll das heißen?«

»Ich bin nicht so ein vom Selbsthass zerfressener Wichser. Ich hatte es nicht nötig, 'ne reiche englische Tussi zu heiraten, meinen beschissenen Akzent zu ändern, meine Kinder auf 'ne alberne Privatschule zu schicken ... dieser ganze Mist, den du getan hast, um dich von hier zu distanzieren. Und noch was: Du schreibst miserabel, und das weißt du genau. Dieser beschissene ›Roman‹, den du geschrieben hast. Wie zum Teufel konnte es passieren, dass dieser Dreck jemals veröffentlicht wurde? Ich weiß, dass du nicht dumm genug bist, um ernsthaft zu glauben, du hättest was auf dem Kasten. Denn ...«

Craig sprach all das aus, was Freunde einander nie sagen sollten. Irgendwann hörte Alan gar nicht mehr richtig zu. Manches von dem, was Craig sagte, stimmte natürlich. Alan erinnerte sich an die Qualen, die bohrenden, fast körperlichen Schmerzen, unter denen er gelitten hatte. Damals, Anfang der Neunziger, als für wenige Jahre alles dafür sprach, dass sein Freund zum Superstar aufsteigen und ihn im Staub stehen lassen würde. Craig, der in New York ausverkaufte Konzerte gab, dessen Musik im Radio lief und dessen Konterfei ihm aus den Zeitungen entgegenblickte, während er im schäbigen Büro von *Time Out* an der Tottenham Court Road seinem dämlichen Job nachging, mit der U-Bahn zur Arbeit fuhr und in einem winzigen Zimmer in Seven Sisters zur Miete wohnte.

Er musste an die Zitate denken, die es sicher nicht ohne Grund gab: »Es reicht nicht, wenn ich Erfolg habe, andere müssen scheitern.« Oder: »Wir vergeben unseren Freunden alles außer Erfolg.«

Und dann kam Craigs tiefer Fall. Viel zu schnell, viel zu steil war er abgestürzt und viel zu hart aufgeschlagen. Gleichzeitig begann Alans Aufstieg in die Welt des Geldes und des Erfolgs. Ab da hatte er im warmen Wasser einer seichten Lagune geplanscht, auf deren Oberfläche das Sonnenlicht glitzerte, während Craig mit rudernden Armen in den kalten und dunklen Abgrund hinabgesunken war, wo das Seegras ihn an den Grund gefesselt und er zu Alan hinaufgestarrt hatte.

Alan erkannte, dass er an jenem Abend, als Craig sich beim Abendessen mit Melissa über ihn lustig gemacht hatte, instinktiv auf der richtigen Fährte gewesen war. Das Kräfteverhältnis zwischen Männern ist schon früh ausgemachte Sache. Es spielte keine Rolle, wie viel Geld und wie viel Erfolg Alan hatte. Es war völlig egal, ob er einen Anzug aus reinem Gold trug und Craig nackt in der Gosse lag. Alan würde immer versuchen, Craig zu beeindrucken. Und Craig würde Alan dafür immer verachten. Selbst hier und jetzt, als Alan sich anschickte, wieder zum Flughafen zu fahren und sich dort in die British-Airways-Lounge zu setzen, bevor er ins Flugzeug steigen und in sein schon wieder nahezu perfektes Leben zurückkehren würde, um Craig in dieser Bruchbude zurückzulassen, wo die Post auf der Fußmatte aus einem traurigen Haufen von Kreditangeboten und Speisekarten vom Bringdienst bestand. Selbst hier und jetzt bestand kein Zweifel daran, wie die Kräfte verteilt waren.

»Waren wir jemals Freunde?«, fragte Alan auf der Türschwelle.

Craig zuckte mit den Schultern. »Man nimmt, was man kriegen kann, oder?«

Alan ging über die High Street zurück zum Auto und schaute sich ein letztes Mal um. Mit dem Wissen, dass er nie wieder herkommen würde, betrachtete er die verrußten viktorianischen Häuser der Stadt und beobachtete eine Möwe, die Pommes frites vom Asphalt aufpickte. Auf der anderen Straßenseite erhob sich das ehemalige Annick Hotel. Es war von einem Bauzaun umgeben, der mit Plakaten zugekleistert war. Er blieb stehen und blickte hinauf zu dem Fenster im ersten Stock, hinter dem einst der Veranstaltungssaal gelegen hatte. Wie ein ungebetener Gast holte die Erinnerung ihn ein, und vor seinem geistigen Auge sah er sich selbst, wie er diesen Saal das letzte Mal betreten hatte.

Du bist die Treppe hinaufgestürmt, den klebrigen Teppich unter den Füßen, in der einen Hand deinen Gitarrenkoffer und in der anderen eine Plastiktüte mit Kabeln und Effektgeräten. Craig hatte sie bei der Probe vergessen. Noch bevor du die Tür zum Veranstaltungssaal geöffnet hast, konntest du es hören, das regelmäßige, rhythmische Bum-bum-bum des Soundchecks. Beim Betreten des Saals sahst du Andy auf der kleinen Bühne hinter seinem Schlagzeug sitzen. Der Hippie-Typ, dem die Soundanlage gehörte, rief: »Aye, jetzt bitte die Snare«, und ein Tack-tack-tack löste das Bum-bum-bum der Bassdrum ab. Du gingst über den Dielenboden der Tanzfläche zu den anderen hinüber. Craig stand mit dem Rücken zu dir und redete über den Lärm der Snare hinweg auf den Rest der Band ein. Einer von ihnen machte Craig mit einem Nicken auf dich aufmerksam, worauf er sich kurz nach dir umdrehte und den anderen dann mit lauter Stimme verkündete: »Aye, das kriegen wir schon hin.« Die Jungs starrten zu Boden. Es war, als würdest du das schrille Quietschen der Bremsen hören. Wie wenn jemand ein Gespräch mitten im Satz abbricht und dann plötzlich die Richtung wechselt. »Worum ging's?«, hast du gefragt.

»SNARE, KICK UND HI-HAT ZUSAMMEN!«, brüllte der Soundmann. Andy fing an zu spielen: »Reel Around the Fountain«.

»Nichts Wichtiges«, sagte Craig. »Warum bist du so spät?«

»Du wolltest, dass ich das hier abhole«, hast du geantwortet und ihm die Plastiktüte mit den Effektgeräten in die Hand gedrückt.

»Oh. Klar. Klasse.« Craig nahm die Tüte und ging zu seinem Verstärker. Die anderen trollten sich ebenfalls zu ihren Instrumenten.

Niemand redete mit dir. Doch als sie dir den Rücken zudrehten, hast du das versteckte Feixen gesehen, und da wusstest du Bescheid. Du hast es einfach gewusst.

Während der Lärm des Schlagzeugs und der Geruch von schalem Bier und Bleiche den Raum erfüllte, bliebst du mit heißem Gesicht allein auf der kleinen Tanzfläche zurück. Irgendwo hinter dir stöpselte Craig seine Gitarre in den Verstärker und stieg in den Song mit ein.

Das war 1986.